新能源地热能产业高质量发展研究

XIN NENGYUAN DIRENENG CHANYE GAOZHILIANG FAZHAN YANJIU

过广华 冯 帆 史帅航 吴致漾 李建峰 等著

图书在版编目(CIP)数据

新能源地热能产业高质量发展研究/过广华等著. —武汉:中国地质大学出版社,2021.12
ISBN 978-7-5625-5106-5

Ⅰ.①新…
Ⅱ.①过…
Ⅲ.①新能源-地热能-产业发展-研究-中国
Ⅳ.①F426.2

中国版本图书馆 CIP 数据核字(2021)第 181852 号

新能源地热能产业高质量发展研究	过广华 冯 帆 史帅航 吴致漾 李建峰 等著	
责任编辑:张旻玥	选题策划:张瑞生 张旻玥	责任校对:何澍语
出版发行:中国地质大学出版社(武汉市洪山区鲁磨路388号)		邮政编码:430074
电 话:(027)67883511	传 真:67883580	E-mail:cbb@cug.edu.cn
经 销:全国新华书店		http://cugp.cug.edu.cn
开本:787mm×1092mm 1/16	字数:358 千字	印张:14
版次:2021 年 12 月第 1 版	印次:2021 年 12 月第 1 次印刷	
印刷:武汉市籍缘印刷厂		
ISBN 978-7-5625-5106-5		定价:78.00 元

如有印装质量问题请与印刷厂联系调换

《新能源地热能产业高质量发展研究》

编委会

过广华　冯　帆　史帅航　吴致漾　李建峰

李德良　李会杰　杨　柳　过崇明　过　瑞

缪淑华　谢卓麟　姚彤宝　郭彦平　赵　玉

序 一

人类社会发展的历史就是能源开发利用的历史。地热能主要是指赋存于地球内部岩土体、流体和岩浆体中，能够被人类开发和利用的热能。20世纪60年代末至70年代初，在石油危机的"推波助澜"下，地热能作为一种新能源在国际范围内被学界广泛重视，国内的一些科学家也开始重视地热资源的勘查评价。著名地质学家李四光就曾说："开发地热能，就像人类发现煤、石油可以燃烧一样，开辟了利用能源的新纪元。"在李四光教授亲自倡导和指引下，地热资源引起了广泛关注并开启了开发利用的热潮，我国地热研究工作在地热基础理论探索区域地热资源普查、地热资源开发利用方面取得了显著的进展。

2012年5月19日，时任国家总理温家宝同志在考察中国地质大学（武汉）时提出，他担任领导工作以后，一直没有忘记对地质科学的关注，并说道："到冰岛考察火山和地热，在赫利台迪地热电站与数十名当地地质工作者和联合国大学地热学院的学生座谈，当时我讲了我多年思考的地质科学的研究方向。"2016年召开的中国地热国际论坛也提出：我国非化石能源将在一次能源消费中占比从12%提高到15%，其中地热资源将成为我国非化石能源增量主力。总体来说，改革开放以来，我国在地热资源勘测、开发及利用方面进行了深入探索和持续创新，整体理论框架基本成型，产业装备水平日益提高，浅层地热能、水热型地热能结合干热岩型地热能的利用初步形成体系。

在未来的国际竞争中，谁控制了能源，谁就拥有了绝对的话语权。新能源产业经济的发展水平日益成为衡量国家高新技术的重要标准。加强对地热能产业发展的研究、引导与管理，尽可能地占领新一轮国际竞争的战略制高点意义重大。因此，不能狭义地将地热能产业当作"用地热发电或取暖"的普通产业，而是应当立足国际经济发展格局，充分拓宽和延伸其产业内涵含量、技术含量、市场前景，深刻把握地热能产业发展的内在规律，加强规划布局，逐步构建一项经济效益突出、技术含量高、惠民范围广、国际竞争力强的新能源事业。

以过广华博士为代表的地热能产业高质量发展研究课题团队，在研究中借鉴国际经验，结合产业发展、公共管理等方面的理论成果，从多个维度对地热能产业高质量发展模式的进行了深入分析和探讨，进一步丰富了地热能产业发展的内容。从理论层面来看，本书的研究有利于充实新能源产业发展的理论，所提出的"地热能产业高质量发展模式"的概念及对相关管理体系的认识，对于完善地热能产业发展理论能够起到一定的支撑作用。从实践层面来看，本书的研究亦能为地热能产业的发展提供管理策略层面的参考。我想该专著的出版，会成为推动我国地热能产业发展的有益之举。希望未来地热新能源会有更多的发展空间和潜力，我们也期待地热新能源领域有更多不同类型、不同结构、不同视角的专著问世，从而推动新能源学术研究百家争鸣，为繁荣我国新能源开发利用贡献力量！

中国科学院院士

2021 年 5 月 28 日

序 二

中国特色社会主义进入了新时代，我国经济已由高速增长阶段转向高质量发展阶段。能源是国民经济和社会发展的重要物质基础，经济的高质量发展离不开能源转型升级。能源转型的关键在于供给侧结构性调整，并从提升整个产业的高度优化发展方向、转换发展模式。

2020年9月22日，国家主席习近平在第七十五届联合国大会上作出"中国将提高国家自主贡献力度，采取更加有力的政策和措施，二氧化碳排放力争于2030年前达到峰值，努力争取到2060年前实现碳中和"的重大宣示。"3060"双碳目标是统筹国内经济社会发展与全球应对气候变化协同共赢的重大战略，为我国应对气候变化、绿色低碳发展提供了方向指引和根本遵循。2021年5月26日，国务院副总理韩正在碳达峰、碳中和工作领导小组第一次全体会议上指出，实现碳达峰、碳中和，是我国实现可持续发展、高质量发展的内在要求，也是推动构建人类命运共同体的必然选择。

就地热能而言，根据中国地质调查局、国家能源局新能源和可再生能源司等机构于2018年8月25日发布的《中国地热能发展报告》，在"政产学研"的共同作用下，我国地热能开发利用技术不断取得突破，装备能力逐步与国际前沿接轨，终端应用呈现"星火燎原"局势。从整体上看，我国地热能产业体系已初步形成，具体表现为浅层地热能利用增速迅猛、水热型地热能利用逐步推广开来、干热岩型地热能勘查开发有序开展等方面，但是产业发展仍然存在地热能勘查评价和科学分析有欠精细、政策扶持力度不强、整体发展规划落实不够、能源资源管理制度统筹性不足等诸多问题。与光伏、风电等新能源品种相比，地热能的开发利用总体上较为滞后，市场影响力亟待提高。

目前，地热能产业发展模式方面还存在诸多问题，有待深入研究和加以解决。广华博士长期从事新能源地热能产业高质量发展方面的研究工作，在专业领域具有丰富的经验和较深的造诣。本书从学术和实践两个方面对我国地热能产业基础理论以及发展的现状、模式、实例、愿景等进行了科学分析和系统研究，其中关于地热能开发利用项目实施办法的总结探索，提出了由地热能产业单要素研究向环境、资源、政策、资本等多要素综合研究的转变，既有宏观层面理论，又有微观层面实践，对行业发展具有较高的参考价值和较强的现实指导意义。

科技引领发展，创新成就未来。站在"两个一百年"的历史交汇点，面对碳达峰、碳中和的新要求，加强新能源产业研究、加快能源产业结构调整、提高新能源利用效率与规模势在必行。愿这本著作对广大读者深入了解地热能产业新的发展有所裨益。

原国土资源部党组成员、副部长

2021 年 10 月 30 日

目 录

导 论 ·· (1)

上篇 地热能产业的基础理论与发展现状

第一章 相关概念及研究的理论基础 ··· (5)
　　第一节 相关概念介绍 ·· (5)
　　第二节 研究的理论基础 ·· (12)
　　第三节 其他有关理论 ··· (19)

第二章 我国地热能的开发利用及产业竞争力评价 ································· (24)
　　第一节 我国地热能资源概况 ·· (24)
　　第二节 我国地热能产业发展概述 ·· (30)
　　第三节 我国地热能产业发展的特殊规律 ·· (37)
　　第四节 我国地热能产业的竞争力评价 ·· (39)

第三章 我国地热能产业发展环境及影响因素分析 ································· (41)
　　第一节 我国地热能产业发展外部环境的PESTEL分析 ························· (41)
　　第二节 我国地热能产业发展的驱动因素与制约因素 ····························· (46)
　　第三节 我国地热能产业发展存在的主要问题及原因 ····························· (49)

第四章 国外地热能产业发展现状、趋势及借鉴意义 ······························ (57)
　　第一节 国外地热能产业发展现状 ·· (57)
　　第二节 国外地热能产业发展趋势 ·· (67)
　　第三节 "一带一路"沿线国家地热能产业合作前景 ······························· (69)
　　第四节 国外地热能产业发展对我国的借鉴意义 ··································· (72)

中篇 我国地热能产业化发展模式

第五章 我国地热能产业发展现有模式和若干新类型 ······························ (77)
　　第一节 我国地热能产业发展的现有模式 ·· (77)
　　第二节 合同能源管理模式（EMC） ·· (79)

V

第三节　公私合作模式(PPP) ……………………………………………… (85)
　　第四节　"工程总承包＋融资"模式("EPC＋F") …………………………… (88)
　　第五节　"地热能＋"模式 ……………………………………………………… (89)
　　第六节　区块链模式 …………………………………………………………… (91)

第六章　促进我国地热能产业高质量发展的模式构建 ………………………… (93)
　　第一节　地热能产业发展路径的时代变更 …………………………………… (93)
　　第二节　构建地热能产业高质量发展模式的理论构想 ……………………… (96)
　　第三节　构建地热能产业高质量发展模式的基本逻辑框架 ………………… (97)
　　第四节　构建地热能产业高质量发展模式的关键点 ………………………… (103)

第七章　地热能产业发展融资方式探析 ………………………………………… (113)
　　第一节　地热能产业融资的理论分析 ………………………………………… (113)
　　第二节　地热新能源产业融资的具体方式 …………………………………… (118)

第八章　地热新能源产业发展基金的管理策略 ………………………………… (128)
　　第一节　地热能产业发展基金的设立 ………………………………………… (128)
　　第二节　地热能产业发展基金的日常管理 …………………………………… (131)
　　第三节　地热能产业发展基金的风险管控 …………………………………… (135)
　　第四节　地热能产业发展基金的退出 ………………………………………… (140)
　　第五节　地热能产业发展基金的案例及启示 ………………………………… (141)

下篇　地热能产业发展的实例与行业发展愿景

第九章　地热新能源领域的若干特色模式 ……………………………………… (151)
　　第一节　地热新能源领域特色模式概述 ……………………………………… (151)
　　第二节　雄县模式 ……………………………………………………………… (152)
　　第三节　陕州模式 ……………………………………………………………… (158)

第十章　不同主体在地热能产业高质量发展中的作用与对策建议 …………… (162)
　　第一节　政府部门的优劣势分析及对策建议 ………………………………… (162)
　　第二节　国有地热能企业的优劣势分析及应发挥的作用 …………………… (168)
　　第三节　民营地热能企业的优劣势分析及应发挥的作用 …………………… (170)
　　第四节　外资企业的优劣势分析及应发挥的作用 …………………………… (172)
　　第五节　金融机构的优劣势分析及应发挥的作用 …………………………… (174)
　　第六节　高校及科研院所的优劣势分析及应发挥的作用 …………………… (176)

第十一章　地热新能源代表性企业及项目 ……………………………………… (179)
　　第一节　国有新能源企业:以中石化新星公司为例 ………………………… (179)

  第二节 民营新能源企业:以万江新能源公司为例 …………………………(181)
  第三节 混合所有制及外资新能源企业:以中煤任远公司为例 ……………(184)
  第四节 其他地热新能源上市企业 ……………………………………………(186)
第十二章 地热新能源发展的愿景 ……………………………………………………(187)
主要参考文献 ……………………………………………………………………………(189)
附 录 ……………………………………………………………………………………(202)
后 记 ……………………………………………………………………………………(210)

导　论

一、地热能产业研究背景

1978年至2010年间，我国国内生产总值（GDP）一直保持7.6%～14.2%的高增长率，整体社会发展也驶入了快车道。仅用了30多年的时间，我国就发展为世界第二大经济体。但是，2010年以来，受国际国内各种因素的影响，GDP增速迅速回落至7%左右的水平，"提质换挡"也成为经济发展方面的关键词。这引发了社会各界对经济发展模式及产业结构转型等问题的高度关注。在2017年中国共产党第十九次全国代表大会上首次出现了关于"高质量发展"的表述，这个概念的提出标志着中国经济由高速增长阶段转向高质量发展阶段。将这一概念应用于产业发展领域，就有必要改变过去那种高投入、高能耗的粗放式增长模式，探索效益型、低能耗、绿色、环境友好、可持续的发展模式。

根据自然资源部中国地质调查局、国家能源局新能源和可再生能源司等机构于2018年8月25日发布的《中国地热能发展报告》，在"政产学研"的共同努力下，我国地热能开发利用技术不断取得突破，装备能力逐步与国际前沿接轨，终端应用呈现"星火燎原"局势。从整体上看，我国地热能产业体系已初步形成，具体表现为浅层地热能利用增速迅猛、水热型地热能利用逐步推广开来、干热岩型地热能勘查开发有序开展等方面，但地热能产业发展也存在地热能勘查评价和科学分析有欠精细、政策扶助薄弱、整体发展规划落实不到位、能源资源管理制度不协调等诸多问题。与光伏、风电等这些新能源品种相比，地热能的开发利用在整体上较为滞后，市场影响力亟待提高。由此可见，地热能产业发展模式方面还存在诸多问题，有待深入研究和改善。

中国科学院汪集暘院士曾指出"地热能产业应当完成由单一粗放的低效传统产业向高新产业的过渡，走上一条高质量发展之路"。但是，从目前的情形来看，"地热能的高质量发展"还仅是一种理念性的想法，对其内涵还需要结合产业发展相关理论进行解析，对其框架则需要结合我国地热能产业的内在规律及地热能产业发展的国际经验进行拓展，对其策略则需要结合地热能产业发展的具体情况及产业外部环境进行详细研究。

由于环境、政策、技术等因素的制约，我国地热能产业的发展还面临着诸多困难。从国际环境来看，我国在地热能利用总量方面具有明显的优势，但与发达国家相比也存在投入资金不足、技术落后、开采利用效率低、商业运营能力欠缺等问题。从国内环境来看，相比于其他新能源，地热能产业的发展还较为滞后，地热能在整个能源结构中所占的比例及地位与其潜力和优势还很不相称。

在全球经济一体化和"一带一路"背景下，地热能发展模式研究也应与时俱进。一方面，在进行地热能产业发展模式研究的过程中，需要考虑我国地热能产业在全球地热能产业链中的具体位置，挖掘产品、技术及服务等方面的优势；另一方面，也需要深入认识"一带一路"沿线国家地热能发展的外部安全风险。

2016年，国家发展和改革委员会、国家能源局和国土资源部共同印发了《地热能开发利用"十三五"规划》。时任国家能源局副局长李仰哲表示，全球能源转型进一步提速，新一轮能源革命正在孕育成长，可再生能源在全球能源体系中的作用发挥越来越大。可见，地热能产业发展必将成为新能源发展新的增长点。

二、地热能产业研究意义

改革开放以来，我国经济快速发展，能源资源需求连年上涨。总体而言，我国能源资源总量大、种类丰富，但部分种类能源资源量相对需求仍显不足。自1993年起，我国开始由能源净出口国变成净进口国，煤炭、电力、石油、天然气等需求缺口变大。石油供需不平衡所引起的结构性矛盾日益成为我国能源安全所面临的关键瓶颈。根据中国石油和化学工业联合会数据，2020年国内原油产量1.95亿t，同比增长1.6%；原油表观消费量7.36亿t，同比增长5.6%，原油对外依存度达到73.5%。在传统化石能源自给率水平较低的背景下，提高发展新能源效率与规模势在必行。

本书立足我国地热能产业发展现状，深入探寻其内在规律并总结这一领域存在的突出问题，在此基础上，力求找出地热能高质量发展的新模式。

上篇

地热能产业的基础理论与发展现状

第一章 相关概念及研究的理论基础

第一节 相关概念介绍

概念是反映对象的本质属性的思维形式。没有准确的概念界定，问题论证就容易出现"悬空"和"偏差"。要研究地热能产业发展模式，首先需要对产业、产业发展、地热能、地热能产业、产业发展模式等概念进行科学界定。

一、地热能概念及类型

地热能（Geothermal Energy）是赋存于地球内部岩土体、流体和岩浆体中，能够被人类开发和利用的热能。大部分是来自地球深处的可再生性热能，为地球的熔融岩浆加热作用和放射性物质的衰变产生的热量，小部分是来自太阳的热辐射。循环流动的地下水以及来自极深处的岩浆侵入到地壳后，热量会通过热传导、热辐射、热对流等方式带至近表层。因此，地热能是一种污染程度较低甚至无污染的可再生新能源。

地热能的分类方法有多种，按不同的标准划分不同的类型。按储层温度分为高温、中温、低温地热能；按埋藏深度分为埋深200m以浅的浅层地热能、200~3000m中深层地热能、3000m以下的深层地热能。汪集暘和庞忠和等（2015）按照分布位置（埋藏深度）、温度和赋存状态，将地热能分为以下四大类。

(1) 浅层地热能资源（Shallow Geothermal Resources）：地表以下200m范围内温度低于25℃具备经济利用价值的热水资源。浅层地热能资源因具分布范围广，开发难度小、成本低，资源利用过程中无CO_2、SO_2等有害气体产生等优点，被广泛应用于建筑物供暖（制冷）。

(2) 水热型地热能资源（Hydrothermal Resources）：地表以下200~3000m范围内温度高于25℃可开发利用的地热流体（水或水蒸气），主要直接被应用于发电、食品生产、工业加工、农牧业、供暖洗浴等领域。依照流体温度，水热型地热能资源可进一步划分为高温地热能资源（$t \geqslant 150℃$）、中温地热能资源（$150℃ > t \geqslant 90℃$）、低温地热能资源（$90℃ > t \geqslant 25℃$）。

(3) 干热岩（Hot Dry Rock）：地下3000m以深，温度超过180℃可被经济利用的贫或不含流体的高温岩体，必须采用人工建造地热储和人工流体循环的方式加以开采；又名增强型地热系统，或称为工程型地热系统，内部不存在流体或仅有少量地下流体的高温岩体（蔺文静等，2012）。尽管该类资源在发电、地热能等多领域有很高的利用价值，但由于贮藏深、开发利用技术难度大，在全世界范围内其勘察及商业利用均受到了极大的限制。

（4）岩浆型地热能（Magmatic-Related Geothermal Energy）：蕴藏在熔融状或半熔融状岩浆中的巨大热能，温度可达数百摄氏度至1000℃以上。即存在于未固结的岩浆中的热量，在目前经济技术水平下尚无法开采。

二、地热资源成因、利用及分布情况

（一）地热资源的成因及特征

从地质构造的角度来看，地热能主要集中分布在构造板块边缘一带，该区域也是火山和地震多发区。地热资源的成因主要有以下3种。

（1）火山喷发及岩浆活动。一般情况下，火山喷发会造成地壳内部的岩浆活动。即使在死火山地区地底下也会有大量尚未冷却的岩浆。岩浆释放的热能会进入有孔隙的含水岩层中并形成高温热水或者蒸汽。在地壳板块的边界地带，火山和岩浆活动往往非常频繁，这就会形成新旧岩浆交织的岩浆房，从而出现面积不等的地热田。

（2）地壳板块断裂。在地壳板块内侧基岩隆起区或者其他部分由于断裂所形成的断层岩地和山间盆地，活动性的断裂构造控制作用也会形成地热资源。这种地热田面积在几平方千米，具有"点多面广"的特点。

（3）地壳板块断陷或坳陷。地壳板块内部巨型断陷或坳陷也会产生地热资源，其动力源自断块凸起或褶皱隆起的控制作用。这种地热田面积较大，通常在几十平方千米到几百平方千米，地热资源潜力和开发价值都比较高。

除了清洁、可再生等特点之外，地热资源还有3个重要的优势。其一，地热资源的开发利用较少受到其他因素的影响。地热资源具有较好的持续性，不受季节、天气等外在因素的影响。即使在设备维修保养期间，地热资源的开发利用都可以持续进行。与太阳能、风能、光伏等新能源相比，地热资源的这种优势是显而易见的。其二，地热资源的开发利用成本较低。不同类型新能源发电成本情况如表1-1所示。在综合考虑各种因素的前提下，地热资源的成本优势是十分明显的。其三，地热资源具有较高的安全系数。

日本福岛核泄漏事故使人们对核能的安全性问题感到担心，安全、高效的绿色可再生能源也越来越受到世界各国的青睐。根据国内学者的研究，地热资源具有安全、稳定的优势，同时开发地热资源在预防各类地质灾害方面具有积极作用。地热与地震关系密切，因此对地热资源有效开发，可以挖掘地壳下的热力，且不会诱发具破坏作用的地震。

表 1-1 不同类型新能源发电成本简表

类型	成本/(元·kW^{-1}·h^{-1})	类型	成本/(元·kW^{-1}·h^{-1})
带储能的光热发电	0.83~1.26	燃料电池	0.74~1.16
地热发电	0.55~0.81	生物质发电	0.54~0.76
陆上风电	0.22~0.43	海上风电	0.82

数据来源：弗朗霍夫太阳能系统研究所，2015。

（二）地热资源评估方法

准确的价值评估是地热资源开发利用的基础。与美国、冰岛等地热发达国家相比，我国在地热资源评估方法方面显得有些滞后。20世纪70年代初，怀特（White）和威廉（Williams）就提出了价值评估这种方法。通过建立地热系统模型并引入热储物性以及流体物性、采收率等参数，运用体积法对地热流体热储体积相对于当地基准温度的热量进行评估。这种方法对相关参数的准确性有着较高的要求，在实际应用中则得到了世界各国地热专家的认可。

蒙特卡罗方法是奈森（Nathenson）等为了克服体积法的不足，将概率统计的思想应用于地热资源评估。其核心思想是以地热资源的体积、厚度和温度为参数估计出三角形概率密度的极小值、最佳期望值和极大值，然后使用蒙特卡罗方法给出得到地热资源储量结合概率分布。朱红丽等（2011）国内学者将蒙特卡罗方法用于国内地热资源评估，发现计算结果与体积法计算结果相差甚微。蒙特卡罗方法需要对热储信息有充分的掌握，适用于勘查程度较为理想的地热项目资源评价。

地表流量法是最简单同时成本也最低的方法。其做法是对目标地区地表各种形式的天然放热量总和（Q_A）进行测量计算，然后根据已开发地热田的热产量（Q_G）与Q_A的关系来估计该区域的产热量。在勘查程度较低的情况下，地表流量法的应用价值较为明显。根据赵钦铭等（1985）的《福建省福州市福州地热田特征研究报告》，我国云南腾冲地热田资源评价过程中就使用了这一方法。在地表流量法的基础上，日本地热能产业应用"水量补给法"来对水热系统地热资源进行估算。其计算公式为$Q = S \cdot P \cdot n$。其中，Q、S、P、n分别为地热流体的年产率、地热流体区域面积、当年平均降水量、年排放地热流体量与降水总量之比（n的取值范围为0.10~0.33）。地表流量法往往只能给出地热田最小开发潜力，与地热资源实际储量之间会存在一定差距，只适用于小面积的地热田。

随着计算机技术的快速发展，数值计算方法越来越成熟，高精度数值模拟程序被应用到地热资源评估工作中。数字化的地热资源评估方法被称作数值法，其最大优点在于对地下热水的流动与热量转移所产生的海量数据进行建模分析。通过国际国内学者的努力，基于三维非稳定流的数值模型已经能够相对精确地对地热资源进行评估。

（三）地热资源的利用形式

地热资源的利用形式主要有4种。

（1）地热发电。这是地热利用最重要、最有经济价值的方式。早在1904年，托斯卡纳地区的居民就开始尝试利用地热进行发电。与火力发电的原理类似，地热发电也是借助汽轮机将蒸汽热能转化为机械能，然后再带动发电机发电。地热发电过程需要通过天然蒸汽和热水等"载热体"将地热能从地底下带到地面之上。具体来说，地热发电主要有蒸汽型地热发电和热水型地热发电两大类。

（2）直接用于采暖、供热和供热水。这是仅次于地热发电的一种利用方式。地热供暖具有利用方式简单、经济性好、环境污染程度低等优点，在世界各国都得到了广泛利用。此外，利用地热给木材、纺织、酿酒等领域的生产制造活动提供热源也非常重要。

（3）用于农业生产。在农业生产方面，地热能的应用范围也十分广阔。利用温度适宜的地热水灌溉农田，有利于实现农作物的早熟增产；利用地热能建造温室，可以育秧、种菜和养花；利用地热能搞养殖业，可以培养菌种、养殖各种鱼类等，对提高出产率也很有帮助；给沼气池引入地热能进行加温后，沼气产量可以得到大幅度提高等。

（4）医疗及旅游。地热水来自地下，不仅有温度较高的优点，通常还含有钠、铁、钙、镁、硫、溴、碘等元素，对人体健康很有益处。充分发挥地热的医疗健康作用，可以大力发展地热温泉疗养行业。

（四）地热资源的分布情况

全球实测热流数据分析研究表明，不同的地质构造单元的热流量具有很大的差异，地质构造控制了地热资源的分布。构造活动很强的中、新生代年轻造山带，其热流值达$71.2\sim79.5\,mW/m^2$。在大西洋、印度洋及东太平洋洋中脊处，均已观测到高热流，热流平均值为$79.5\,mW/m^2$，高者达$334.9\sim376.7\,mW/m^2$，而在海沟处热流平均为$48.6\,mW/m^2$，海盆为$53.2\,mW/m^2$。按板块构造学说，分为板缘地热带和板内地热带。全球主要地热异常区分布在板块生长、开裂的大洋扩张脊和板块碰撞、板块消减带。主要的地热带有4个（郑敏，2007）：一是环太平洋地热带，位于世界最大的太平洋板块与美洲、欧亚、印度板块的碰撞边界。世界许多著名的地热田，如美国的盖塞斯、索尔顿湖，墨西哥的塞罗普列托，中国的台湾大屯，印度尼西亚的卡莫将等均在这一带。二是地中海-喜马拉雅地热带，位于欧亚板块与非洲板块和印度洋板块的碰撞边界。世界第一座地热发电站意大利的拉德瑞罗地热田，中国的西藏羊八井及云南腾冲地热田都位于这个地热带。三是大西洋中脊地热带，位于美洲、欧亚、非洲板块边界，是出露于大西洋中脊扩张带的一个巨型环球地热带，主要有冰岛的亨伊尔、纳马菲亚尔和雷克雅未克等高温地热田，热储温度200~250℃。四是红海-亚丁湾-东非裂谷地热带，位于阿拉伯板块与非洲板块边界，包括吉布提、埃塞俄比亚、肯尼亚等国的地热田，热储温度均大于200℃。

以上即为板缘地热带，地表水热活动强烈，且多与地震及火山分布带重叠，构造活动强烈，热储温度多大于200℃，属高温地热资源。板内地热带系指板块内部褶皱山系和山间盆地等构成的地壳隆起区，以中、新生代沉积盆地为主的沉降区内广泛发育的中低温地热带。与板缘地热带不同，板内地热带的热源主要为在正常地温梯度下，地下水深循环所获得的地壳内部热量。如我国的四川盆地、江汉盆地，法国的巴黎盆地均属于此类。

我国地热资源的形成与分布，受中国地质构造特点及其在全球构造中所处部位的控制，全球地中海-喜马拉雅地热带和环太平洋地热带贯穿中国西南地区和东南沿海地区。因此，高温地热带主要集中在两个地区：一是藏南-川西-滇西地区；二是台湾地区（周总瑛等，2015）。其中，藏南-川西-滇西地热带为全球性的地中海-喜马拉雅地热带的东支，其区域背景热流值在$80~100mW/m^2$之间，最高可达$364mW/m^2$。台湾省地热带位于太平洋板块与欧亚板块的边界，为西太平洋岛弧型地热亚带的一部分。岛上地壳活动活跃，第四纪火山活动强烈，地震频繁，是中国东南部海岛地热活动最强烈的一个带。

干热岩在发电方面的优势在地热资源中也是极为突出的。由于较少受到地质条件制约，利用EGS（增强型地热系统）开发干热岩地热资源在技术上更为可行。在EGS技术框架下，可以设计两眼相距数百米、孔深在4000m级以上的深井，通过"压裂"技术在两井之间形成人工裂隙。在一个井中注入常温水，在另一井中就可以产生可供地热发电和余热利用的"人造地热资源"（表现为高温蒸汽和热水）。

三、新能源产业

新能源：又称非常规能源，是指传统能源之外的各种能源形式，已经开发利用或正在积极研究、有待推广的能源。新能源一般是指在新技术基础上加以开发利用的可再生能源，包括太阳能、生物质能、地热能、水能、风能、波浪能、洋流能和潮汐能，以及海洋表面与深层之间的热循环等；此外，还有氢能、沼气、酒精（乙醇）、甲醇等。而已经广泛利用的煤炭、石油、天然气等能源，称为常规能源。

从本质上来说，地热能产业是新能源产业的有机组成部分。通过文献搜索发现，中国可再生能源学会理事长石定寰（1989）就使用了"新能源产业"的概念。具体来说，新能源产业是指"新能源技术和产品的科研、实验、应用推广及其生产经营活动"。其中的新能源，即是指太阳能、地热能、风能、海洋能等非传统能源。

综上所述，本书将地热能产业定义为"地热技术和产品的科研、实验、应用推广、生产经营及投融资等经济活动"。

四、产业发展融资

产业发展是一种经济活动，离不开资本力量的推动。为了获得产业发展所需的资金，个人和企业往往需要进行融资。顾名思义，融资即"资金的融通"。这一概念所概括的，即是资金从供应者到需求者传递的动态过程。可以发现，融资涵盖了资金供应者融出资金与资金需求者融入资金两个方面。在实践中，人们主要用"融资"来概括资金需求者根据需要、通过特定的渠道和方式融入一定数量资金的经济活动。

企业融资的渠道和方法各有不同，这就产生了不同类型的融资方式。按照不同的标准，可以进行不同的划分。①以资金来源为标准，企业融资方式包括内源融资和外源融资。前者是指将企业的留存收益和折旧转化为投资的融资活动，后者则是指通过吸收其他经济主体资金来提升资本实力的融资活动。内源融资的优势在于流程简单，融资成本低，基本不需要承担财务费用，对企业现金流量的影响也较小；但是，其劣势则在于融资规模通常较为有限。外源融资的情形则刚好与之相反。②以是否通过媒介为标准可以将之分为直接融资和间接融资。前者是通过资本市场直接出售股票和债券来获取资金的融资活动，主要解决周期较短的资金紧张问题。后者是指以金融中介机构（主要指商业银行）为信用媒介来获取资金的融资活动，通常用来解决中长期的资本运营问题。从功能上来说，直接融资要弱于间接融资。

从运作机制的角度来看，融资活动涉及融资环境、融资主体、融资客体、融资方式等要素，它们之间的作用关系构成了融资机制。这些要素的互动过程中蕴含了一种"储蓄-投资转化机制"。一方面是资金筹集和供给的过程，另一方面是资金配置的过程。通过金融市场的引导，资金在资金供给者和资金需求者之间实现流动并产生增值。从这个意义上来说，融资机制的意义就在于疏通储蓄向投资转化的通道。

五、产业发展模式

作为社会分工的产物，"产业"是社会生产力发展进步的一种结果，同时也对社会生产力进一步发展提供了有力的支持。自工业革命以来，社会生产力快速发展，不同经济体内都产生了基于资源禀赋、地缘优势、政策及人力资本的产业类型。相应地，"产业发展"这一概念涵盖了产业产生、成长和进化的整个过程，其中尤以结构变化最为重要。

模式本质上是对事物发展过程中所形成的规律的一种总结。随着社会的发展，模式的重要性越来越引起研究者的重视，"万物皆系统，系统有结构，结构即模式"的理念在学术界产生了深远的影响。

将模式与产业发展结合起来，就形成了"产业发展模式"的概念。这一概念在学术界还未达成一致意见。几种常见的观点如：产业经济制度体制及与之相关的社会政治制度、历史文化传统等综合要素所共同构成的制度体系等。综合国内外学者的各种观点，本书将产业发展模式定义为"与产业发展相关的政策、企业组织方式、生产方法、竞争策略、资本运作方式等因素所共同构成的复杂系统"。

六、产业高质量发展模式

如前所述，经过40多年的发展，我国国民经济的发展进入了"提质换挡"的通道。习近平总书记在多个场合强调，推动高质量发展是做好经济工作的根本要求。可见，劳动密集、资源密集、高能耗、盲目追求规模化的经济增长方式将逐步被市场所淘汰，取而代之的是体现新发展理念、突出高质量发展导向的"高质量发展模式"。近年来，国内学者已经从理论框架、基本特质、动力机制、制度设计逻辑、支撑制度、实现路径、测度、评价考核体系等角度对高质量发展进行了理论剖析。

在今后相当长一段时间内，高质量发展构成了中国经济发展的总体战略。高质量发展的"落地"需要质量变革、效率提升和动力升级来提供制度支撑。以质量变革为例，经济高质量发展至少要涵盖3个层面的内容：宏观层面的绿色GDP增长；中观层面的工业化水平及产业发展质量；微观层面的企业竞争力与产品/服务质量。可以认为，经济高质量发展是贯穿不同层次的完整体系。

通过对相关文献的梳理发现，目前国内学者关于经济高质量的发展主要集中在宏观层面和微观层面。这些研究领域和视角为产业高质量发展研究提供了有益的借鉴。但是，对于中观维度的产业高质量发展也必须予以高度重视。这是因为，产业高质量发展是国民经济发展进步的重要表现，国民经济的高质量发展自然而然地以各个产业的高质量发展为依托。所以，产业高质量的概念、内涵及范式都需要进行专门的系统研究。

（1）产业的高质量要求高效益。追求高质量的要义即在于实现高效益。没有较高的投资回报率，企业经营的效率就比较低，员工的收入难以提高，政府税收也将困难重重。对于特定的产业来说，高效益在宏观上的表现为利润率高、资本回报率高、技术快速发展，高效益在微观上的表现则为产业内部企业发展态势良好、员工收入高。由此可见，高质量发展要求高效益，高效益要求资本、劳动、土地、资源、环境等各个方面的高额产出。进一步来说，这意味着用较少的投入形成更多有效的产出，充分强调对全要素生产率的重视。

（2）产业的高质量要求稳定增长。从金融的角度来看，效益与风险总是成正比例关系的。如果风险过高，经济活动缺乏必要的稳定性与持续性甚至出现较大的、较严重的风险，高质量就将无从谈起。对于特定的产业来说，高质量的产业发展就要求稳定的、可持续的、和谐的增长。这不仅要求产业发展保持产业收入、就业率、人力资本培育等指标均衡有序发展，同时还要求产业的内部结构平衡及产业与政策法规、财税金融、社会经济等协调稳定发展。这就要求坚持以供给侧结构性改革为主线不动摇，做好"巩固、增强、提升、畅通"等方面的工作，实现产业经济稳定有序发展。

（3）产业的高质量要求创新驱动。供给体系质量水平是衡量高质量发展的关键指标。要提高供给体系质量水平，搞好供给改革，就有必要强调创新驱动。目前，我国已经是世界第二大经济体，居民可支配收入连年提升。但是，人民群众在物质及精神方面快速增长的需求与科技创新能力之间还存在不匹配的地方。尤其是在某些前沿的、关键的、核心的技术上，我们依然面临诸多瓶颈。从这个意义上来说，在产业高质量发展的探索之路上，必须牢牢抓住科技革命、工业4.0、云计算、物联网、5G技术等带来的宝贵机遇，以科技创新为抓手，将主动权和话语权紧紧抓在手中。也就是说，着眼于创新驱动的高质量发展要敢于和善于解决瓶颈及深层次问题，积极提升产业价值链，不断强化产业国际竞争力。

有了对"产业发展模式"和"高质量"的深刻理解，"产业高质量发展模式"的概念阐释就成为了水到渠成的事情。在本书的研究中，产业高质量发展模式是指"以高效益、稳定增长、创新驱动为目的和衡量标准的产业发展模式"。

第二节 研究的理论基础

本节的理论基础主要包括两方面。其一是产业发展理论；其二是地热能产业有关理论和产业融资有关理论。二者都是地热能产业高质量发展理论研究的基础。

一、产业发展有关理论

20世纪末到21世纪初，经济学的重要性日益提高，产业经济学的发展同样日新月异。相应地，产业发展理论框架逐步趋于成熟，形成了许多富有特色的分析视角及理论观点。对本书研究具有较强参考意义的产业发展相关理论主要包括产业生命周期理论、产业组织理论、产业政策理论和产业融合理论等。

(一) 产业生命周期理论

美国学者雷蒙德·弗农（Raymond Vernon）于1966年提出了产业生命周期的概念。受此启发，人们开始重视产业的生命周期问题。也就是说，对于任何一个特定的产业来说，通常都会经历初创、成长、成熟、衰退4个阶段。在不同的阶段，产业的发展会有不同的规律及外在表现。对于产业内部的企业和个人来说，就需要有针对性地制定相应的运营策略；对于政府内部的产业管理部门来说，也需要提供与之相应的法律法规及管理政策。

在产业的初创阶段，参与者数量较少，技术和产量都刚刚起步。此时的产出规模较小，市场规模也不大，需求的价格弹性也很低，参与者的着眼点在于生存，经营重点通常放在产品质量、技术含量与成本控制定方面。受资本、技术等因素的制约，这一阶段的产品具有单一、低质但价格偏高的特点。由于经营收入很可能小于前期的投资，这一阶段的利润率通常都比较低甚至亏损现象也较为常见。对于这一阶段的产业，产业管理部门的重点在于提供政策及知识产权方面的保护。

在产业的成长阶段，参与者数量逐渐增加，那些在技术、营销和资本上拥有相对优势的企业成为市场主导力量。此时，产业的整体产出初步呈现出规模化的特点，需求的价格弹性也日益提高。出于对市场前景的乐观预测，资本流入迅速增加，产品开始向高质量、高技术含量、多样化且低价的方向发展，竞争逐渐趋于表面化。在产业发展的这一阶段，存在着资本红利的现象，即投资往往意味着理想回报。随着竞争的加剧，企业不得不采取规模化生产、革新技术、创新产品类目、控制成本等手段来获得和维持竞争优势。这一时期的特点具有需求高速增长、市场增长率高企、技术逐步定型、市场竞争形势明朗、产品品种及竞争者数量增多等特征。对于这一阶段的产业，产业管理部门的重点在于提供良好的竞争环境。

在产业的成熟阶段，只有那些在竞争中生存下来的厂商才能获得持续经营的机会，这些厂商对市场的控制力都比较强，市场份额较为固定。由于博弈力量的相对平衡，产业竞争的方法已经不再是价格而是质量、性能、品牌、售后服务等。同时，由于市场控制能力的提升，产业利润会达到较高的水平，风险则较为稳定。与之相应地，产业竞争的门槛被提升到相当高的地步，新企业很难进入市场并与那些产业寡头进行竞争。对于这一阶段的产业，产业管理部门的重点在于加强对产业的整体管控。

在产业的衰退阶段，新产品或替代品、新技术的出现或者产业环境的剧烈变化降低了对原产业的市场需求，产业收入迅速下降。这一阶段，厂商数量会由于经营业绩的骤降或经营方向的转移而呈现下降趋势，利润也将日趋薄弱，利润率更是江河日下。如果市场规模降低到一种令所有厂商都无法容忍的地步，整个产业就会走向衰落和彻底解体。这一时期的产业发展特征可以归纳为市场需求及增长率下降、产品品种及竞争者数目减少等。以衰退的具体原因为标准，可以将产业及其内部企业的衰退分为资源型衰退、效率型衰退、收入低弹性衰退、聚集过渡性衰退4种类型。对于这一阶段的产业，产业管理部门的重点在于合理引导产业资金向新的方向转移。

产业生命周期理论对本书研究的启示主要在于：①地热能产业发展模式的研究应当立足于对其生命周期的判断，考虑到不同发展阶段的具体情况、特殊规律和内在需求；②地热能产业发展模式的研究应当有助于延长其成长阶段和成熟阶段，同时还要避免地热能产业过早进入衰退阶段；③地热能产业发展模式的研究应当考虑影响其生命周期重要因素的实际情况并进行针对性处理。

（二）产业组织理论

20世纪初期，西方主要发达国家的制造业快速发展，相关的理论研究也引起了人们的重视。经济学家马歇尔认为，产业内部的社会分工促进了企业之间的密切联系与有机配合，这就形成了与生物组织体类似的社会组织体，这就是产业组织概念的雏形。在对产业组织进行深入研究的过程中，经济学家马歇尔发现了"产业内企业的规模经济效应"与"企业之间的竞争活力"之间所发生的冲突。为了解决这一冲突并提高产业发展效率，马歇尔、罗宾逊夫妇、张伯伦从微观经济学及其他学科那里汲取了丰富的理论养分并发展出了产业组织理论的基本框架。经过美国学者贝恩、斯蒂格勒、德姆塞茨、波斯那、麦杰等的进一步发展，产业组织理论不断趋于成熟。

产业组织理论以理性经济人假设为前提，以边际、比较静态、局部均衡为基本的分析方法。经过多年的发展，产业组织理论内部流派纷呈，以结构主义学派和芝加哥学派最为知名。前者侧重于从供给角度分析单个产业内部的市场结构、厂商竞争行为与经济绩效，并构建了著名的"结构-行为-绩效"模型（通常简称SCP模型）。根据该模型，围绕特定产业的不同市场结构会影响卖方和买方的行为，这会导致不同的厂商定价和非价格行为，从而导向差别显著的产出效率。后者构建了竞争性均衡模型，认为买卖的数目和自由进入决定了产业的资源配置及技术效率。

产业组织理论对本书研究的启示主要在于产业发展模型影响因素及绩效决定因素等方面，后文会有进一步的阐述。

（三）产业政策理论

早在19世纪40年代，德国历史学派的代表李斯特（Liszt）就对各国在经济与政策上的区别及影响进行了分析研究，提出了"国家应在经济发展的不同时期采取不同的经济政策"的重要观点。"二战"之后，作为战败国的日本致力于国民经济的恢复，政府在规划产业发展目标、发展序列与空间布局等方面做出了许多富有远见的决定，确定了重点发展的战略性产业并通过政策、金融、政府集中采购、紧缺资源倾斜等手段进行定向扶植。这些政策与产业发展高度相关，取得了极大的成效，在短短的二三十年间战后的日本浴火重生一跃成为世界经济强国。

到目前为止，国内外仍然没有在产业政策的概念上达成一致。不过，产业政策的存在则是不容否认的事实。综合国内外学者相关研究的共性看法，可以将产业政策粗略地定义为"政府以国民经济与社会整体发展需求为前提，以产业发展为目标，在总体规划、财政金融、知识产权等方面所制定的一系列政策措施"。有学者认为，产业组织理论和产业结构理论是产业政策理论的基本组成部分，笔者对此持不同看法。原因在于，产业组织受产业政策的影响，但其所依靠的力量来自市场、其他产业、从业人员等多个方面。

产业政策之所以重要，原因主要在于：政府是现代社会的"中心"，掌握着权力、信息、专家等各种关键资源，其在财政、税收、产业激励、知识产权等方面所制定的政策对产业发展无不具有重要影响。此外，政府在产业政策制定过程中所表现出的观点、倾向代表了其对国际国内政治经济发展状况的判断，具有重要的启发价值。

要想制定科学的产业政策，不仅需要对产业发展的普遍规律有准确的把握，还需要对国际国内政治经济形势、资源禀赋、区域经济特点等有科学的认识。在实施过程中，监管、效果评估、反馈及修正等都是必不可少的环节。只有这样，产业政策才能起到扶持民族产业发展、优化资源配置、提高产业国际竞争力等作用。

（四）产业融合理论

从哲学的意义上来说，研究产业发展及融合即是对其内在规律的研究。如果从时间维度来对产业发展的内在规律进行探讨，就形成了对产业发展趋势的理性认识。根据国内外学者的研究，产业发展的趋势可以概括为集聚化、生态化、融合化3个方面。在此基础上，学者们发展出了产业生态系统理论、产业融合理论等。考虑到地热能产业的具体特征，本书主要使用产业融合理论来对其未来发展趋势进行探讨。

早在20世纪70年代，日本NEC公司的一些管理人员就注意到了一个趋势，即计算机快速发展必然会给各行各业带来深远影响并与后者发生深度融合。随后，美国实业界和理论界也注意到了这一现象，提出了"数字融合"的理念并用来概括数字技术与印刷、传播等方面的边界交叉现象。格林斯腾和卡恩纳率先将产业融合定义为"为了适应产业增长而发生的产业边界的收缩或消失"（Greensteina & Khanna，1997）。

经过国内学者的进一步研究，产业融合理论逐步趋于成熟，其主要观点包括：①技术革新与管制放松构成产业融合的动因。②具有共同技术基础的不同产业之间存在产业关联性，它们在开发特征、竞争和价值创造过程等方面会受技术革新因素的影响，这是发生产业技术融合的重要前提条件。③产业融合的发生过程可以用"技术融合-产品与业务融合-市场融合"来进行刻画。④通过产业融合，企业之间的竞争合作关系发生深度变化，产业界限趋于模糊。极端情况下，有必要对产业界限进行重新划分。⑤随着科学技术的发展进步，产业融合程度将逐步提高，农业、工业、服务业、信息业、知识业在产业内部和产业链，以及产业网中的渗透、包含、融合关系也将趋于深入，形成新的产业形态及经济增长方式，通过无形渗透有形、高端统御低端、先进提升落后、纵向带动横向，低端产业可能会被淘汰并成为高端产业的组成部分。

在21世纪，技术革新的步伐不断加快，政府对产业发展的管制在整体上也呈现出日益放松的趋势。对于地热能产业来说，与其他产业的融合是不可避免的，如与智能电网、现代农业、居民供暖等产业之间的融合，这可能会催生围绕地热能开发利用的产业系统工程。认识到这一现象，可以为地热能产业的发展注入新的动力源并革新其运作机制；忽视这一现象，必然会在研究视角及发展思路上受到一定程度的限制。

（五）产业布局理论

19世纪初至20世纪中叶期间，产业革命不仅带来了生产力的飞跃，也给产业经济理论带来了新的思想萌芽，理论界对产业空间分布问题产生了浓厚的兴趣。约翰·海因里希·冯·杜能和阿尔弗雷德·韦伯（Johann Heinrich Von Thunen & Alfred Weber，1868）在地租学说、比较成本学说的基础上发展出了古典区位理论。为了提高当时普鲁士的农业经营管理水平，杜能利用科学抽象法建立了农业生产一般地域配置理论。杜能指出，农业生产的集中化程度与离中心城市的距离之间存在反比例关系。韦伯的工业区位理论、高兹的海港区位理论、胡佛的转运点区位论等与产业布局有关的理论都是在杜能农业区位理论的启发下提出的。"二战"之后，产业布局理论逐步形成了系统的理论体系。从内容的角度来看，产业布局理论主要研究产业布局的层次、机制及区域空间分布。从影响因素的角度来看，产业布局理论主要研究产业布局的4个方面，即原材料、市场、运输，劳动力，外部规模经济性和政府职能与政府干预。从模式的角度来看，产业布局理论发展出了增长极布局模式、点轴布局模式、网络（或块状）布局模式、地域生产综合体开发模式、区域梯度开发与转移模式等不同方向。

（六）产业系统论

虽然产业系统论并未形成一门独立的学科，但利用系统论来分析产业发展问题的传统是存在的。赵贵宝（1985）就注意到了系统性原则在农业产业结构中的运用，相养谋和李乃华（1986）最早提出了现代产业系统论的观点并对产业系统的内部结构进行了划分。在他们看来,系统论对于国民经济体内部产业结构的分析具有重要价值,"产业系统的结构不断地通过耦合方式突破旧规范的框架,拓展新的活动领域,从而使结构的性质发生渐变和突变。"科学技术研究系统、国民教育系统、物质资料生产系统、服务系统发挥各自的功能并产生深层次互动,构成了现代产业结构演进发展的基础。在此之后,将系统论应用于具体产业发展的理论文献时有出现,如尤芳和刘志杰(2011)的《基于系统论的产业技术创新研究》及马伟(2014)的《基于系统论的中国房地产业健康发展研究》等。然而,非常遗憾的是,相关研究远远不够深入,没有形成周密的理论体系,限制了这门学科在产业经济领域的应用。

二、地热能产业有关理论

要发展地热能产业,就需要对地热资源达到科学的、精细的掌握。在对地热资源进行研究的过程中,理论地热学具有基础性作用。与其他地球物理学分支类似,理论地热学以特定地质体的壳幔热结构、深部热状态和岩石圈构造热演化的形成机理与控制因素为研究对象。根据理论地热学,岩石传输热量的能力与岩石传播地震波的能力类似。但是,岩石传输热量的介质并非波速场、重力场、磁场、电场等物性场,而是以温度为场量的热场。热场具有环境场属性和动态演变两项特征。就环境场属性而言,温度变化会引起岩石热导率、波速、密度、磁化率、电导率等物性参数的变化;就动态演变而言,地球内的热量传播方式主要有热传导、热对流和热辐射3种。通过对热场的理论分析,不仅可以发现壳幔物质的温度分布结构和所处的热状态,还可以对其动态演化历史进行总结、建模和分析。此外,理论地热学还规定了地热资源的热流密度这一关键参数。

此外,孔维臻(2013)等国内学者指出,地热资源开发利用与比较优势理论、资源禀赋理论、可持续发展理论等有着密切关系。①罗伯特·托伦斯(Robert Torrens)最早提出"比较优势"的概念,大卫·李嘉图(David Ricardo)将之发展为比较优势理论。由于地理位置、自然生态、矿产资源、人口分布、劳动力数量等因素的差异,不同区域在经济发展方面各有所长,也就是所谓的"比较优势"。从本质上来说,比较优势源自产业独特性。地热资源是自然资源的一种,具有多种独特性。如果能够利用这种独特性并做好相关的资源配置,区域的社会总福利会得到有效提升。②伊·菲·赫克歇尔(Eli F. Heckscher)和俄林(Ohiln)对比较优势理论进行了继承和发展,他们利用劳动力、资金、技术和土地等要素来解释国际分工和国际贸易的形成机理。根据"赫克歇尔-俄林模型",不同国家和地区在生产资源要素丰缺程度(也即禀赋程度)上的差异导致了生产成本、要素价格和产品价格的区别。一般而言,一个国家和地区的贸易结构是建立在资源禀赋程度之上的。也就是说,出口自然资源禀赋程度高的商品和进口资源禀赋程度差的商品是较为有利的。将资源禀赋理论运用到地热领域就可以分析出不同地区地热项目的优势和劣势所在,这也要求我们从规模、模式、路径、产品、产品质量等因素入手来提高产业发展水平。③20世纪中后期以来,人们逐渐认识到,竭泽而渔、罔顾生态环境和社会效益的经济发展模式与人类社会的整体发展之间存在激烈冲突。1987年,联合国世界环境与发展委员会发表了题为《我们的未来》的报告,首次提出了"可持续发展"的概念,即:不仅满足当代人的需要,又不对后代人满足其需要的能力构成危害的发展。可持续发展的观念蕴含了公平性、持续性、共同性的原则,呼吁经济发展与人口、资源、环境、社会文化的协调发展。在地热资源开发利用的过程中,应当注重对地质结构和生态系统的保护、补偿,保证生态系统的稳定性和完整性;反之,如果开发秩序一直是盲目无序的,最终必将影响地热资源的可再生能力。从这个意义上来说,地热资源的开发利用也离不开可持续发展理论的指导。

三、产业融资有关理论

自古以来,融资在不同地区的社会生活中都有所体现。但是,现代意义上的融资理论则起步较晚。地热能产业的发展离不开企业的努力。由于历史、体制及地热市场的特殊性,地热企业(尤其是民营地热企业)一直面临着较大的融资压力。要解决这一问题,就需要利用融资理论来进行深入分析并发现具有针对性的解决对策。

MM理论。1946年,约翰·理查德·希克斯(John Richard Hicks)出版了被公认为融资理论起源的《价值与资本》。1956年,弗兰科·莫迪利亚尼(Franco Modigliani)和默顿·米勒(Merton Miller)发表《资本成本、公司财务和投资理论》一文,提出了MM理论,为现代企业资本结构理论进行了奠基。根据MM理论,在没有所得税、无破产成本、资本市场充分完善、公司股息政策不影响企业价值的前提下,企业无论以负债筹资还是以权益资本筹资都不影响企业的市场总价值。换言之,企业市场价值不受其资本结构的影响,外部资本和内部资本可以相互替代。由于MM理论的前提过于严格且不符合市场实际,很快就受到了学术界的挑战。后来,莫迪利亚尼和米勒对MM理论的前提假设进行了调整并引入了所得税元素,提出了修正后的MM理论。该理论认为,负债对企业价值和融资成本具有一定程度的影响。负债率达到100%时,企业的价值最高。也就是说,债权融资是企业达到最佳资本结构的重要途径。

权衡理论。罗比切克(Robichek)、梅耶斯(Mayers)、考斯(Kraus)、鲁宾斯坦(Rubinmstein)、斯科特(Scott)等对企业最佳资本结构问题进行了深入研究并提出了权衡理论。该理论认为,在企业财务体系中,税收能够起到"屏蔽"作用。因此,可以通过增加债务的方式来提高企业价值。但是，过高的负债会造成财务困境甚至破产。所以，为了获得最佳资本结构，企业应当在避税效应和破产之间进行权衡。$V(a)=Vu+TD(a)-C(a)$ 是权衡理论的一个重要公式。该公式的含义为：举债企业的价值等于无举债的企业价值与负债企业税收利益之和与破产成本之差。其中，a 表示举债企业的负债权益比。迪安吉罗（Diamond）和梅耶斯（Mayers）等对权衡理论进行了拓展，将负债成本扩展到非负债税收利益损失、财务费用压力成本和代理成本等方面，同时又将税收利益扩展到非负债税收收益领域。根据他们的理论解释，企业要想获得最佳资本结构，就必须在税收收益和各类负债成本之间进行权衡。

优序融资理论。纳森（1961）最早对企业融资顺序问题进行研究。他指出，如果需要融资，企业管理层最青睐的方式是靠内部融资。除非万不得已，管理层并不情愿对外发行股票。后来，梅耶斯、马吉劳夫（1984）根据信号传递原理提出了优序融资理论。该理论的假设条件是：除信息不对称外，金融市场是完全的。可以认为，优序融资理论对以往融资理论的改进主要就在于加入了信息不对称这一假设。管理层与投资者的信息不对称，加上交易成本的存在，导致双方在企业权益市场价值的定价上存在一定差异。相应地，管理层对融资方式的选择也就会有所先后。根据优序融资理论，当企业产生融资需求时，不同融资方式的先后顺序为内源融资、外源融资、间接融资、直接融资、债券融资、股票融资。他们的进一步研究还表明，企业内外部融资成本的差异与信息不对称的程度为正相关。

融资约束理论。在对企业融资问题进行研究的过程中，哈伯德（Hubbard）、法扎里（Fazzari）、吉尔克里斯特（Gilchrist）和彼得森（Petersen）等逐渐注意到金融市场固有的缺陷。现实中并不存在完美的金融市场，信息不对称、委托代理关系等原因往往会导致融资企业管理者的道德风险与逆向选择。在这种情况下，负责资金供给的金融机构被迫做出两种选择。其一是提高资金利率，其二是实行信贷配给。前者会提升融资企业的财务成本，后者则必然会使部分融资企业无法获得所需资金。对于融资企业来说，这两种情形都意味着融资约束。进一步地，融资约束的存在会造成以下结果：企业财务成本增加，投资规模受到限制甚至打消投资念头；企业资本结构优化变得更为困难；企业倾向于构建多元化公司的内部资本市场；企业对内部现金流的依赖程度不断提高。

第三节 其他有关理论

其他理论主要包括矿产资源最优耗竭理论、区域经济空间结构理论、政府行政管理有关理论、生态环境保护有关理论、产业投融资有关理论、经营管理有关理论等。

一、矿产资源最优耗竭理论

人类发展过程天然地伴随着对自然资源开发利用的过程。根据已有的文献，早在17世纪人们就开始对资源价值的问题产生了浓厚的兴趣。经过历代经济学家的探讨，用市场的价格机制来解决自然资源稀缺问题成为了一种共识。在20世纪，自然资源经济学获得了长足发展，在资源环境价值计量、制度政策、自然资源的可持续利用等问题上得到了许多富有启发意义的模型及观点。

在工业生产过程中人们逐渐发现，矿产资源是自然界中有限、稀缺的可耗性资源。如果开采利用得不到合理控制，必然会面临可采储量为零的局面。矿产资源最适耗竭理论应运而生。以侯太龄（Hotelling）于1931年提出的资源耗竭理论为基础，自然资源经济学领域的学者对这一理论进行了极大程度的拓展。

改革开放以来，我国经济快速发展，对矿产资源产生了巨量的需求，其消耗问题也十分突出，相关的理论研究也兴盛起来。例如：刘朝马等（2001）将矿产资源的勘探和发现引入到资源最优耗竭理论中去，建立了以全社会利益的最大化为目标的矿产资源最优利用模型。同时，他们还对矿产资源的最优利用条件进行了数理计算，在矿产资源的可持续利用上得出了丰富的理论成果；刘凤良等（2002）发现，资源的可耗竭性对持续的经济增长起到了严重的制约作用，这一问题只能靠技术的进步来解决。为了抵消资源耗竭对经济增长的影响，知识积累与政府适度干预是十分必要的。

由于人口数量方面的限制，中国经济发展在能源、资源的存量方面受到了严重的制约。同时，持续快速的工业化进程不仅催生了巨量的能源需求，更造成了严重的环境污染。要解决这一问题，着眼点依然在于能源、资源的开发利用上。在能源、资源的开发过程中，判定其价值是十分关键的。如果对能源、资源的价值缺乏科学认识，核算管理、产品价格机制、开发利用模式等必然会陷入不理性的境地。在这一问题上，传统的劳动价值论和由市场配置资源的经济理论都存在解释力不足的问题。相应地，矿产资源最优耗竭理论则可以用来解决能源开发策略选择及可持续条件下的能源资源价值计算问题。

二、区域经济空间结构理论

在经济发展的过程中，随着对经济要素的使用，人们会选择那些具有地缘优势的沿海城市、矿产资源地、交通优势地区来开展更有效的生产及市场活动。理论界逐渐注意到这一现象并使用"区域经济空间结构"这一概念来进行研究分析。

经过历代经济学家的努力，区域经济空间结构理论呈现出体系化的特征，发展出了包括"增长极理论""点-轴渐进理论""核心-边缘理论""圈层结构理论"等富有特色的思想认识。为区域经济的发展及产业布局、产业组织和产业结构调整提供了一种新颖的分析思路。

具体到地热能产业的发展上，区域经济空间结构理论的启发价值主要表现在：①根据地热能的分布情况，结合不同地区对地热能及相关能源产品/服务的需求，不断加强这一领域的"供给侧改革"，实现优化地热能产业整体布局的目的；②在不同区域的地热能产业发展过程中，必须注意其与区域经济及其他产业之间的嵌套关系，实现经济效益与社会效益的有机统一，追求和谐增长与整体进步。

三、政府行政管理有关理论

目前，我国处于体制转型、社会结构变化、社会形态变迁的特殊发展阶段。在中国特色社会主义经济体制建设的过程中，要使市场在资源配置中起决定性作用，同时更好地发挥政府作用。一方面要充分发挥市场的自发调节功能，另一方面也要强调政府对经济发展与社会管理的宏观引导。反映在地热能产业的发展上，就必须要重视政府的作用。相应地，政府管理的有关理论对本书的研究也具有重要意义。

关于政府的职能，理论界最先发展出的工具是监管理论。这一理论立足于市场与计划两分、政治国家和公民社会两分的理念，着重政府对社会事务的监管职能。但是，随着时代的发展，人们逐渐认识到，政府并非万能的，市场与计划、政治国家和公民社会之间的分野也并没有那么清晰。在此基础上出现了超越监管理论的公共治理理论。该理论立足于"经济人"和"道德人"两种假设，提出了公共管理和公共行政改革的系列措施，如将市场和竞争机制引入政府治理、加强社会中介组织在社会事务中的参与度等。此外，在公共治理理论内部还形成了一些迥异于传统监管理论的观点：政府的能力、职能、权限及行使方式都应当有一定的界限；政府、企业、团体和个人应当共同参与社会治理；政府工作人员应当秉承尽职尽责的伦理精神，对公民的要求要及时作出高效反馈；以网络社会各种组织之间平等对话的系统合作关系取代传统的等级型社会秩序等。

此外，政府的竞争力问题也日益引起理论界的重视。王作成（2007）将政府竞争力划分为架构竞争力、能力竞争力和执行竞争力3个部分。近年来，关于中央政府及地方政府竞争力的研究也不断增加。根据王作成及其他学者的研究成果，我国目前的政府竞争力结构还处在以公共财政和财政政策为主导的阶段，存在较大的提升空间。具体来说，政府在国内产业及企业保护、资本市场管制、经济环境创设等方面还存在不少欠缺。所以，打造有序制度体系、营造和谐商务环境、打造和谐社会框架等成为了提升政府竞争力的重要策略。

在地热能产业高质量发展模式的进程中，政府的关键作用是毋庸置疑的：①地热能产业发展历程较短,运营方式、技术、人才储备等与地热能产业发达国家相比还存在较大差距,政府适当的扶持和激励是非常有必要的;②利用各种产业政策及其他管理措施推动地热能产业发展,不仅是地热能产业发展之必需,也是提升政府治理能力和竞争力的有效途径;③地热能产业的发展离不开科研院所、金融机构、社会中介组织等多方力量的共同参与,形成产业战略联盟同样势在必行,这就需要政府扮演方向引导者、利益协调者和服务提供者的角色并充分发挥其功能作用。

四、生态环境保护有关理论

自第一次工业革命以来,社会生产力加速发展,这不仅为人类创造物质财富提供了有利条件,也造成了资源、环境方面的一系列问题。20世纪以来,生态危机现象在多个国家都有出现,这对经济、文化乃至整个人类文明的发展都构成了严重的威胁,人类的生存和繁衍同样面临沉重的生态环境压力。在我国,虽然这一问题早已引起社会各界的重视,但整体生态环境逐步恶化的趋势仍然十分突出。面对这种情况,国内学者对生态环境保护问题进行了深入研究并构建了周密的理论框架。

随着社会经济的发展和居民生活水平的提高,高品质的生活成为了一种普遍性的追求。能否满足清洁、舒适和优美的环境生活,也成为了人们衡量生态需求是否得到满足的标志,这关系到每个人的福利水平,更关系到社会文明程度的提高。着力发展地热能等新能源产业,可以为人们提供清洁型能源,更能够带来舒适优美的生活环境。地热能产业的发展对于保护生态环境、解决矿产资源消耗问题也具有重要意义。当然,对于地热能开发过程中可能产生的污染及二次污染等问题,也必须引起业内人士和研究者的注意。

五、产业投融资有关理论

在特定产业发展的初创阶段和成长阶段,企业经营收入通常都处于不稳定的状态,整个产业的竞争力都较为薄弱。如果能够获得与发展所需资金规模相匹配的投资,就有可能形成可持续发展的局面;相反,一旦资金链断裂,整个产业都可能提前进入衰退阶段甚至迅速消亡。根据国际国内学者的研究,投融资问题对高科技产业尤为关键。与发达国家相比,我国多数高科技企业的国际竞争力还不强,一个重要的原因就是未能建成与其不同发展阶段相适应的投融资体系。长期以来,民营高科技企业的融资瓶颈问题没有得到合理解决,对其高质量发展构成了严重制约。因此,完善产业投融资相关理论并建立功能健全、富有效率的投融资体系十分重要。

六、经营管理有关理论

从微观意义上来看,企业的经营管理活动构成了产业发展的重要支撑。如果没有企业高效的经营管理,产业政策的实施将失去意义,产业的兴盛也将缺乏基本依据。因此,经营管理有关理论对产业发展也具有重要作用。例如,采取有效管理手段来对地热能产业的中高级人才进行激励,有助于释放其积极性与创造性并提高企业产出。再如,要想在地热能产业技术革新方面有所突破,就必须从知识管理、项目管理、团队建设、流程设计、绩效管理、风险管理、成本管理等多个角度入手提供制度保障。

第二章 我国地热能的开发利用及产业竞争力评价

我国地热能资源丰富且分布广泛，具有广阔的发展前景。20世纪70年代以来，我国地热能产业大体上经历了从无到有、从弱到强的发展历程。21世纪以来，我国在地热能勘测、开发及利用等方面进行了深入探索和持续创新，整体理论框架已基本成型，产业装备水平日益提高，浅层地热能、水热型地热能利用呈现出体系化的特征，干热岩型地热能的勘探开发正在起步。本章在对我国地热能资源概况和产业发展情况进行分析的基础上，总结出我国地热能产业发展的特殊规律，同时对我国地热能产业的竞争力作出初步评价。

第一节 我国地热能资源概况

20世纪60年代末至70年代初，地热能应用在国际范围内引起了广泛重视。受石油危机的影响，地热能的重要性日益提高，地热资源的勘查评价逐渐受到国内专家学者的重视。在首任地质部部长、著名地质学家李四光的引导下，我国地热资源拉开了全面开发利用的序幕。在地热能专家学者们多年的努力下，我国在区域地热资源普查、地热资源开发利用、地热基础理论方面都取得了显著进展。近年来，我国地热能产业经历了从弱小到有一定实力、从自发生长到系统规划逐步落实的历程。本章首先对地热能发展的整体情况进行梳理，后文将进行更细致的讨论。

一、我国地热能类型

根据国内学者的研究（张朝锋等，2018），中国地热能资源的构造特征情况可以概括为以下几个方面：①中低温传导型地热资源，这类资源分布在华北、松辽、四川、鄂尔多斯地区；②中温（90~150℃）对流型地热资源，主要分布在广东、福建、海南等沿海地区；③高温（>150℃）对流型地热资源，主要分布在西藏、腾冲现代火山区（地中海-喜马拉雅地热带的东延部分）及台湾地区（环太平洋地热带）。这3类地热资源的分布并不均匀，主要是我国复杂的地质构造背景所造成的。由于处于地质构造活跃的欧亚板块和印度洋板块交界处，青藏高原地区成为我国地热资源最丰富的地区。

二、我国地热能资源储量与分布

根据美国地热能协会（GEA）、德国地热协会等机构的勘测结果，世界上共有五大地热带，即环太平洋地热带、大西洋中脊地热带、地中海-喜马拉雅地热带、中亚地热带和红海-亚丁湾-东非裂谷地热带。其中，我国地热资源与3个地热带有关：东南部属于环太平洋地热带，藏滇地区属于地中海-喜马拉雅地热带，新疆地区属于中亚地热带。因此，我国具有良好的地热资源赋存条件（航旺，2012；王卓卓和郭帅，2019）。

近年来，中国地质调查局等机构在地热资源调查评价及潜力评估方面取得了一系列突出的研究成果。在浅层地热能方面，我国336个主要城市浅层地热能可利用量折合7亿t标准煤/a；在水热型地热资源方面，目前我国已查明温泉2380余处，地热井近6000眼，地热资源量折合12 500亿t标准煤，已探明地热流体可采热量相当于1.17亿t标准煤/a，高温地热资源发电潜力为846万kW；在干热岩资源方面，我国大陆3~10km深处干热岩资源总计为$2.52×10^{25}$J，折合860万亿t标准煤（表2-1）。由此可见，地热能产业具有强大的资源优势（李晖，2012）。

表2-1 我国各省（自治区、直辖市）探明地热资源量分布情况简表

地区	勘查数/个	温度60℃以上的勘查数/个	可开采水量/($m^3 \cdot d^{-1}$)	所含热能/MW	年可开采热能相当煤/($×10^4 t \cdot d^{-1}$)	排名
西藏	8	1	212 274.73	1 754.98	188.06	1
云南	5	4	445 242.34	425.11	45.75	2
广东	15	6	422 212.32	381.48	41.06	3
河北	23	1	220.51	353.50	38.04	4
天津	5	2	137.54	238.66	30.03	5
台湾	37	14	31 371.61	173.82	18.71	6
福建	4	—	148 534.64	124.53	13.40	7
陕西	2		206 762.15	104.10	11.20	8
辽宁	7	1	66.44	97.01	10.44	9
湖北	7	—	73 502.75	93.98	10.11	10
湖南	14	2	102 072.62	93.22	10.00	11
北京	11	4	27.50	72.01	7.75	12

续表 2-1

地区	勘查数/个	温度60℃以上的勘查数/个	可开采水量/($m^3 \cdot d^{-1}$)	所含热能/MW	年可开采热能相当煤/($\times 10^4 t \cdot d^{-1}$)	排名
海南	93	16	38 039.63	60.69	6.35	13
江西	23	1	62.90	38.04	4.55	14
山西	22	7	25 823.68	37.98	4.09	15
山东	19	3	35 622.70	32.78	3.52	16
河南	16	2	21 707.93	32.47	3.48	17
广西	55	9	25 952.96	28.38	3.05	18
新疆	9	6	13 075.46	25.45	2.67	19
四川	10	1	24 191.52	17.37	1.82	20
重庆	14	2	13 142.12	17.27	1.86	21
安徽	7	1	20 091.93	15.36	1.66	22
江苏	4	—	8 056.77	12.93	1.39	23
吉林	12	—	13 604.70	9.04	0.95	24
贵州	7	—	13 112.83	8.99	0.97	25
甘肃	5	2	3 754.17	5.96	0.64	26
内蒙古	7	—	5 577.22	5.35	0.58	27
浙江	3	1	2 247.25	4.34	0.46	28
青海	2	—	636.30	0.40	0.04	29
合计	466	86	1 907 125.22	4 265.2	462.63	

目前我国已发现地热异常3200多处,其中已进行地热勘查和科学评价的地热田有60多处,地热资源潜力占全球的7.9%左右。截至2017年12月,全国已打成地热井2300多眼,发现高温地热系统255处。经过评估计算,每年可开发利用的地下热水资源总量为68.45亿 m^3,所含热能量为 972.28×10^{15} J(相当于3 284.8万t标准煤的发热量)。我国地热总发电潜力达到 1.5×10^9 MW·h,主要分布在西藏南部和云南、四川的西部(表2-2)。在西藏羊八井地热田ZK4002孔勘测到329.8℃的高温地热流体,孔深达到2006m,总计天然放热量约为 1.04×10^{14} kJ/a,相当于每年360万t标准煤当量。中低温地热系统主要分布在东南沿海诸省区和内陆盆地区。这些地区1000~3000m深的地热井中储藏有80~100℃的地热水。

我国具有丰富的干热岩资源,占世界干热岩总储量的1/5左右。2017年8月,在青海共和盆地3705m深处钻获温度为236℃的高品质高温干热岩体,该岩体分布广泛,面积超过150km²,这是国内首次发现的大规模可用干热岩地热资源。该项目的5眼干热岩勘探孔深度在3000～3705m,井底温度达180～236℃。多吉院士科研团队使用体积法、比拟法进行了储量估算其远景资源量相当于860万亿t标准煤,仅2%的可开采量就可满足国内3年左右的能源消耗。

表2-2 我国干热岩资源分布情况简表

地区	干热岩资源占比/%
青藏高原南部	28.5
华北（含鄂尔多斯盆地东南缘的汾渭地堑）	12.6
浙江、福建、广东（东南沿海中生代岩浆活动区）	6.2
东北（松辽盆地）	5.2
云南西部	3.8
其他	43.7

数据来源：中国水文地质局,2017。

三、我国地热能特点分析

根据国内学者的研究,结合笔者在调研过程中所获得的信息资料,可以对我国地热能的特点作如下总结。

1. 区域分布特征

我国幅员辽阔,东南西北中的地形地貌和资源赋存情况各有不同,地热资源的分布也符合这一规律。从我国地热资源的区域分布情况示意图可以看出：我国西藏、云南等高原地区属于高温地热带；平原地区、丘陵地区及内陆沉积盆地属于中低温地热带；干热岩资源则分布广泛。从总体上来看,西南地区的地热资源最为丰富,华北和中南地区其次,华东地区较少,东北、西北地区有待进一步勘查（黄顺平,2018）。

2. 地质特征

我国地热能资源的形成与分布受两个因素的影响（高红艳等,2019）。一是整体上的地质构造特点,二是在全球构造所处的部位。我国地处欧亚板块的东部,印度板块对大陆的地质构成具有巨大影响。在这两个因素的共同作用下,我国的地质板块内断裂格局表现为青藏高原隆起、塔里木和准噶尔盆地断陷及华北平原新生代断陷伸展构造等。受此格局的影响，地热资源的地质特征主要表现为：藏滇及东南沿海两个明显的地热带在我国地热资源总储量中占据超过20%的较大比例；东部地区地热资源储量紧随其后；西北地区地热资源赋存量相对较低；中部平原地区则处于过渡区。

根据国内学者对地热资源分布的相关研究可以发现，大地热流值高的地区也是地热温泉分布较集中的地区，这与上述地热资源的地质特征较为吻合。同时，我国的地质构造条件还决定了地热资源在不同地区的储存形态（刘焓，2019）。例如：在西藏及云南地区，由于地质构造隆起，地热温泉较为普遍；青海一带沉积盆地的地热资源主要表现为地下热水及干热岩等。

3. 品级特征

与其他矿产资源类似，地热资源也存在品级问题，具体的衡量标准主要有单位含热量、赋存特点、开采难易程度等。具体来说，根据有关地质勘测机构及高等院校发布的统计资料，我国地热资源的品级特征可以概括为以下两个方面：①以热泉天然露头量、放热量强弱及露头出露的条件为标准，可以将构造隆起区地热资源品级分布特点总结为地热活动强度随着远离板块边界而减弱、高温热水区与晚新生代火山分布不尽一致、碳酸盐岩分布区多以低温温泉水形式出露等；②以资源形成条件为标准，可以将沉积盆地区地热资源品级分布特点总结为大型及以上沉积盆地是地热水资源形成的有利条件，沉积盆地通常只赋存低温地热水，沉积盆地基底赋存有碳酸盐岩的部位通常可以勘测到地热储存系统等。

四、云南：地热能资源分布的一个区域案例

以构造特征和赋存条件为分类标准，可以将云南省地热资源分为3种类型：滇西地区的近期火山和岩浆活动类型、滇西和滇东南地区的褶皱山区断裂构造类型、滇东昆明地区的深埋盆地类型。以温度和地热载体形态为标准，可以将云南的地热资源分为蒸汽型和热水型。

根据云南省地质矿产勘查开发局提供的数据，目前云南全省有温泉的县达到124个，各种温泉有700多处，热水钻孔逾百个。其中，低温温泉、中温温泉、高温温泉及过热泉所占比例分别为51%、33%、15%、1%。

云南位于地中海-喜马拉雅地热带，地热丰度和温泉总数全国排名第一，是国内唯一的高温地热活动与近代火山并存的地区（孔祥军等，2014）。从总体上来看，云南省内地热资源的形成与其地质构造及演变有着非常紧密的关系。

图2-1是云南腾冲滩镇地热温泉分布示意图，这是云南丰富地热资源的一个典型案例。该区域位于滇西地槽褶皱系与高黎贡山腾冲褶皱带和腾冲复向斜北部，地质

活动十分活跃。从整体上来看，该区断裂呈北西—南北—南西走向，高程范围为1700～1850m，V型谷发育明显，地形有河流切割。在 0.37km² 的范围内，分布着 33 个温泉，最低温度为 35℃，最高温度达到 91℃。据有关部门测量，最高出水量达到 5.18m³/h，利用前景十分广阔。

地热名称
1. 瑞滇温泉群
2. 竹园温泉群
3. 锦源温泉群
4. 仙人洞温泉群
5. 滇越温泉群
6. 金泽温泉群
7. 洁明温泉群
8. 腊幸温泉群
9. 供销社温泉群
10. 兴鑫温泉群
11. 沙坡温泉群
12. 大沟边温泉群
13. 大竹园温泉群

图 2-1　云南腾冲滩镇地热显示区分布示意图

五、我国地热能开发利用形式

面对能源短缺和环境污染两大问题，可再生能源的开发成为人们关注的焦点。相比较而言，地热能是开发利用条件最方便、成本最具竞争力的可再生能源之一。此外，它的储量也极为丰富。地热能在许多领域有着广泛的应用。从国际经验看，地热供暖是低温地热能最简单、经济、有效的利用方式。中高温地热则选择干流发电方式、ORC 方式或 KC 方式来进行开发利用。地热能在工业上也有各种应用，在医疗保健领域也备受欢迎。此外，地热能还可用于种植和养殖等。从整体上来看，可以预见，基于能源利用率方面的优势，梯级利用可能成为最有前途的地热能利用方式。

经过多年的发展积累，我国地热能的利用形式呈现出多样化的特点，具体包括以下 3 个方面：

（1）地热能直接利用，如温泉旅游、土壤加温、农业温室、农田灌溉、水产养殖、畜禽饲养等。早在 20 世纪 80 年代初，国内学者就提出了利用地热能为农业服务的理念。受此理念的影响，低温地热资源在甲鱼养殖、大棚温室建设、花卉种植等方面有了初步的开发利用。此外，在医疗保健、温泉旅游等方面，地热能的直接利用也逐渐起步。

（2）地热能发电，其基本原理与火力发电类似。具体来说，第一步为将地热能向机械能转化,第二步为机械能转换为电能,第三步为电能的储存与输送。

(3)开采后的地热供暖,具体又包括地热井供暖和地源热泵等不同类型(程博,2016)。迄今,全国所有的省、自治区、直辖市均进行了浅层地温能开发利用工程建设,利用浅层地温能供暖制冷的单位达到5000个以上,其中80%左右均集中在华北和东北南部地区。

根据国内学者的分析预测,未来地热能利用形式将以地热供暖、地热发电、地热农业为主。表2-3比较清晰地反映了我国地热能多种利用方式。

表2-3 我国地热能多种利用方式简表

地热能利用方式	用途及用法
地热供暖	按照进入供热系统的方式,可以分为直接供热和间接供热两种类型。直接供热模式下,地热流被直接引入供热系统;间接供热模式下,通过换热器将地热流中的热能传递给供热系统的循环水
地热能发电	地热能发电是利用地下热水和蒸汽为动力源的一种新型发电技术。其基本原理与火力发电类似,构成了一个"热能—机械能—电能"的转换循环。具体来说,地热能发电分为蒸汽型地热发电和热水型地热发电两大类型
医疗保健	地热水中通常富含锂、氟、氡、偏硼酸、偏硅酸等多种矿物质,在医疗保健方面具有重要价值
娱乐、旅游	依托温泉地热资源,可以开发游泳馆、水上乐园、康乐中心、会议中心、疗养中心、温泉宾馆等娱乐旅游项目
种植、养殖	依托地热井,可以建造温泉温室,种植名优花卉、特种蔬菜等,也可以用来发展旅游农业。热水养殖可以大大缩短多种水生物的孵化期和生长周期
余热供暖	用于洗浴、娱乐的地热水在使用后仍然有较高的温度,可以通过地温热泵等来进行进一步的热能提取,从而充分提高其综合利用率
水产养殖	温度在30~45℃且符合有关渔业水质标准低矿化的地热水,可用于水产养殖。通常情况下,这些地热水可以用来养殖鳗鱼、罗非鱼、对虾、河蟹、甲鱼等水产动物
饮用矿泉水	地热水一般未受人为污染且含有一些有益于人体健康的微量元素,可作为饮用天然矿泉水开发利用。如果地热水的污染物指标、微生物指标及锂、锶、锌、铜、铬、钡等成分的含量符合国家有关规定,就可以作为饮用天然矿泉水来进行开发运营
农业利用	利用温度在30~75℃之间且符合农田灌溉用水水质标准的地热水建立温室来种植名贵花卉、蔬菜等作物;用温度在40℃以下的地热资源来进行农田灌溉或土壤加温

图2-2是我国地热能直接利用结构示意图。从中可以发现,浅层地热能供暖制冷和中深层地热供暖占据绝对优势。

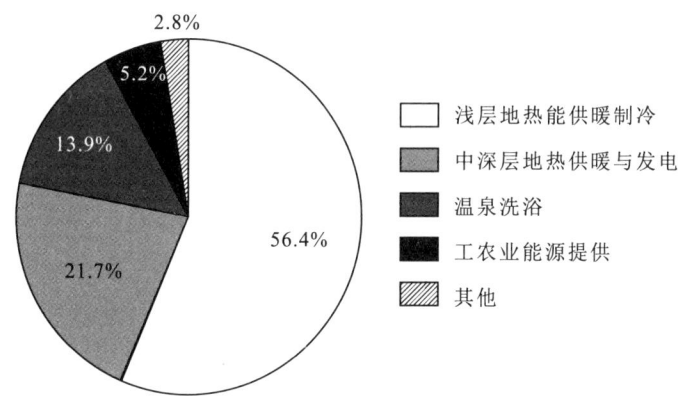

图 2-2 我国地热能直接利用结构示意图

第二节 我国地热能产业发展概述

一、我国地热能产业的总体发展历程

长期以来，地热能都被视作一种"新型能源"。事实上，地热能的开发利用在我国有着超过 4000 年的历史。例如：先秦古籍《山海经》中就有关于温泉的记载并取名为"汤"；秦始皇曾建"骊山汤"来治疗疮伤；唐诗中也有"春寒赐浴华清池"的演绎。在民间，利用地热进行农作物种植和水产养殖的活动也较为常见。但是，地热能作为一个产业来进行规模化生产则在新中国成立以后。我国地热能发展大致总结为以下 3 个阶段。

(1) 1971—2003 年为起步阶段。1971 年北京氧气厂第一眼热水井的成功钻探和当年 2 月河北怀来县后郝窑地热发电试验的开展，拉开了我国地热能规模化开发利用的帷幕。在这一阶段，地热能的开发利用初步得到了能源界的重视，出现了个别区域的分散开发，对地热能资源的勘测评价工作也逐步开展。在这一时期，地热能的开发利用还没有形成规模。从统计数据看，商品化的地热能源在终端能源消费中所占的比重基本为零，相关技术尚处于初级研发阶段。

(2) 2004—2016 年为成长阶段。在这一阶段，地热能的开发利用呈现出规模化、专业化的特点，产能逐步释放，出现了一大批代表性企业（黎伟，2013）。在相关产业政策的推动下，地热能产业发展驶入快车道，出现了一系列质的变化：开发利用的范围实现了不同层次的拓展，设备逐步完成从小型向大中型、从粗糙型向专业型的过渡，技术研发成果市场化、产业化的步伐不断加快（章长松，2009）。在这一时期，我国迅速成长为全球地热直接利用量最大的国家。

（3）2017年至今为逐步成熟阶段。以《地热能开发利用"十三五"规划》《北方地区冬季清洁取暖规划（2017—2021年）》等纲领性文件的出台为标志，地热能产业的发展进入国家战略层面，产业规划、行业监管、技术研发、人才培养开始走向正规，产业规模快速提升，出现了项目导向、利润导向、技术导向及公私合作（PPP）等多种运营模式（王永真，2014）。

从目前地热能资源开发利用的整体情况来看，这一产业的发展还很不够。在新能源及国际整体的能源结构中，地热能还是一种"小众型能源"。

二、我国地热能产业发展的主要成就

进入21世纪后，我国地热能产业发展进入成长期，特别是地热能供暖发展迅速（表2-4）。地热能开发利用得到较快发展，具体呈现如下特征。

表2-4 "十三五"期间15个重点省（区、市）地热供暖面积统计表

序号	地区	水热型/万 m²	浅层/万 m²	合计/万 m²
1	河北	15 960	16 080	32 040
2	山东	6100	7000	13 100
3	河南	8910	3510	12 420
4	辽宁		6500	6500
5	北京	337	5683	6020
6	天津	4000	1010	5010
7	湖北	525	3400	3925
8	陕西	830	2900	3730
9	江苏		2697	2697
10	安徽	10	1600	1610
11	上海		1500	1500
12	山西	900	450	1350
13	黑龙江	600		600
14	贵州		500	500
15	浙江		404	404
合计		38 172	53 234	91 406

注：数据根据国家地热能中心有关资料整理，2020年3月。

1. 浅层地热能利用快速发展

20世纪90年代以来，我国的浅层地热能开发利用进入规模化发展的阶段。进入21世纪，浅层地热能供暖（制冷）建筑面积以年均30%左右的速度逐年递增。截至2019年12月，地源热泵装机容量达2万MV，供暖（制冷）建筑面积超过5亿m^2，主要分布在北京、天津、河北、辽宁、山东、湖北、江苏、河南等地区，在优化能源结构、减少碳排放等方面起到了一定作用。

2. 水热型地热能利用持续增长

近10年来，中国水热型地热能直接利用规模的年度增长率均超过10%，在世界范围内也首屈一指。中国水热型地热能的直接利用以居民供暖为主，其次为健康疗养、种植养殖等。据不完全统计，截至2019年12月，全国水热型地热能供暖建筑面积在1.6亿m^2左右。

3. 干热岩发电取得一定突破

与此同时，地热能发电方面也取得了持续突破，如早在1970年12月广东省丰顺县邓屋中低温地热能发电机组建成投产，1977年9月西藏羊八井1MV高温地热能发电机组正式投入运营等（图2-3）。截至2019年12月，中国地热能发电装机容量接近30MV。针对干热岩这一地热能开发利用的重要国际趋势，我国2010年以来开展了勘查评价、热储改造和发电试验等工作，近年来在青海共和盆地实现了高温干热岩型地热能资源的重大突破。

图2-3 西藏羊八井地热发电系统

4. 地热能勘探开发利用装备较快发展

地热能的勘探离不开地球物理、钻井、热泵、换热等关键装备的支持。近年来，在我国科学技术大发展的背景下，地热能勘探开发利用装备的水准也越来越高，与之相关的新材料研发与高端装备制造、科研服务等也取得了长足发展。这主要表现在以下几个方面：地球物理勘查方面的二维地震、三维地震、时频电磁、大地电磁、重磁等；钻井工程万米钻机；热泵装备的地源热泵系统与水热型地热能供暖系统等。

5. 地热能开发利用相关技术的持续性研发创新

我国地热能开发技术在多个领域取得了出色的成绩，具体表现在以下几个方面：①地热勘探技术，包括地热地质研究、地球物理方法、地球化学勘探技术、钻井技术；②地热能开发利用技术，包括热泵技术、相关设备制造技术、地热尾水回灌技术、砂岩热储的经济回灌技术、地热能梯级利用技术；③对外技术交流合作蓬勃开展。例如：2007—2009年，我国能源研究会地热专业委员会与澳大利亚Petratherm的合作项目"干热岩资源潜力研究"，给干热岩的开发利用提供了许多思路与技术上的启发。

6. 地热能产业发展的管理体制与政策配套持续改进

在地热能产业发展过程中，管理体制与政策配套持续改进是非常重要的。近年来，我国政府对地热能开发利用高度重视，出台了一系列相关政策和配套制度，后文将对之进行进一步的阐述。

三、我国地热能产业链概述

从地热能产业链示意图（图2-4）可以看出，根据开发利用方式的不同，我国地热能产业主要分为地热发电、直接利用和地热泵等类型，在此结合产业发展的上游、中游和下游关系进行简要分析。

（1）地热能产业链的整体构成。按照上游、中游和下游的划分模式，可以将地热能产业链分为地热资源勘查评价、钻井成井和地热能的终端利用3个组成部分（任洪国，2018）。①地热资源勘查评价是科学、经济、有效地进行地热能开发利用的重要前提。这一领域的主要方法包括地质勘测、电法、大地电磁法等，所运用到的设备包括地球物理和化学仪器、航空遥感设备等。②钻井成井是将地热能转化为可供消费者使用的产品的枢纽。这需要根据地热能资源的赋存情况来采取相应的技术。这一领域用到的设备包括钻机、钻具稳定器、井口装置、压裂设备等。③地热能终端利用是指将开采出来的地热资源形成产品的环节，具体包括浅层地热能供暖、水热型地热能供

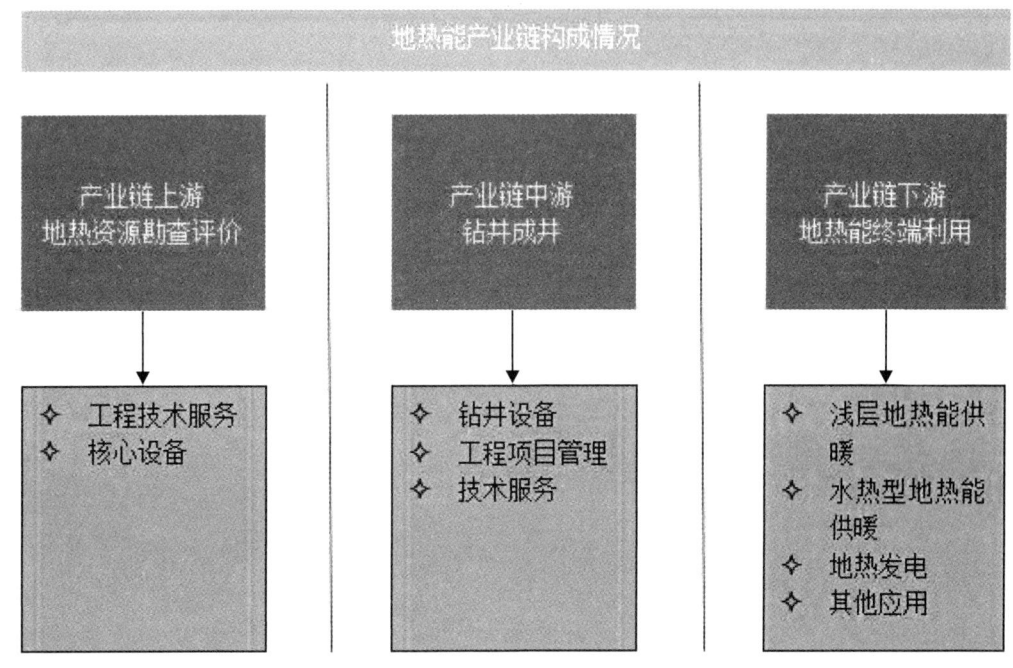

图 2-4 地热能产业链示意图

暖、地热发电及其他领域的应用等。

（2）地热能产业链不同环节的竞争格局。①地热资源勘查评价方面的竞争格局。这一环节处于产业链上游，对勘查技术有着较高的要求，市场集中度较高。从目前的情况来看，地热能勘查评价技术的主体包括中国科学院地质与地球物理研究所、国家地热能中心等多家科研机构和中国地质大学（北京）、中国石油大学及民营能源企业等相关机构。工程技术服务商主要有各省（区、市）地质勘查院、湖北地大热能科技有限公司、保定顺昌钻井工程有限公司等。机械设备供应商主要有中国石油化工集团有限公司（以下简称中石化）和华清地热等。②钻井成井方面的竞争格局。钻井成井具有资金密集、运营规模大等特点，只有资金雄厚的大企业才能成为有力的竞争者，市场集中度也比较高。目前，这方面的工程技术服务供应商主要有中石化、湖北地大热能、恒泰艾普等，设备供应商及工程技术服务商主要有石化机械、恒泰艾普等。③地热能终端利用方面的竞争格局主要包括：一是浅层地热能供暖的竞争情况。目前这方面的设备制造商共有170余家，国产机化水平达到70%左右，代表性的合资企业主要有美意、特灵、克莱门特等，国内企业包括汉钟精机、烟台冰轮和鲍斯股份等。从技术服务来看，主要公司有北京泰利新能源、沃特能源等。二是水热型地热能供暖的竞争情况。目前这方面的技术服务市场份额较为集中，有实力的竞争者包括中石化新星石油公司旗下的绿源地热能源开发有限公司、河南万江新能源等。同时，水热型地热能供暖所使用的换热器方面则有众多参与者，包括华清集团、盾安环境、三鑫换热等。三是地热发电方面的竞争情况。从整体上来看，我国地热发电的整体实力尚未进入全球前十，技术体系尚不完善，市场化程度也较差。这一方面的技术服务企业主要有湖北地大热能、开山股份和郑州地美特等。地热发电所使用的汽轮机对进口的依赖度比较高，主要供应商有日本的东芝及三菱、以色列的奥玛特等，代表性的国产汽轮机企业包括哈尔滨汽轮机公司和青岛捷能等。

四、我国地热能产业的经济产出

2014—2019年，我国地热能产业的工业总产值分别为298.54亿元、340.19亿元、394.78亿元、470.58亿元、527.31亿元和575.82亿元，相对于上一年度的增长率分别为14.0%、16.0%、17.8%、19.2%、12.1%和9.2%。2014—2019年地热能产业在GDP中的贡献率分别达到了0.047%、0.050%、0.053%、0.056%、0.051%和0.049%左右。也有研究者利用其他统计口径进行测算，认为近年来我国地热能开发利用年均增长速度在20%左右。从整体上看，地热能行业不仅有越来越出色的经济产出，更重要的是，正在进入注重质量和效率的发展路径，进入更加健康、稳定、规范的新时期。

从产品结构看，地热能产业主要涉及发电、供暖和其他相关产品。目前，我国地热资源的利用方式仍以供暖为主。根据国家地热能中心有关资料，预计"十三五"期间全国可实现新增地热能供暖（制冷）面积8.98亿m^2。

五、地热能产业技术发展情况

20世纪70年代以来，地热能的开发利用及产业化运作对相关技术产生了强有力的驱动。经过专家学者的持续接力，我国地热能技术快速发展并取得一系列成绩，具体表现在资源勘查与评价、钻井成井工艺、尾水回灌、相关设备制造和发电等方面（唐志华，2011）。目前，国内主要有国家地热能中心、中国科学院地质与地球物理研究所、中国科学院广州能源所、中国地质科学院水文与环境地质研究所等多家科研机构及清华大学、中国地质大学（北京）、吉林大学、中国矿业大学等一些高校共同进行地热资源开发利用的技术研发，初步建立了一套与中国地热资源特点及国情社情相适应的技术体系，对地热能产业发展实践起到了有力的推动作用（李杨和赵婉雨，2019）。

在专利申请方面，截至2019年12月底，中国申请人申请的地热能技术专利共计41 769项，热点主要分布在钻探与挖掘、供热与供电系统开发、新材料开发与应用、农业地热能应用等方面。从国际范围内来看，我国地热能相关专利申请正在逐步从数量攀升阶段向质量拔高阶段过渡，2016—2019年各国地热能相关专利比例情况简图（图2-5）比较直观地反映了这种趋势。

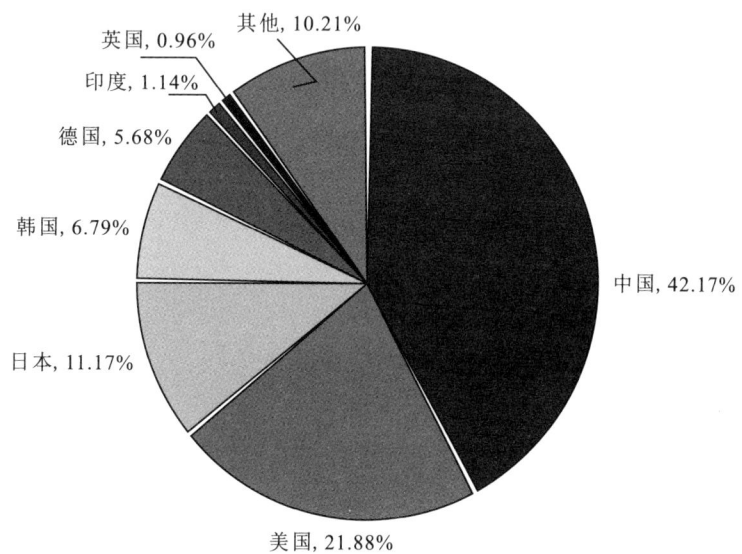

图2-5 2016—2019年各国地热能相关专利比例情况简图

总的来看，我国地热能产业技术发展与发达国家相比，仍有比较大的差距。根据对相关资料的整理发现，目前我国地热能相关专利申请的机构进入世界前列的仅有天津大学和中石化（王甫，2017）。

第三节 我国地热能产业发展的特殊规律

据国内外学者研究，相对于产业发展的一般规律而言，我国地热能产业发展具有如下规律：

（1）地热能资源储量丰富且分布不均。我国地热能资源的储量是十分丰富的，但从区域分布的角度来看，我国的地热能资源主要分布在西藏、云南等经济欠发达地区。同时，这些地区普遍存在地形地貌复杂及地质条件苛刻等现象，交通条件也有所限制。这不仅增加了地热能资源开发利用的难度，也促使我国的地热能产业发展必须走出一条具有中国特色的道路。

（2）市场结构极为复杂。我国不同地区的经济发展水平、产业政策、行业管理体制、产业结构都有各自的特点。同时，我国目前已经进入改革开放的"深水区"，国情社情较为复杂（惠宁和刘鑫鑫，2019）。这些因素传导至地热能产业方面就形成了极为复杂的市场结构。从企业性质的角度来看，国企、民营企业、外资企业在地热能产业领域都是重要的参与主体，已经引起国内研究者注意的是，这些企业的内部分化也较为严重，大企业拥有强大的资本及市场控制能力，但往往经营范围较为广泛，小企业的发展则容易受到资本、资源、管理体制等多方面的制约。从产品/服务的角度来看，地热能资源的开发利用衍生出电力、地暖、温泉旅游等各种各样的产品/服务。从运作方式的角度来看，存在着项目导向、公益服务导向、资本效益导向等多种类型。从竞争策略的角度来看，价格、特色服务、模式都成为重要的竞争策略基点。正因为如此，衡量地热能产业的绩效、评价其整体发展状况、分析其国际竞争力等都存在一定的难度。

（3）民营企业深度参与。政策提供重要驱动力的现象在各国都较为普遍，在中国同样如此（邢辉，2018），民营企业深度参与构成了我国地热能产业发展的一道独特风景。从表面上来看，一些具有国资背景的企业在地热能领域攻城略地，表现极为抢眼。但在实践中，以河南万江新能源集团有限公司、黑龙江中惠地热股份有限公司为代表的民营地热企业在我国地热行业发挥着重要作用。尽管缺乏政策及雄厚的国家资本支持，这些民营地热企业仍在行业专利开发、模式探索、工程建设等方面做出了一系列努力，极大地丰富了我国地热能产业的产品/服务体系。

（4）后发优势突出。相对于美国、德国、冰岛等地热强国来说，我国的地热能产业存在着起步晚、起点不高的客观事实。正因为如此，与这些国家相比，我国地热能产业的政策制定、总体规划、技术研发等尚有许多薄弱之处。但是，这只是"硬币的一面"，必须认识到我国在地热能产业发展方面同样有着许多"后发优势"。

①体制优势。我国是中国特色社会主义国家，中央政府在宏观调控、社会治理及精神文化建设方面有着强大的决策能力、丰富的管理经验和国际领先的社会组织动员能力。改革开放以来的发展历程表明，一旦中央政府明确了产业发展的具体方向，就有信心和有能力提供决策支持、制度保障、资源协调。

②资源优势。如前所述，我国地热能资源的储量是十分丰富的。如果这些地热能资源能够得到有效的开发利用，我国地热能产业的整体规模将迅速攀升至世界前列（张密，2015）。类似地，在人力资本方面，我国高等教育事业持续快速发展，能够为地热能产业的发展提供必需的人才储备。近年来，我国高度重视地热人才的国际化培养。例如，2019年12月2日，由"中国-冰岛"地热技术研发合作中心组织的地热培训项目正式投入运作。参与该培训的人员包括41名地热专业人才，授课教师则包括16位国内专家和11位国际专家。项目的精耕细作不仅能够为地热领域专业人才的培养提供有力支持，同时也能够为地热技术研发的国际交流合作奠定坚实基础。

③创新优势。作为后来者，我国地热能产业的发展可以充分有效地借鉴其他国家的经验教训，着力发展前沿的创新技术（张正，2015）。这不仅意味着大量的资源节

约，同时也可以帮助中国地热技术尽快与国际前沿接轨。

④模式优势。在产业发展模式的选择上，我国地热能产业同样有着极大的选择余地，同时还可以根据产业发展的具体情况进行调整优化，形成具有中国特色的独特模式。以河北雄安为例，当地政府对其地缘条件、地热能资源赋存情况及政策机遇窗口进行了高效整合，发展出了地热能产业的"雄县模式"，取得了良好的经济效益与社会效益，引起了国际国内的广泛关注（郭焦锋等，2018）。

第四节 我国地热能产业的竞争力评价

从微观上来说，地热能产业竞争力的提升关系到该产业的高质量发展与整体规模效益的提升；从中观上来说，地热能产业竞争力的提升有助于推动区域经济运行；从宏观上来说，地热能产业竞争力的提升关乎国家能源战略的落实。因此，提升地热能产业竞争力势在必行。

本书主要借鉴黄雪飞（2019）所提出的多层次评价模型来对地热能产业竞争力进行整体上的评价。该模型下的评价指标体系分为一级指标和二级指标。就地热能产业而言，本书所运用的一级指标包括"产业实力""产业环境""产业成效"。"产业实力"下的二级指标包括生产要素、企业战略、资本投入约束、研发投入、人力资本；"产业环境"下的二级指标包括产业发展规划、需求环境、市场环境、社会文化环境；"产业成效"下的二级指标包括产业价值创造、产业协同增长、企业发展能力、社会进步和国际拓展。在方法上，本书引入专家打分法，邀请20名地热能产业相关专家对地热能产业竞争力的不同层次进行权重划分并打分。专家组包括来自中国科学院地质与地球物理研究所地热资源研究中心、中国科学院广州能源研究所、成都理工大学地热研究中心、西南石油大学地热能研究中心的8位学者，以及来自中石化绿源地热能开发有限公司、中石化新星石油有限责任公司、北京永源热泵有限责任公司、河南万江新能源集团有限公司等地热企业的12位实业代表。

首先向专家发放评价问卷，内容主要是针对地热能产业具体评价指标进行打分。评价使用百分制，共分为5个等级，"优秀"计100分、"良好"计80分、"一般"计60分，"较差"计40分、"非常差"计20分。从地热能产业竞争评价得分情况简表（表2-5），我们可以直观地看出得到的评价分数结果及计算结果。

通过以上计算可以发现：①地热能产业竞争力整体水平得分为75.64，还不到80分，尚存在较大的改进空间；②资本投入约束、技术研发投入、人力资本、产业发展规划4个指标的得分均低于70分，对地热能产业的总体发展构成了严重制约。

表 2-5 地热能产业竞争评价得分情况简表

一级指标	二级指标	指标权重	专家平均打分
产业实力	生产要素	2/42	85.1
	资本投入约束	4/42	68.8
	技术研发投入	5/42	69.9
	企业战略	2/42	73.9
	人力资本	2/42	66.2
产业环境	产业发展规划	4/42	69.85
	需求环境	4/42	76.65
	市场环境	2/42	81.75
	社会文化环境	2/42	82.7
产业成效	产业价值创造	4/42	83.05
	产业协同增长	3/42	80.95
	企业发展能力	4/42	78.35
	社会进步	3/42	70.8
	国际拓展	1/42	70.95
最终评价结果			75.64

第三章 我国地热能产业发展环境及影响因素分析

大力发展清洁能源是当今时代的主题之一。近年来，在国际地热能开发利用热潮及国内清洁能源庞大消费需求的推动下，我国地热能产业迎来了宝贵的发展机遇。目前，我国已经发展为地热能资源大国和开发利用大国，但离"地热能强国"还有较大差距。通过对相关文献的梳理发现，对地热能产业影响因素进行量化分析的研究还比较少。本章首先对地热能产业发展外部环境进行分析，进而利用结构方程模型来对其影响因素进行量化研究。最后，结合国内外学者研究成果和笔者的调研资料，对我国地热能产业发展方面存在的不足进行总结归纳。

第一节 我国地热能产业发展外部环境的 PESTEL 分析

根据产业经济学的观点，任何产业的发展总是发生在特定的环境之中。它不仅要从外界环境中获得发展所需的能量，同时也会对外界环境产生反作用。为了认识产业发展的环境，学术界及管理咨询机构开发出了各种各样的分析工具，其中以 PESTEL 分析的应用范围最为广泛。

一、地热能产业发展的政治因素（P）分析

PESTEL 分析模型中的政治因素主要是指具有实际及潜在影响的权力、相关政策、部门规章制度等。

1. 国家政策角度的地热能产业发展政治环境分析

改革开放以来，我国政治体制改革不断深入，社会秩序趋于稳定。近年来，中央政府高度关注能源事业的发展，与地热能相关的行业发展政策相继出台。在产业发展规划上，先后出台了《关于加快浅层地热能开发利用促进北方采暖地区燃煤减量替代的通知》《地热能开发利用"十三五"规划》等重要政策文件；在产业投融资方面，出台了《政府出资产业投资基金管理暂行办法》《关于构建绿色金融体系的指导意见》等指导性文件，为解决地热能产业的融资问题提供了良好的政策保障；从区域经济空

间结构的角度来看,也针对不同地区的地热资源赋存特点及能源消费特征制定了相应的政策及制度。

但应当注意的是,国家政策层面也存在着一些局限性。①中央政府在国家政策制定方面的着眼点在于"全国一盘棋"。地热能产业仅仅是新能源产业的一个组成部分,影响范围相对有限。因此,地热能产业的发展要依靠国家政策的支持,但绝不能忽视市场竞争力的提升。此外,在全球化时代,地热能产业发展的政治环境还需要立足世界格局进行考察。我国在政治、经济、文化诸多领域的快速发展对国际政治秩序构成了强烈冲击。西方发达国家对我国各个层面的攻击和侵扰不能不引起产业管理部门及地热产业界的重视。同时,中国特色社会主义背景下的经济发展模式同样给世界各国的经济模式带来了冲击。再考虑到复杂的周边环境,地热能产业如何发展以及向哪个方向发展的问题都值得引起研究者重视。②与美国、德国、日本等发达国家相比,我国资源税和环境税等方面存在政策缺失,新能源开发利用在环境、资源等方面的"外部收益"没有得到中央政府的充分重视。在现行的企业会计制度框架下,地热类新能源的效益与巨额投资相比,回报率并不突出,还不具备与传统能源竞争的能力。就本质上而言,这是市场力量局限性的一种表现。因此,政府可以考虑将新能源定位为准公共产品,采取各类扶持手段推动其发展。同时,对地热类新能源产业的评价应当以社会效益最大化为标准,不能单纯地只考虑经济效益。

从地热能产业发展的国际经验来看,这一新兴产业的初期发展离不开政策的推动。因此,从国家政策的角度来看,有必要形成立足基本政策,集立法、规划、管理、技术规范于一体的地热能发展政策体系,充分发挥政策引导功能,切实消除政策局限性,为地热能产业的高质量发展营造良好的政策环境。

2. 地方政府角度的地热能产业发展政治环境分析

受 GDP 考核、政绩、政治声誉等因素的驱动,地方政府对产业经济的发展具有强大的动力,这为经济增长方式转型、产业结构调整等提供了地方性的政策支持。同时,近年来,随着环境治理得到了各个地方政府的高度重视,许多地区的地方政府都制定了推动清洁能源事业发展的政策,如《北京市地热资源管理办法》《天津市地热资源管理办法》《云南省地热资源管理条例》《内蒙古地热资源管理条例》等,这为地热能产业的发展提供了有力的支撑。此外,地方政府创新是推动我国社会现代化治理的动力源与突破口。在产业发展方面,地方政府创新同样可以提供政策制度、财税金融、管理及人力资本等方面的有力支持。

地方政府角度的地热能产业发展政治环境也有其局限性,主要表现在:①地方政府治理现代化的进程还不完善,在产业管理方面可能存在短视、过度干预、权力寻租等问题;②产业管理是地方政府职能的一个组成部分,在这方面的战略性规划可能存在目标函数不清晰、路径模糊、约束条件多等问题；③我国政治经济体制改革已经进入攻坚阶段，地方政府与地热能企业及有关社会组织之间存在复杂的力量博弈关系，可能会给地热能产业的高质量发展构成严重阻力。

3. 行业管理体制角度的地热能产业发展政治环境分析

根据《中国地热能发展报告（2018）》，目前我国已经初步建立起地热能资源管理制度体系，具体包括勘查许可、采矿许可、打井审批、钻井施工监理、矿业权公开出让、从业单位备案、矿产资源补偿费征收管理、矿业权价款管理、资源保护和科技项目管理等，为地热能勘查开发利用的整体秩序提供了可靠保障。

根据国内学者的研究，我国地热能产业处于产业生命周期的成长阶段，政府在这一领域的管理体制同样处于探索期，尚存在着不少问题（舒克盛和霍明远，2009）。一方面，地热能产业的行政管理权限分设在国土资源、地质矿产、水利、城建等诸多部门。在现实中，这些部门按照各自职责共同管理造成了政出多门、政令不一的现象，给地热能产业的发展造成了不同程度的制约。另一方面，管理不规范的问题客观存在，如政策落实不到位、产业发展资金挪用、支持力度不足等。正因为如此，国内的地热开发利用难以形成连续稳定的市场需求，形成符合市场经济要求的良性发展机制还需要下大工夫理顺行业管理体制。

二、地热能产业发展的经济因素（E）分析

PESTEL分析模型中的经济因素主要是指经济发展情况、区域经济空间结构、产业布局、资源状况、经济发展水平及经济发展整体趋势等。

（1）从经济发展情况的角度来看，地热能产业的发展面临宝贵机遇。

一方面，如前所述，我国国民经济持续健康发展，人均GDP连续实现突破，初步进入了年人均GDP达1万美元的国家行列。同时，供给侧结构性改革、经济结构调整、产业转型升级已经成为社会各界的共识，这不仅为地热能产业的发展提供了有利的外部条件，同时也提供了丰富的运作空间和一定的试错空间。另一方面，随着"一带一路""京津冀协同发展""粤港澳大湾区建设""区域城市群"等国家战略的落地，我国不同区域的经济发展协同效应将逐步显现，整体上的生产力布局也将持续优化。在这一过程中，产业结构的调整、产能的优胜劣汰和区域经济空间结构的持续优化必然会给地热能产业的发展创造良好机遇。

（2）从能源消费规模的角度来看，地热能产业的发展有着巨大潜力。

能源是人类文明的重要推动力，也是各个产业发展不可或缺的动力源。改革开放以来，经济的快速发展推动能源消费规模连年增加，2010年我国就已经成为世界上最

大的能源消费国。根据国内知名咨询机构艾瑞咨询发布的数据，2002—2019年，我国能源消费规模的复合增长率超过12%，到2050年，我国的人均能源消费量将达到发达国家水平。彼时我国将实现能源消费与经济增长的高度耦合，这就要求大大提高节能强度与能源结构转型的力度。尤其值得注意的是，在能源消费结构中，石油、煤炭等一次能源的消费规模增长率持续走低，而风能、核能、地热能等可再生能源的消费规模则持续快速上升。

（3）从消费市场特征的角度来看，地热能产业的发展还需要精耕细作。

从消费模式的角度来看，我国能源消费市场特征表现为规模大、品种全、质量持续改进；从地区差异的角度来看，城镇居民和农村居民的人均能源消费量都保持了快速增长的势头，前者与后者的比例长期保持在1.5:1左右。考虑到农村庞大的人口基数，其能源消费存在巨大的潜力；从利用效率的角度来看，能源消费量增长率与经济增长率之间的相对变动关系不断得到改善，为能源消费的结构转型提供了有力支撑；从未来趋势的角度来看，由于生态和环境保护的双重约束，集约、节约利用将成为能源市场消费的主流方向。

三、地热能产业发展的社会因素（S）分析

PESTEL分析模型中的社会因素主要是指社会及其成员的价值观念、历史发展、文化传统、教育水平以及风俗习惯等。

地热能产业发展社会因素方面的优势主要表现在：①随着社会经济的持续发展和居民可支配收入的逐年增加，社会公众的生活方式也不断进化升级。"煤改气"和"清洁供暖"逐渐成为居民生活的热点词汇。地热能有望成为局部地区"煤改电"和"煤改气"的有益补充，这为地热能产业的发展提供了广阔的空间。②14亿人口所形成的庞大内需市场为地热能产业的发展提供了极强的战略纵深，行业发展的"蓝海"将创造规模极大的需求拉动。③地热能产业发展受到社会各界的重视，出现了一批由企业、高等院校、科研院所、社会中介组织等多方力量组成的地热发展产业联盟机构，这必然会极大地推动地热能产业的高质量发展。

地热能产业发展社会因素方面的局限还表现在：①在多数高等院校，地热能还没有成为正式专业，这导致专业人才培养体制不够完善，可能影响产业的长期可持续发展；②社会居民在传统能源及其他类型新能源方面形成了相对稳固的消费习惯，市场渗透存在一定压力；③由于相关宣传工作不到位，社会居民对能源消费的认识还有待改进。也就是说，目前存在社会居民在能源消费方面对价格敏感，但对能源背后的矿产资源消耗不敏感，浪费问题没有得到深入解决，对清洁能源的认识不够深入等认知局限。

四、地热能产业发展的技术因素（T）分析

PESTEL分析模型中的技术因素包含了两个部分，其一是引起革命性变化的发明，其二是新技术、新工艺、新材料的出现和应用情况及未来发展趋势。

地热能产业发展技术因素方面的优势主要表现在：①热发电、直接利用和地热泵等行业关键技术受到企业的高度重视，对其原理的剖析得到相关科研院所的大力支持，技术攻关方面不断取得突破；②5G、人工智能等前沿技术快速发展，不仅丰富了地热能产业的应用场景，同时也为产业的整体发展提供了有力的驱动；③在"能源互联网"理念的推动下，地热类新能源的生产与应用将实现智能化匹配和协同运行。这就使地热能能够以新业态的方式参与电力市场的竞争，形成高效清洁的能源利用新载体。

地热能产业发展技术因素方面的局限主要表现在：①地热资源开发、直接利用及设备研发等方面还存在诸多难题，如勘探钻井、砂岩回灌等。在一些关键设备上，对进口产品的依赖程度还比较高。②地热能产业的广阔前景引起了一些机构的注意，进入这一领域的资金规模不断扩大。但是，一些新进入者存在功利主义心态，在技术方面缺乏扎实的资源投入。③从国际范围来看，地热能开发利用具有知识密集的特点，对其技术发展趋势的把握是一项巨大的挑战。如果不能占领技术发展的制高点，地热能产业的高质量发展也会受到严重制约。

五、地热能产业发展的环境因素（E）分析

PESTEL分析模型中的环境因素主要是指特定研究对象的活动、产品或服务中能与环境发生相互作用的因素。

根据国际国内的开发利用经验，地热能产业发展对环境的影响比其他工业门类小得多，具体表现在生产过程污染物排放少、地热资源可再生性强、地热应用能耗低等方面。因此，地热能产业发展具有环境友好的优势。从目前已有的文献来看，出于环境因素而反对地热能开发利用的观点还罕见。同时，根据国内地热能企业及产业咨询机构的调查，社会公众就地热能产业对环境影响普遍持乐观态度。近年来，社会对环境污染的容忍度越来越低，对环境及生态保护问题越来越重视。考虑到全国供热需求的快速增长及华北等地区地热资源与雾霾重灾区重合等现实问题，发展地热能事业势在必行。

此外，考虑地热能开发过程容易对地下水、地表水、大气、土壤产生污染，也有可能引发地质灾害，因此需要采取系统的预防管理措施。

六、地热能产业发展的法律因素（L）分析

PESTEL 分析模型中的法律因素主要用来指代由法律法规、司法状况、执法水平及公民法律素养所组成的综合系统。

目前，我国地热能产业发展的法律依据主要包括《矿产资源法》《水法》《可再生能源法》等。这些法律面向的是矿产资源及各类可再生能源，虽然其运行能够为地热能产业的发展提供一定的法律支持，但也存在着诸多不足。例如，根据有关法律，地热重点依附的地下水的属性得到了界定，但对于"地下水"和"地热"的法律界定仍然较为模糊，容易造成管理依据不清的现象。在现实中地热能企业重复缴纳税费的问题长期没有得到合理解决。再如，在云南、内蒙古等地区，地热能采矿权方面存在地方行政法规与法律冲突的问题，产权缺、失重叠的弊端没有得到解决，权、责、利主体不明确且管理不协调和不规范的问题长期存在，不利于地热能产业发展壮大。

从总体上来看，我国地热能产业发展的法律环境并不理想。相关法律法规存在内容弹性大、线条粗、随意性突出等问题。一方面是国民经济的快速发展及居民生活水平的提高造成需水量膨胀，另一方面则是对地热资源的掠夺式开发。根据地质部门的勘测，由于对地热资源存在违法开发现象，个别地区地下水水位年下降达到 2m。由此可见，加强这一领域的立法水平、提高其执法水平都是极其有必要的。

第二节 我国地热能产业发展的驱动因素与制约因素

根据产业经济学及系统动力学的有关理论，影响产业发展的因素来自宏观、中观、微观 3 个层面。对这些因素进行详细分析存在技术上的难度和资源上的限制。在此，主要从驱动因素和制约因素对地热能产业发展的相关因素进行初步的定性分析，后文则将进行更深入的量化分析。

一、我国地热能产业发展的驱动因素

产业发展的动力机制是产业经济学的一个研究重点。有学者认为，市场需求和技术进步及两者的交叉影响是产业发展的重要驱动力。也有一些学者利用钻石模型和主成分分析法对具体的产业发展动力因素进行研究。笔者认为：一方面，不同产业的驱动因素应当结合产业发展的具体情况来进行认识；另一方面，产业发展驱动因素的量化分析工具还不够完善，用目前的研究工具来理清微观意义上的驱动因素与整个产业发展之间的数理逻辑关系存在相当困难。在此仅对地热能产业发展的一些驱动因素进

行定性层面的探讨。

1. 生产要素

①初级生产要素。如前所述，地热资源的储量十分丰富，其所蕴含的能量与传统化石能源相比有着数量级上的巨大优势。如果能够充分利用地热能这种矿产资源，能源消费结构将得到极大的优化调整。正是认识到这一点，地热能的开发利用越来越引起社会各界的重视。因此，储量丰富、潜能无限的地热能矿产资源是地热能产业发展的首要驱动因素。此外，庞大的人口基础、劳动力队伍、资金等初级生产要素也为地热能产业的发展提供了可靠的动力源。②高级生产要素。改革开放以来，我国社会生产力快速发展，文化软实力持续提升。世界领先的基础设施建设水平、快速发展的高等教育体系、高层次人才、日新月异的高科技等高级生产要素同样为地热能产业的发展提供了有力的驱动。

2. 特殊的经济体制

在当今世界上，大体存在典型的资本主义经济制度和体制、前资本主义经济制度和体制、传统的社会主义经济制度和中国特色社会主义市场经济体制这4种社会经济发展制度。从中可以发现，我国的经济体制是较为特殊的，它兼具市场经济与社会主义制度之长，为各行各业的发展提供了强大动力。具体到地热能产业，至少可以从以下两个方面来进行认识。①地热能产业链与国计民生息息相关，与整体上的生态环境保护也密切相连。为了实现改变经济增长方式、提高居民生活水平、维护良好生态环境等目的，中央及地方政府能够发挥"集中力量办大事"的优势，通过政策杠杆刺激地热能产业的发展。②地热能资源分布较为分散，终端消费者基本涉及所有社会居民，为民营企业进入这一产业提供了充分的机会。

3. 产业政策导向

在新常态背景下，我国逐渐从纵向选择性产业政策向横向功能性产业政策转变。可见，随着社会发展阶段的演进及全国层面主导产业的概念消解，我国政府制定的产业政策具有注重营商环境提升、提倡因地制宜的自主发展倾向。对于地热产业来说，农村煤改、城市旧改、新建区域等方面的政策为地热资源应用场景的拓展提供了更多选择。此外，供给侧结构性改革、发展新能源等七大新兴行业政策都为地热类新能源产业的发展提供了强有力的政策驱动。

4. 市场需求

从终端市场的角度来看，能源消费领域的电力、供暖等都对地热能具有强大的需求。仅以采暖为例，随着国家的支持与鼓励，各地采暖补贴政策纷纷出台，北方供暖方式改革优化以及南方清洁采暖市场的不断扩展,消费者选择地热供暖的需求也将水涨船高。在这一方面,《地热能开发利用"十三五"规划》提出了更具体的目标:"十三五"期间,计划新增地热能供暖(制冷)面积11亿m^2。其中新增浅层地热能供暖(制冷)面积7亿m^2;新增水热型地热供暖面积4亿m^2。国际地热协会的研究还表明,地热行业的关键增长市场将是供暖和制冷市场。由此可见,国际国内市场均存在较大市场需求,这为地热能市场的未来发展提供了源源不断的动力。

二、我国地热能产业发展的制约因素

早在2006年就有研究者注意到了地热能产业发展所面临的一些限制性因素,如技术、设备制造、资源底数不清以及资金支持力度不足等。时至今日,地热能产业的发展也远非顺风顺水,制约因素依然存在且难以解决。

1. 行业管理体制

目前,我国地热能产业发展的行业管理体制是较为复杂的。从管理主体的角度,能源、地质、水利等职能部门及各级政府都有一定的管理权限。同时,国际层面地热能中心及各省(区、市)的地热能协会都已经成立。但是,从整体上来看,管理关系并未理顺,职能交叉、责任边界不清晰、工作流程不明确等现象客观存在,影响了地热能产业的效率提升。同时,在产业资金扶助方面,也存在规模不到位、供需不匹配、挪用甚至贪污腐败等问题。

2. 技术

中国石油化工集团有限公司的地热专家刘中云在2018年6月指出,我国地热技术就总体而言有成熟的一面,但砂岩经济回灌、干热岩商业化开发利用等关键技术还没有取得核心性突破。同时,地热能产业相关的中低温高效发电、热泵核心部件、高效换热、防腐防垢等技术装备对进口的依赖程度依然比较高。这不仅制约了地热能矿产资源的开发利用效率,还对环境造成了一定程度的污染,对整个产业的可持续发展也较为不利。

3. 融资成本

从目前的情况来看,地热企业规模普遍较小,绝大多数不具备在资本市场发行股票进行融资的能力,再加上整个产业的投融资体制尚不完善,造成了融资难、融资贵的难题。这必然会影响地热企业在各方面的生产性投入,在整体上甚至会拖累地热能产业的高质量发展。

第三节 我国地热能产业发展存在的主要问题及原因

前文从定性、定量等角度出发分析了我国地热能发展的现状及主要的影响因素。从总体上来看，我国地热能产业的发展处于蓬勃发展而又不乏风险与变数的状态，其市场前景是十分广阔的。但是，我国地热能产业的整体发展情况与资源赋存情况还很不匹配，与地热强国相比尚存在较大差距。因此，在看到成绩的同时也应当关注这一领域存在的矛盾、问题及不足。只有这样，才能提出更具针对性和可操作性的地热能产业高质量发展模式。

一、我国地热能产业发展方面存在的主要问题

根据国内学者的研究，我国地热能产业发展与国外相比还存在不充分、不协调、不完善等问题（马立新和田舍，2006；郭丽华等，2012）。认清这些问题，有助于加强对地热能产业发展的全面认识。

1. 资源勘查系统性不足

在矿产资源领域，勘测评价是开发利用和产业化发展的前提。没有对资源赋存情况的充分了解，产业发展必然会陷入"生产断粮"或者"资源开发不充分"等尴尬境地（刘冰，2010；韩慎朝，2018；戴宝华等，2018）。

如前所述，地热资源的勘探和开发具有高投入、高风险、知识密集的特点，也在事实上构成了一道难题。截至 2019 年 12 月，我国仅仅进行过两次全国性的地热能资源评价，研究基础较为薄弱。分省、分盆地资源评价结果精度有所不足，与发达国家相比具有一定的滞后性。根据对相关数据的搜集整理，我国拥有的实测大地热流数据仅有 1230 个，美国则高达 17 000 多个。在干热岩型地热能勘查开发方面，美国有超过 40 年的研究积累，所取得的成果是多方面的。德国、法国、英国、日本、澳大利亚等国也不甘落后，而中国才刚刚起步。

根据笔者对地热产业发展相关资料的整理，结合国内学者的研究，可以得出"地热资源勘查系统性不足"的认识（刘金侠等，2015；李宜程和刁乃仁，2015）。这一认识具体又包括了以下几个方面。

勘探工作协调性薄弱。地热资源的勘探主体来自相关的科研院所、企业及其他社会机构，其勘探目的各不相同，工作方法和管理体制也各有特色，出现了勘探工作缺乏组织纪律性、勘探工作存在重复和交叉、勘探结果共享度差等现象。无序勘查、盲目开发、掠夺式利用的现象长期存在。

地热资源勘查精度不能满足产业发展需求。目前，我国多数地区地热资源的勘查精度都在 1∶1 000 000 的水平，能达到 1∶250 000 及以上精度的地热资源勘查数据主要集中在北京、天津、西藏等个别地区。受此影响，资源储量管理部门对有关勘查及开发工作的审批通常持保守态度。据国内学者的统计，截至 2020 年 3 月底，国内通过勘查及开发利用规划审批的地热田仅有 92 处，这对于地热市场供需矛盾的解决无疑是杯水车薪，不仅影响了地热能资源开发的后续储备，更给地热能资源开发利用和地热能产业的健康发展造成了巨大的压力（郑新等，2020）。

勘探理论及具体的开发工作具有一定的滞后性。受资源投入等因素的影响，地热资源勘探开发及相关的理论研究工作没有得到充分重视，热储工程研究等相关的勘探理论研究工作出现断层甚至是断代的问题。在一些地质条件复杂的地区，地热赋存情况的系统测试不能有效开展。长此以往，必然会拖累地热资源的勘探进度和开发利用。

开发利用缺少统筹规划，其他领域经常提起的"全国一盘棋"在地热能勘探方面没有得到体现，各路人马各行其是，难以形成规模化、规范化的勘探工作系统，容易造成资源浪费和效率低下。

对地热能的成因模式、形成过程、机理等认识不够细致和深入。浅层地热能开发过程中传热的相关影响因素及其相互作用还没有形成完善的理论；水热型地热能的成因模式、热状态、控热因素仍需进一步明晰化；干热岩地热能的成因模式与储层建造仍处于初期摸索阶段。

2. 发展模式科学性有待提高

在回顾我国地热能产业发展历程的过程中，笔者发现这一领域已经形成了许多符合国情社情特点及区域特色的模式，如河北的"雄安模式"、河南的"陕州模式"，以及中煤矿业集团有限公司在陕西咸阳市秦都区文彩舫小区采取"取热不取水"单井换热技术供暖（图 3-1）。但是，对我国地热能产业发展进行整体上的模式概括是非常困难的。同时，其科学性也存在不足和薄弱的地方，在此选取一些重点进行整理归纳。

（1）政策扶持不充分。

近年来，中央和地方政府出台了一些财政和价格激励政策，对加快浅层地热能开发利用及促进北方地区清洁供暖产生了有效的引导。但也存在政策不完善、执行不到位、不充分等问题。①地热能相关的财税法律规定可操作性差。目前关于地热能财税支持方面的法律法规缺乏实施条款和落实细则，对优惠税率和补贴力度等激励政策没有统一明确的标准，出台的政策"落地难"。资源税税额标准偏低，不能真实反映能源消耗带来的社会成本，缺少体现可再生能源性质的地热能"取热不取水"税收激励

图3-1 咸阳市秦都区文彩舫小区单井换热技术供暖

政策。②对地热能开发利用的优惠支撑程度不高。按照可再生能源电价附加政策，电力收购方需要对地热能发电商业化运行项目进行一定的价格补贴。但是在实践中，这一政策并未得到充分有效的执行。此外，土地使用、设备制造与产品消费等方面的配套优惠政策在细节上也存在一些缺陷。③补贴模式科学性薄弱，支持方式有待改进。从目前的情况来看，地热能补贴政策的实施模式较为单一，主要表现为直接的事前补贴，在管理手段的运用上缺乏灵活性和高效监管，造成了补贴发放不及时、不到位，补贴资金被临时占用及领取周期过长等有违政策初衷的现象。

(2) 产业整体发展存在诸多不协调之处。

根据笔者的调研，我国地热能产业发展存在方向、政策、价值链、区域等多方面不协调的现象，具体表现在以下几个方面：①政策制定与实施的不协调。长期以来，地热能的产业发展都处于自动自发的状态。2016年以来，国家对这一领域的重视程度不断增加，出台了一些具有整体意义的产业发展规划。但是，通过对这些规划内容的解读和对其实施情况的分析可以发现，这些产业规划目标宏大，政策上具有宏观指导意义，但实际并未得到充分落实，"雷声大，雨点小"的现象客观存在。例如，在2017年1月出台的《地热能开发利用"十三五"规划》中，组织开展地热资源潜力勘查与选区评价、加强关键技术研发、加强信息监测统计体系建设均被列为重点任务。实施中却出现了目标分解不到位、责任分配不清晰、具体工作缺乏监管等现象。②地热能勘查评价精度与开发利用发展速度不协调。与其他矿产资源类型相比，地热能领域的勘查基础较为薄弱，精度与开发利用的实际需求相比也存在差距，在开发利用选区、开采规模确定等方面的工作还不够深入。这不仅影响了项目投资及运营的科学性，更导致地热能开发利用方面出现一些粗放式、低效利用以及环境污染等问题。③科技创新水平及速度与地热能大规模开发利用不协调。从整体上来看，地热能领域的科技创新水平及速度与地热能的资源潜力相比还存在较大差距，尚不能满足大规模利用的需求。④产业发展方向上的不协调。一方面，经过多年的发展，我国直接利用地热资源量连续多年居于世界首位，进入了地热大国的行列。另一方面，我国地热发电发展严重滞后，2019年地热发电装机容量世界排名尚未进入前十，与丰富的地热资源赋存条件及强大的经济体量非常不匹配。

（3）地热能粗放式开发利用现象没有得到合理管控。

根据矿产资源最优耗竭理论，对资源的价值需要科学测算，同时要结合具体情况进行适量开发。但是，在地热能开发利用方面，粗放式运营的现象长期存在。除了河北霸州、河南开封、西藏羊八井等个别地区初步实现了地热能的梯级开发利用外，我国多数地区的地热能开发利用仍然停留在单一的供暖或发电上（彭烁，2019）。这种粗放式的开发利用模式已经给项目周边的生态环境乃至地质条件造成了一定程度的危害。例如，在笔者调研的陕西、河北等地区，地热井水位下降、水质构成恶化、热污染等现象都不同程度地存在。在个别地区，地热井水水位甚至已降至200m以下。在调研过程中笔者也发现，由于地方政府普遍缺乏对地热能进行资源价值评估和开采量控制的能力，一些地热能企业就利用这一漏洞随意进行掠夺式的开发。这些企业主要使用直供直排方式进行地热能开发，对取水量没有进行精确控制，对水温管理也缺乏必要的敏感性。其生产后的尾水温度经常达到40℃以上，不仅造成了地热资源的严重浪费，更可能给当地的地质结构稳定性埋下隐患。

（4）产业管理机制不健全。

地热能产业发展的国际经验表明，健全而高效的管理机制具有十分重要的价值。但是，从整体上来看，我国地热能产业的管理机制尚处于不完善、不健全的阶段。①在实践中，我国地热资源开发管理的部分权限归属情况主要可以分为3类：一是将水行政主管部门确定为地热的主管部门，如辽宁等；二是规定地质矿产行政主管部门是主管部门，如河北、北京、天津以及银川等地；三是规定地质矿产行政主管部门和水行政主管部门按照各自的职责共同管理，如内蒙古自治区等。由此可见，我国地热能资源开发管理的权限分配是不明确的。②从法律保障角度来看，我国现行法律体系中，地热能受《中华人民共和国矿产资源法》《中华人民共和国水法》《中华人民共和国可再生能源法》等法律管控，这些法律规定都对地热能产业开发具有法律指导意义。由于相关法律的适用性与可操作性还不够，实施过程中也存在相互冲突、执行困难等现象。

（5）化解风险的机制与相关社会保障制度尚未真正建立起来。

从短期来看，这会影响投资者、开发者的信心；从长期来看，这可能影响地热能产业的高质量发展。具体来说，可以从以下几个方面进行认识：①对地热能产业发展中风险因素及化解机制的理论研究还比较少。根据笔者对各大学术搜索引擎的检索及有关文献、专著的整理，截至2020年1月31日，涉及这一内容的文献仅有12篇左右，而且主要集中在勘探、项目施工等方面。可见，对于地热产业的宏观风险、管理风险及市场风险，学术界的研究工作还比较少，不仅反映了对这一问题的忽视，更可能影响从业人员的认知。②产业风险化解工作的规划和落实均存在欠缺。根据笔者的调研，超过75%的地热能企业没有成立专门的风险管理部门，他们的主要精力都放在生产、市场开发和资本运营等方面。这种局面对于地热能产业的高质量发展是很不利的，理应引起有关各方的高度重视。③产业发展的保障制度不够健全。例如，尽管地热产业方面形成了一些权威的科研机构和产业联盟，但仍然没有形成统一的信息管理体系，各种机构之间缺乏有效的信息沟通。

3. 技术发展不均衡

缺乏统一的技术规范和标准是制约地热能产业发展的重要因素。结合研究过程中的调研体会，技术发展不均衡是地热能产业发展中存在的一个突出问题。具体表现在：①国有企业和民营企业在技术发展方面各有其路线规划，双方之间没有进行合理的分工协调，容易造成智力资源浪费、关键技术研发协作程度差等问题。②东部沿海发达地区、西北西南欠发达地区及京津冀一带的地热能技术发展水平存在显著的区域差异，这种不均衡的现象影响了我国地热能产业技术发展的整体进度。③关键技术亟待突破，具体表现在地热资源勘测系统精度不够、地热发电技术遇到瓶颈等。④地热技术发展各环节之间的衔接程度不理想，具体表现在"理论研究→技术创新→工程应用"链条的资源分布不均等上。理论研究能够表现为论文、专著，技术创新能够表现为知识产权，但要将这些成果转化为工程应用是十分困难的，且目前缺乏明确评价标准。从目前的情形来看，地热能产业发展存在地热能工程应用方面的技术尚未得到足够的重视等问题，产业科技创新体系与整体发展链条上存在着一些短板和薄弱之处。

4. 人力资本储备与产业发展匹配性弱

通过前文分析可以发现，我国地热能资源的开发利用有着广阔的发展前景，地热能产业发展的节奏也非常之快。但是，人力资本储备与产业发展的匹配性却不尽如人意。与风能、太阳能、核电、光伏等领域相比，地热人才队伍建设和发展水平存在明显滞后的现象，对整个产业的发展构成了一定程度的阻碍。

20世纪70—90年代，地热能开发利用的风潮使政府和科研院校对人才培养问题有所重视。我国派遣一批青年学生到新西兰、冰岛、日本、意大利等国家参加联合国大学设立的地热培训班，为地热能领域的技术研究提供了第一批骨干力量。近年来，我国地热人才培养方面的领导责任主要由地热专业委员会承担，具体工作主要通过高校与重点企业联合举办的短期培训班来进行落实。但是，地热专业的学科地位还没有得到教育管理部门的真正认可。中国科学院地质与地球物理研究所、广州能源研究所、清华大学等科研院校每年只能培养不到100名的硕士和博士研究生。与地热能产业发展所需要的大量人才相比，缺口非常大。由于地热能产业在国民经济的地位较为有限，国家在这一领域人才开发的引导方面目前所投入的政策及教育资源都受到了实际的约束，教育管理部门在体系化培养方面的计划也有所欠缺，企业则难以承担人才培养的全方位责任。正因为如此，地热能领域的产、学、研结合程度不够，这构成了地热技术研究力量薄弱的关键原因。

在前文的分析中指出，我国在地热能产业的发展上具有一定的人力资本优势。但是，必须指出的是，这种人力资本优势主要体现在潜能层面而非现实层面。也就是说，按照目前的情形与发展趋势来看，这种优势在若干年后才能得到充分的体现。在地热能产业发展过程中，人力资本储备与产业发展的实际需要仍然存在着一些不匹配的地方。根据笔者的调研分析，这种不匹配的矛盾主要表现在以下3个方面：①从年龄结构上来看，我国地热能产业的高端人才多数在50岁以上，具有同等水平的中青年人才的比例尚不足30%；②在绝大多数高等院校，地热专业还没有完全独立出来，地热产业专业人才的培养主要依赖于新能源、地质等相关专业，这必然会影响他们在专业理论知识方面积累的速度、质量与效率；③由于整体发展尚未完善，地热产业内部存在复合型、技能型、创新型、战略型的人才缺口。在地热项目运作过程中，经营管理人员不仅面临着融资的问题，同时还不得不面对招聘高级人才的挑战。

5. 资本运作能力不强

正如能源是工业的关键动力，资本是产业发展的重要源动力。近年来，地热能开发企业分享到了政策的红利，但在市场和业务同步增长的形势下也不得不面临资本方面的压力。在调研过程中笔者发现，相较于工程能力、技术能力来说，地热能企业在资本运作能力方面的短板更为突出。具体来说，这些问题主要表现在银行贷款的门槛高、项目开发融资成本高、资本回收周期较长造成沉重财务成本等。正因为如此，尽管地热项目的现金流入稳定且不受自然季节更替的影响，但整体资金压力和负债率都比较严重。

二、我国地热能产业发展存在问题的原因分析

在我国，地热类新能源产业发展的相关理论尚不成熟，经营管理实践也处于摸索阶段，政府的管控经验也有所不足，出现这样那样的问题绝非偶然。在此，笔者结合

有关理论来对其背后的原因进行初步解析。

1. 发展观念不够解放

相对于风电、天然气等其他新能源产业，地热能产业意味着供热供暖、发电等多方面的创新（刘洪恩，2013；刘明磊和张志华，2014；荣蓉和白琳，2019）。因此，地热能产业的发展离不开观念层面的突破。它不仅是对原有思维定势和路径依赖的改进，更要以体制机制和管理制度等为抓手进行大胆变革。

从政府的角度来说，虽然许多地方政府都对地热能产业给予了大力支持，但依然有不少地方的政府及工作人员对地热能产业的发展不够关注（王博雅，2019）。其中固然有"万能政府管理"模式下的职责执行力受限的问题，但也有部分因为地热能仍然属于"小众能源"，还没有引起个别地方政府的高度重视，对地热能产业的政策扶持就无从谈起。

对于企业及相关机构来说，对地热能产业的发展也存在认知不够、观念转变困难等现象。例如，长期以来，"地热能发电成本高""地热发电技术研发突破难"都是较为固定的观念。但是，产生这种观念的根源在于没有用发展的角度看问题（艾维，2013；欧阳秋珍和张敏，2020）。产生"地热能发电成本高"认识的原因主要在于前期勘测难度大及基础设施建设成本较高等方面。事实上，与风能、太阳能等其他可再生能源相比，地热资源不受天气、季节变化影响，在稳定性、持续性和能源转化效率方面的优势十分明显（朱纹汶，2017）。如果考虑到整个发电项目运作周期的成本分摊，地热能发电成本的优势就将凸显出来。郑州地美特新能源科技有限公司创始人陈泽民曾经谈到，"我们使用新技术、新方法、新设备、新模式，地热发电的成本已经降到了1毛5一度。火电、水电是3毛，风电是6毛，太阳能发电是9毛"。同时，在地热能开发利用的知识产权研发方面，地美特新能源科技有限公司也采用了收购关键专利和整合国际发电技术的方式，使地热能大规模开发利用的进度大大加快。可见，如果能够转变过去固有的观念，地热能产业的发展前景必将更加广阔。

2. 整体发展模式不够成熟

根据党的十九大报告，人民日益增长的美好生活需要和不平衡不充分的发展之间的矛盾构成了我国社会的主要矛盾。这一主要矛盾传导至各产业内部就引发了人们对产业发展方面不平衡不充分问题的思考。具体到地热产业，可以将这种不平衡不充分归纳为政策与市场的不平衡和产业模式的不充分两个方面。这些问题是制约地热产业发展的重要因素。

进一步来说，政策与市场的不平衡主要体现在国企与民企的复杂合作博弈及管理体制不清晰等方面，产业模式的不充分则主要表现在市场驱动因素没有完全释放、产业要素没有得到高效整合等方面。就地热产业而言，前者的表现有地热产业管理政策不完善且权责分配不清晰、令出多门，地热资源勘测工程方面各行其是，国有能源企业有体制优势，民营地热企业发展话语权较弱，资料信息缺少统一规范管理的技术平台等。而后者的表现包括地热资源受重视程度不够，地热资源开发与区域经济及能源机构的匹配程度有待提升等。政策和市场的不平衡与产业模式的不充分相互影响，导致地热产业的发展升级面临诸多困难。地热产业未来的升级进步，还有待于通过管理体制的调整及模式方面的优化来解决这些不平衡不充分的问题。

3. 投融资机制不够顺畅

根据产业投融资有关理论，发展模式远未完善的地热能产业对资本资金的依赖程度是非常高的。如果不能为之提供良好的投融资机制而导致资金方面出现问题，地热能产业的高质量发展就将失去重要的能量支持。但是，从近几年的情况来看，尽管地热能的投融资机制有所发展，但整体上仍然不够完善，对地热能产业的拉动作用也未能充分体现。

从宏观上来看，20世纪80年代以来，我国民间投资增势向好，体现出了优于国有投资的发展态势。但是，2016年以来，受内外各种因素的影响，全社会投资方面出现了"国进民退"的现象，民间投资增速与国有投资增速之间出现严重"剪刀差"并呈现持续趋势。这给地热类新能源产业的投融资机制发展带来了负面影响。

从微观上来说，地热能企业所能获得的财政补贴型资金规模有限，贷款方面容易遇到瓶颈。这些企业所能掌握的开发项目以及资本运作手段的针对性都较为有限，在资本市场上的话语权还很不够。与此同时，新型的产业投资基金发展尚处于起步阶段，行业风险投资活跃度有待提高，这也造成了地热能企业融资困难、融资成本高等一系列问题。这种问题传导至生产、技术研发及市场开发等方面都会造成一连串的负面影响。

第四章　国外地热能产业发展现状、趋势及借鉴意义

从世界范围内来看，美国、日本、德国、冰岛、澳大利亚、印度尼西亚等国家是资源赋存条件佳、技术领先、发展模式各具特色的地热大国。这些国家地热能产业发展的经验教训对于我国地热能产业的未来发展具有重要的借鉴价值。同时，考虑到"一带一路"对地热能产业"走出去"的深刻意义，有必要对沿线国家地热能产业的合作前景及风险进行深入研究。

第一节　国外地热能产业发展现状

在经济全球化的当下，地热能产业发展的国际化特征日益突出。了解国外地热能产业发展现状，不仅有助于认识地热能产业发展的国际趋势，更可以为我国地热能产业高质量发展模式的构建提供产业政策、区域经济空间结构、技术等多个层面的参考（关锌，2011；杨航征和韩晓旭，2013；陈从磊和徐孝轩，2013）。

一、美国地热能产业发展现状

美国是全球地热发电最为发达的国家之一。20世纪70年代爆发的石油危机使美国历届政府都高度重视能源安全问题。在此背景下，地热能开发利用得到了有力的政策支持并得以平稳发展。

（一）强大的产业底蕴

经过多年的积累，美国在原料供应、生产加工、批发零售、金融保险及科研教育等方面形成了完整的产业体系。这种十分深厚的底蕴为美国的产业发展提供了有力的支撑。以页岩气为例，美国在20世纪70年代末期才开始着手进行评价和开采方法的研究，1990年前后就实现了Barnett页岩气的规模化商业开发，2009年总产量达到了560亿m^3的规模。近几年来，凭借页岩气产业的成功，美国在石油市场上敢于和沙特、俄罗斯等国展开针锋相对的竞争。从这一点上就可以窥探到一条普遍性的规律：一旦某个产业受到美国政府的战略性重视，就会依靠强大的产业底蕴来进行针对性的

整体开发并快速形成竞争优势（黎永亮，2006；林珏，2020）。以下从几个不同的层面来对美国地热产业的发展进行探讨，同时也可以对这一规律形成更深入的认识（任永飞等，2011；Lund J W，2003；Coolbaugh M，2008）。

1. 资源赋存层面的底蕴

从地热资源分布地质条件的角度来看，位于太平洋地热带北部的美国在地热资源赋存方面有着得天独厚的优势。西部的华盛顿州、俄勒冈州、加利福尼亚州均已勘测出巨量的地热资源赋存。在大部分东部地区，也已勘测出丰富的地热资源。根据美国地热协会官方网站发布的数据，其地热能发电潜力达到了 300 万 MV 的规模。20 世纪 90 年代美国就开始利用地热能来发电，目前美国的地热装机超过了 3000MV 的规模，这与其丰富的地热能资源赋存是密切相关的（任永飞等，2011）。

2. 产业政策层面的底蕴

美国很早就对地热能开发利用方面的产权进行了清晰的界定。例如，《1967 年加州地热法案》《1970 年联邦地热蒸汽法案》均对地热能法律属性及其所有权问题进行了详细规定。后者还将地热能的范围扩大至蒸汽、热水和其他副产品等方面。美国《地热能源研究、开发与示范法》等法律规定，对符合当地利用条件的地热能等可再生能源项目提供贷款。美国 2005 年推出了综合型的《能源政策法》，对能源管理领域的行政授权进行了法律层面的修改补充。2007 年，美国《能源独立与安全法》颁布施行。与《能源政策法》相比，《能源独立与安全法》对能源消费的规范与约束均更为精细化。

进入 21 世纪以来，美国对地热能开发利用更为重视，出台了《美国西部地热电力计划》《美国地热资源恢复再投资法案》《2007 年先进地热能研究与开发法案》等一系列法规。除此之外，美国联邦政府及各州政府都出台了相关的政策来刺激企业在对地热勘探、地热钻井、地热开发利用等方面的投入，同时还使用经费支持、示范补贴、优惠贷款、定向担保等优惠政策鼓励私人资本进入地热发电领域。尤其值得指出的是，美国也从公共管理政策的层面对地热能产业发展提供了有力的支持。例如：为了实现地热资料共享，美国专门设立了国家数据中心；为了加强地热能专业人才的培养，美国建立了地热教育专项奖学金。再如，根据美国有关法律，所有地热设施都能够获得 26% 的能源税收抵免。

3. 技术创新层面的底蕴

美国能够成为世界强国，除了军事、政治方面的优势外，多领域的强大技术创新更是功不可没。一旦认定某个产业对于国家及社会经济发展具有战略意义，美国社会各界都会不遗余力地在这一领域进行聚焦式的技术创新。对于地热能这一产业，美国对其技术创新也十分关注。例如，美国政府提供1.4亿美元设立FORGE项目，在水热型地热能勘探开发利用技术、增强型地热系统等方面开展了一系列技术攻关，有力地提升了美国在地热能勘探及开发利用方面的竞争力。在地源热泵的设计与应用方面，美国也走在了世界前列。早在20世纪80年代，美国能源部（DOE）和环保署（EPA）就专门拨款来推动地源热泵技术的研发与市场推广。1998年，美国环保署颁布法规，要求在全国联邦政府机构的建筑中进行地源热泵系统的推广应用。截至2019年12月，美国地源热泵装机量已经达到百万台以上的规模，产生了较为可观的经济效益和社会效益。

4. 产业组织层面的底蕴

经过两三个世纪的发展，美国产业组织方面已经形成丰厚的积累，具体表现在市场结构控制、企业竞争管控、市场绩效考核等方面。具体到地热能产业，产业组织的底蕴可以从3个方面来进行认识，即推动地热能产业逐步由劳动密集型和资本密集型向技术（知识）密集型的方向发展，强调商品及服务类型的创新，加强地热能产业与其他产业间的技术和市场联系等。

5. 文化软实力层面的底蕴

美国是当今世界格局"一超多强"中的"一超"，这不仅表现在硬实力方面，在文化软实力方面的优势同样十分突出，如宣扬独立自主、严守契约、鼓励创新、尊重知识产权等。以契约精神为例，美国各产业普遍有着遵守合同、重视承诺、保护知识产权等商业精神。经过多年的积累，美国制造业的强大已经超越了技术和生产层面，转而向管理、品牌、知识产权、生产标准等方面发展。正因为如此，美国地热能类新能源企业能够在创新之路上越走越远。

值得注意的是，虽然有着强大的产业底蕴，但近年来美国地热产业发展增速已经趋于放缓。根据国内外学者的研究，造成这种现象的原因主要来自两个方面（乐欢，2014）。从宏观方面来看，成功的页岩气革命使美国迅速成为油气生产大国，在国际能源市场上的话语权进一步提升。从美国电力生产构成的角度来看，天然气发电与煤炭发电的占比已经非常接近。正因为如此，2014—2019年间，美国的温室气体排放量呈现直线下降的趋势。美国地热协会支持的一项研究表明，地热利用在5~7年的周期内就能收回成本，每年供暖和制冷成本可先实现高达70%的节约。由此可见，美国的能源结构转型效果是十分明显的，这就大幅度降低了发展地热类新能源的动力。从行业方面来看，美国地热产业仍然面临着资源勘探风险高、生产成本优势不明显、增强型地热系统技术进度不理想等问题。

(二) 明晰的技术发展方向

2018年5月,美国能源部能源效率与可再生能源办公室宣布,将设立一项1450万美元的专项基金来加快地热钻井技术的发展。为了将优势资源聚焦于地热钻井技术,该项基金规划了3个主要的研究方向。①减少无进尺时间的技术。具体包括钻探自动化、单通完井技术、循环液漏失处理技术、井底钻具总进尺提升技术等。在这些技术的研发过程中,研究者必须重视数据分析与机器学习的渗透应用。②提升钻井进尺速度的技术。具体包括特殊条件下的创新型钻进方法、新材料应用、震动控制优化技术、钻探效率提升技术等。③地热钻探应用转化模式。通过政策激励、数据共享与资源横向协作,打造能够更好适应地热产业发展需要的新的商业运作模式。从这3个方向的规划中可以看出,美国能源管理机构对地热产业技术的发展不仅关注开发层面,对应用层面也十分重视。近年来,在美国能源管理机构的推动下,钻井进尺速度提升技术有了一定程度的改进,无进尺时间在钻井过程中所占的比例由70%左右下降到了65%左右。根据美国能源管理机构的技术发展规划,到2025年美国地热钻井时效应当有100%的提升,钻井周期的进尺速度将达到每天250英尺(1英尺=0.304 8m)以上。

(三) 多样化的税收优惠政策

为了推动新能源事业的发展,美国联邦政府及有关部门为地热类新能源企业提供了多样化的税收优惠政策,为资本方进入这一市场提供了有力的刺激。具体来说,这些税收优惠政策可以分为以下3种类型。①加速折旧。新能源项目拥有较高的资金门槛,是国际范围内较为普遍的现实。从财务管理的角度来看,折旧期越短,投资者就可以进行更多的税收项目抵扣,从而实现资本成本的降低。按照国际管理,资产类项目的折旧年限通常在20年及以上。美国将地热类新能源项目的资产折旧规定为5年,这种加速折旧的方式对资本投资来说无疑是一种重要利好。②产量的税收扣减。根据最新版的美国联邦税法,利用地热能、风能等清洁能源生产出来的电力在运营的首个10年期间将获得每MV时22美元的税收扣减。③投资金额的税收扣减。根据最新版的美国联邦税法,所有清洁能源项目的投资税收扣减额自2017年1月1日以后统一调整为10%。

(四) 丰富的投融资渠道

在金融领域,美国拥有其他国家难以比拟的优势。在地热类能源领域的融资渠道方面,美国发展出了公司研发费用、政府专项补贴、项目融资、资产融资、公开市场融资、私募基金融资等多种融资渠道。仅从基金的角度来看,各种各样的产业发展基金，如天使基金、创投基金、股权投资基金、并购基金等，能够实现企业发展阶段的完全覆盖。可以说，强大的投融资渠道为美国地热能产业的整体发展提供了较好的资本力量支撑。

从整体上来看，美国是当之无愧的地热强国，在产业运作管理的许多方面都值得学习借鉴。同时也应当清醒地认识到，中美两国在政治体制、金融市场结构、产业制度体系等方面都有着深层次的差异。在学习借鉴美国地热产业发展经验的同时，应当以高度的制度自信来进行理解、消化和吸收，决不能盲目照搬。

二、日本地热能产业发展现状

日本地处太平洋板块与欧亚大陆板块的挤压带结合部，有着"火山地震之邦"的称呼，其山脉、丘陵、湖泊通常都是火山作用的结果，日本国内分布着 200 多座火山，其中的 1/4 属于活火山。根据地热资源形成的机理，日本的地热资源赋存是十分丰富的。更为重要的是，日本的地热资源具有热源浅（通常小于 1000m）、热储丰富、水温高、压力大、补充条件好、开发利用成本低的特点。根据日本有关部门的统计，日本境内分布着 2800 多处地热（温泉）产地，温泉地热井则高达 2.7 万个。从地热资源赋存的总量看，日本仅次于印度尼西亚和美国居世界第 3 位，发电潜能达到 2000 万 kW 以上。根据日本经济产业省官方网站发布的数据，目前，日本地热发电总功率为 50 万 kW，约为风力发电的 2 倍或太阳能发电的 3 倍，地热发电站主要集中在东北和九州地区，在电力市场上所占的份额达到 0.2%。

以下从政策支持、立法管控、技术研发、海外布局等角度来对日本地热能产业的发展情况进行介绍（Hisayoshi et al, 1976; Ehara, Sachio, 2013; Hedenquist et al, 2018; Yasukawa K, 2019）。

（1）提供政策支持。以地热能发电为例，日本很早就出台了一系列扶持性产业政策。①制定地热发电长期规划目标。日本经济产业省在 2005 年就提出了 2030 年将地热发电增加到 190 万 kW 的中长期发展目标，这为提振产业信心提供了有力的支撑。②为了在技术上对地热发电进行援助，日本经济产业省牵头成立了由电力公司负责人、日本新能源开发组织（NEIX）、相关学者组成的地热技术研究会，发展出了一系列具有日本特色的地热能勘测及开发利用技术。例如，在 NEIX 的推动下，日本在利用弹性波、电磁波、微震来勘探地热资源这一技术上取得了一系列突破。③提供专项财政补贴。为普及地热发电，日本经济产业省强化援助扶持政策，增加开发地热资源建设发电设备的专项财政补助。初步的政策方针为：对于地热发电项目，政府补助 20%～30% 的开发费用。④日本实行规定价格回收体制，规定电力公司必须以法定的价格购买地热类可再生能源产生的电。这种上网电价激励政策对于地热发电来说无疑是一种重大利好。

（2）严格立法管控。为推动地热类新能源的科学开发利用，日本政府于2003年发布了"新能源特别措施法（RPS法）"。根据RPS法，日本所有的电力公司都必须将地热类新能源发电作为一项法定义务来进行开发研究。对于发电方法和发电量，政府则不进行制度层面的约束。

（3）重视技术研发。目前，日本地热发电容量在全球所占比例在7%左右。除了温泉旅游及地热发电外，日本将地热能的应用范围扩展至温室建设、空调机制造、渔业养殖以及城乡居民热水供应等方面。为了满足这些应用需求，日本高度关注地热资源普查、地热钻井采样、高温岩体发电技术、地热发电系统研发等方面的技术革新和专利群研发。

（4）加强海外布局。日本具有重商主义的传统，对国际市场一直保持着深远的战略发展目光，在产业的海外布局方面积累了丰富的经验。借助丰富的海外能源市场运作经验及灵活的运营体制，日本较早地开始了地热能利用方面的国际合作。21世纪的第一个十年，日本伊藤忠商事株式会社和日本九州电力公司就以分别持股25%的比例参与了印尼苏门答腊岛北部Sarulla地热电站的开发。在项目的资金方面，日本国际协力银行、亚洲发展银行、三菱东京UFJ银行、日本三井住友银行、日本瑞穗银行都有所参与。该项目建成后，将成为全球最大的地热发电站群，总发电能力将达到33万kW。同时，日本住友商事也接到了总额达140亿日元的印尼地热资源开发大额订单。

日本与我国地理位置较为接近，在政治、社会发展、产业经济、文化传统、历史等方面都与我国有着复杂的联系。在20世纪下半叶，日本凭借多个领域的产业发展成为了世界经济强国（申瑞鹏，2013）。从这个意义上来说，日本地热产业具有突出的借鉴价值。

三、德国地热能产业发展现状

德国素以工业制造闻名，其地热能产业的发展并未受到学术界的普遍重视（J Appell et al，1997；Benighaus C，Bleicher A，2019）。但是，值得引起注意的是，起步较晚的德国地热能产业取得了地热发电规模6年增长6倍的成就。因此，对于我国来说，德国地热能产业发展具有一定的借鉴价值。

德国地处欧洲大陆，地质结构和地壳活动均相对稳定。虽然德国境内也有像巴登-巴登（Baden-Baden）这样以温泉而闻名的旅游胜地，但其地热资源赋存的情况确实不容乐观。正因为如此，德国的地热产业在21世纪初才正式起步，在此之前只有一些零星的技术研发。2007年，德国的一些发电厂开始使用基于有机朗肯循环（Organic Rankine Cycle，简称 ORC）的发电机组发电。2008 年，德国在钻探技术、热储技术等方面取得了重大的突破发展，浅层地热能开发初步呈现出规模化发展的特点。2010 年，德国在绍尔拉赫市、雷德斯塔德、施派尔等几个地区投入更大规模的地热发电设施，最大的达到 10MW，地热发电量达到 7MV 的规模。2013 年 11 月 11 日，德国第一座利用地热发电的发电站正式投产。2016 年，德国地热发电量达到了42.5MW。

值得一提的是，早在"二战"时期，德国就开始了新能源的开发利用。凭借强大的技术底蕴，德国迅速成为核电领域的技术强国。在 2011 年，核能在德国能源消耗中所占的比例就已经达到 22%。但是，受日本福岛事件的影响，德国国内出现了"反核"的浪潮，开始转向太阳能、地热能、风能和生物能等清洁可再生能源的开发利用。根据德国联邦政府的规划，到 2035 年德国境内的核电站将全部关停，取而代之的是各种新型可再生能源。

为了推动地热能开发利用方面的数据共享，由德国联邦环境部（BMU）牵头，由莱布尼兹应用地球物理研究所（LIAG）负责设立了 GEOTIS 地热数据库。只要具备互联网使用的基本条件，任何单位和个人都可以接触到 GEOTIS 地热数据库中关于探勘数据、钻井资料、地热电厂技术及规格等相关信息。根据从 GEOTIS 所获得的资料信息，德国目前的地热生产井深度主要集中在 3500~4500m 的范围。从中可以看出，依托先进的自动化钻井设备及其他工业技术，德国已经初步完成了地热能产业发展的技术路线规划。此外，为了保障地热发电稳定性及安全性，德国政府委托德国国家地球科学研究中心（GFZ）进行地热发电关键技术的研发。通过与产业界的合作，GFZ 开发出了自动化深钻机（Innova Rig）等先进设备，为德国民营地热企业的生产提供了有力支持。

此外，值得指出的是，地热发展已经被纳入德国的工业 4.0 发展计划。可以推测，在今后的产业发展过程中，德国地热领域的供应、制造、市场销售信息将纳入其信息物理系统（Cyber Physical System）之中并实现数据化与智慧化的产品/服务供应。

四、冰岛地热能产业发展现状

冰岛地处亚欧板块与美洲板块交界处，地缘特点十分明显（Miethling B，2011；Aston，2015；Davidsdottir，2015）。复杂的地形地貌、特殊的地质构造和频繁的地壳运动给冰岛的地热资源赋存带来了得天独厚的优势。根据冰岛国家能源局对外发布的数据，冰岛全国分布着 20 多个高温地热区、250 多个低温地热区及 800 多个地热温泉。冰岛地壳厚度 10km 范围的地热资源含量相当于 3×10^{16} kW·h 的电能；地壳厚度 3km 范围内的地热含量为 3×10^{15} kW·h 的电能。如果将冰岛的全部地热能用来发电，年发电量可达 8×10^{10} kW·h 以上。

早在 15 世纪，冰岛人就开始探索地热资源在生产生活方面的开发应用。20 世纪初期，冰岛首都雷克雅未克市就开始利用地热资源来进行居民供暖。经过半个多世纪的发展，雷克雅未克市 98% 以上的住宅都能够以低廉的成本使用地热供暖服务。20 世纪 70 年代初期爆发的石油危机给冰岛带来了严重的通货膨胀和能源紧张，这为冰岛地热资源的大规模开发利用提供了重要的时代机遇。在能源危机的推动下，地热能的开发利用受到了冰岛政府的进一步重视。21 世纪初，全冰岛 85% 的住宅都靠地热资源来进行集中供暖，雷克雅未克市则实现了 100% 的地热供暖供电，每年可节省上亿美元的燃料支出。

2017 年春季，历时半年多的雷克雅内斯半岛地热项目获得重大突破，在 4.66km 的深度成功完成钻探，这是创纪录的火山钻孔深度。正是由于这一突破，地质学家勘测"超临界流体"（位于地下深层的、非液非气的物质状态）有了进一步的发展，同时也为深层非传统地热资源的潜在经济效益评估提供了有力支持。该项目的工程师发现，与传统的地热蒸汽相比，深层超临界流体的能量要高出许多。初步的测算表明，一口超临界地热井可以产生传统地热 10 倍以上的能量。根据他们的技术发展计划，在项目运作后期将采用注入冷水生成蒸汽的办法来进行地热能资源的开发。目前，该项目面临的主要技术难题有 3 个：其一是 3km 深度以下能量循环的规律难以把握，其二是地热流量模拟的技术还不够完善，其三是超临界储层的化学和热物理特性分析存在诸多难点。因此，还需要进行更深入的研究和更完善的流量模拟及工程技术测试。但是，该项目的发展已经证明，超临界地热钻井可以开发出新的地热能利用区并提高生产性能，地热能开发利用的经济效益也将得到大幅度提升。

目前，雷克雅未克市能源公司运营着世界上规模最大、管理最成熟的地热供暖系统。此外，助力工业生产、温室大棚、海水养殖、道路融雪等也是冰岛在地热能开发利用方面的重要特色。例如，冰岛西部 Reykholar 地区的海藻制造厂 Thorverk 公司使用 105℃ 左右的地热蒸汽进行海藻烘干，每年可生产 2000~4000t 的墨角藻和海藻粉。在冰岛，还有企业利用地热能生产鱼干产品。冰岛南部 Grimsnes 地区 Haedarendi 地热田的一个工厂利用地热流生产商用液态二氧化碳，年产量可达 2000t 以上。此外，冰岛对超临界地热能与铝熔技术的融合使用投入大量的资源。如果在这一方面实现重大技术突破，将极大地减少铝加工行业的能源消耗。从冰岛地热资源产业化应用情况简表（表 4-1），可以看出这一应用情况的初步总结。

通过在地热资源产业化应用的多年积累，冰岛总结出了一整套的地热能梯级利用方法。第一阶梯，从地热井中抽取高温地热水、地热蒸汽，经过技术分离推动涡轮机发电；第二阶梯，利用高温地热水对低温地表水进行加热后供居民取暖及道路融雪；

第三阶梯，将地热余水用于洗浴类经营活动；第四阶梯，将处理过的地热尾水用于温室作物培育或鱼苗养殖。

表4-1 冰岛地热资源产业化应用情况简表

产业应用方向	主要内容
地热发电	逐步克服地热发电中高温、酸腐蚀、毒气处理等技术问题，地热发电规模不断扩大，发电成本折合约在 0.2 元/kW·h。目前冰岛共有 7 家地热发电厂，装机容量在 60 万 kW 以上
工业生产供热	用作硅藻土生产、木材、造纸、制革、纺织、酿酒、制糖等生产过程中的热源
温室大棚	建设地热绿色温室，发展生态农副业和水产养殖业，将冰岛的蔬菜自给率由 15% 提升至 80% 以上
旅游业	利用冰岛地热资源吸引游客。冰岛的蓝湖温泉每年吸引数十万的国际游客，但它并非天然温泉，而是 Svartsengi 地热发电厂的地热尾水形成的天然潟湖

通过在地热领域的深层次创新开发，冰岛在地热供暖、地热发电、地热井二氧化碳捕集等多个方面创造了辉煌的工业成就，能源转型十分成功。2007 年，地热能在冰岛初级能源结构中所占的比例达到了 66%，摆脱了过去过于依靠煤炭的困局。近年来，地热能发电在冰岛电力产品中所占的份额越来越高，目前已经达到 72% 左右的水平。从整体上来看，冰岛基本实现了用清洁能源来发电的目标。

在地热能开发利用的管理方面，冰岛有着分工明确的制度。在冰岛，地热能源勘测和开发政策的制定由国家能源局负责，电力产业管理由国家地质调查局负责，全国地热资源勘查开发、生产经营及相关技术服务由冰岛能源公司负责。可以说，职责清晰、协同高效的国家级地热开发系统为冰岛地热资源的高质量开发提供了有力的支撑。正是有了国家对地热资源开发的全方位统筹规划，冰岛成为了地热强国，相关技术也排名世界前列。近年来，冰岛对俄罗斯、埃塞俄比亚、中国等进行了地热技术及项目运营管理的输出，在国际地热市场上的竞争力和话语权不断提升。根据目前的发展趋势，冰岛有望成为全球首个可再生清洁能源利用率达到 100% 的国家。

五、澳大利亚地热能产业发展现状

地质因素的特殊性使澳大利亚拥有世界级的干热岩资源。①该国广泛分布着具有超高放射性的元古宙花岗岩；②从大陆板块运动的角度来看，该国正逐步向印度尼西亚靠拢，活跃的地壳运动引起了水平方向上的挤压，产生了近水平裂缝和断层；③沉积岩盆地占该国陆地的绝大部分，不仅能提供阻断深部热流体辐射的盖层，还能形成渗透性的含水层。

根据澳大利亚学者的勘测估算，该国5km以内的地壳内高于150℃的地热所蕴含的地热资源可生产供全国居民使用300万年的电力。澳大利亚政府解决生态环境问题的政治愿望、对清洁型再生能源研发的鼓励、社会公众对地热能的认可及程序便捷的申请许可制度等都成为澳大利亚发展干热岩发电系统的动力（Moel et al，2010；Ghori，2011；Bahadori et al，2013）。

在2004年发布的《保证澳大利亚未来能源安全》白皮书中，澳大利亚政府将增强型地热系统（EGS）列为以澳大利亚为市场领军力量的技术，并承诺对地热勘探（研究）、评估（概念验证）、示范工程进行支持。截至2008年4月，澳大利亚政府已经向地热工程及其研究累计投入了3200万美元。后续的政府财政支持对EGS发电进入能源市场也至关重要，澳大利亚政府正准备进一步确定资金支持的敏感性与有效性。

自2001年颁发第一个勘探许可证，截至2019年6月，澳大利亚已有40余家公司通过审批，加入地热能的产业化开发过程。据统计，2011—2019年间，这一领域的投资总规模达到12.3亿美元。目前，澳大利亚的地热利用大部分集中于围绕EGS的电站项目，其中约80%位于南澳大利亚州。

六、印度尼西亚地热能产业发展现状

从资源赋存的角度来看，印度尼西亚地热资源十分丰富（Isaksono A et al，2018；Hermanto，2018）。根据印度尼西亚矿物与能源部委托专业机构进行勘测得到的数据，印度尼西亚地热资源量约2.8万MV。但是，印度尼西亚的石油天然气同样储量丰富，对地热能的开发利用构成了客观上的制约，导致其地热资源开发利用率长期徘徊在5%左右。

近年来，全球地热能产业发展增速较快，加上环境污染及生态破坏问题日趋严重，印度尼西亚对地热能的产业化开发重新重视起来。印度尼西亚矿物与能源部制定的《地热能资源开发利用规划》指出，到2025年印度尼西亚地热发电装机容量要超过9500MV，在电力市场上所占份额达12%左右。届时，印度尼西亚有望成为全球最大的地热能资源利用国之一。2014年，印度尼西亚通过了专门的法案《地热法》，使地热资源开发有了充分有效的法律基础。印度尼西亚财政部对地热项目勘探及研究论证进行了超过2亿美元的专项资金支持。此外，印度尼西亚政府相关部门还出台了一系列配套的激励政策，如提高地热电力的价格，增加地热项目的补贴，减免地热项目净利所得税的30%和外资支付红利所得税的10%、减免相关设备的进口税缴纳，金融机构为地热项目开发商提供便利等。

2020年1月，印度尼西亚电力开发商Supreme能源公司与日本住友商事、欧洲综合能源企业 ENGIE 公司联合开发的印度尼西亚穆瓦拉拉坡（Muara Laboh）地热发电站正式投入商业运行。该地热发电站位于印度尼西亚苏西省南梭罗克县，投产的为该电站 1 期项目，投资约 5.8 亿美元，装机容量为 8.5 万 kW，所产电力将供给国电公司旗下的苏门答腊输电网，由此为当地 42 万户家庭提供电力服务。该电站由上述 3 家企业联合设立的合资企业 SEML 公司管理。在项目融资方面，由国际合作银行、亚洲开发银行、瑞穗银行、三井住友银行、三菱 UFJ 银行等机构联手进行贷款融资项目。同时，2 期工程也在筹建之中，投资规模超过 4 亿美元，装机容量在 6.5 万 kW 左右。

第二节 国外地热能产业发展趋势

进入 21 世纪 20 年代以来，受全球突发的新冠肺炎疫情影响，世界经济格局发生剧烈变化，这给我国的产业发展带来了严峻的挑战和历史性机遇。如果准确认识地热能产业发展的国际趋势并加以合理利用，我国的地热能产业发展将在外部环境变化的推动下蓬勃发展。

一、政策引领是重要特色

从国外地热能产业政策体系（表 4 - 2），可以看出其中的政策概要。从政策演化发展的角度来看，各地热强国在相关政策的制定和实施方面均走在世界前列，具有重要

表 4 - 2　国外地热能产业政策体系

序号	政策	概要
1	配额制度	强制发电企业与电力销售企业购买一定数量的地热能电力
2	上网电价	支持发电企业与电力销售企业以固定价格从地热能发电企业购买电力，对电热能发电价格与传统燃料发电价格之间的差价进行补贴
3	资金补贴与奖励	对地热能企业的固定设备、基础设施进行资金补贴或财政奖励
4	投资赋税优惠	对地热能产业投资提供适当比例的税额抵扣
5	税收激励	对地热能企业进行增值税、营业税等方面的税收优惠甚至是免征
6	绿色证书交易	对地热能企业与能源消费机构、消费者之间提供绿色交易证书，双方可以以市场竞争为基础进行价格确定
7	政府采购	政府向地热能企业进行集中供暖制冷或电力产品的集中采购
8	公开招标	竞争性地选择集中供暖制冷或电力产品的优质供应商
9	公共投资	对地热能资源勘查、可行性分析、技术研发等提供公共资金支援

的示范意义。一方面，这引发了清洁能源产业宏观政策领域的深层次理念变革，进一步彰显了政府在新能源产业发展方面的主导性地位。另一方面，地热强国颁布的相关政策并非某个孤立的政策文件，而是包括产业发展战略规划、法律法规管理体系等在内的政策体系，这为地热规模化、智能化和持续化开发利用提供了有力的促进（关锌，2011）。因此，政策引领已经成为地热能产业发展的一种重要趋势，这对我国具有较强的启示价值。

二、技术创新为产业发展提供核心驱动力

除了产业政策层面的比较优势之外，美国、日本、德国、冰岛等国家在地热能产业方面的比较优势主要体现在技术创新方面。美国、日本、德国均提出过"技术立国"的发展理念，培育出了高素质的技术创新人才队伍、成熟的技术创新模式与积极的技术创新氛围。在地热能产业的发展上，这一点也得到了充分的体现。

同时，还应当认识到，技术创新与经济、产业及社会的高质量发展之间存在密切的关系。正如习近平总书记所指出的那样，"创新是引领发展的第一动力"。只有经济、产业及社会的高质量发展才能更好地满足人民群众对美好生活的向往，这是技术创新成为引领发展第一动力的根基；技术创新为高质量发展提供更丰富的空间、更准确的着力点和更坚实的支撑体系；技术创新能够对企业、个人进行高维度的赋能，从而为经济、产业及社会的高质量发展提供强劲动能。

在未来的地热能产业发展过程中，有必要深入把握"技术创新为产业发展提供核心驱动力"这一认识。在国际产业经济竞争趋于白热化的时代，产业发展的许多要素都可以模仿和复制，如政策、资源等。但是，考虑到地热能产业技术体系的复杂性，技术创新方面的模仿和复制是极其困难的。地热能企业及相关机构不能抱任何幻想，必须脚踏实地地摸索出具有中国特色的地热能技术发展路线。

三、高效的产业组织是提升发展效率的重点

地热能产业具有要素密集化、产品非标准化、技术高度集中、政策驱动性强、投资规模化等特征。

维护企业间信任关系的做法在工业发展中提供了优势，即使它们与短期利润追求相矛盾。例如，在日本，政府要求电力公司从地热能发电企业那里购买一定数量的电力。这就在双方之间建立了一种有效的信任与合作关系。从短期来看，地热能发电与煤电、水电相比在质量与价格上并没有突出优势。但是，在政府推动下的长期采购承诺可能会起到超越个人（企业）理性经济行为的作用，从而促进地热能技术进步与产业发展。更重要的是，通过不同主体之间产生并承担超越合同文本的维护质量和服务

四、广泛深入的国际性产业合作带来有力的资源支撑

在经济全球化的背景下,产业发展方面的国际合作也成为一种显著的趋势,地热能产业当然也不例外。对于地热发达国家来说,通过不同层次的国际性合作,可以充分发挥自身的比较优势并整合全球优势生产要素,使本国地热产业的竞争优势得到固化和增强。同时,一些发展中国家也十分重视地热能领域的国际性产业合作。例如,肯尼亚通过与中国、冰岛的国际合作获得了地热技术方面的大量援助,奥卡利亚(Olkaria)地热田的建设速度比预期高出30%以上,实现了对埋深为2200m的330℃水热型地热能的开发利用,为未来的地热能产业发展奠定了良好基础。总之,国际性的合作能够起到吸引外商直接投资和引进先进设备技术的作用。

制约中国能源转型的关键因素并非资源,而是高质量地进行可再生能源开发的科学技术。如果能够以高度的战略视野积极在地热类新能源领域开展国际性的产业合作,深入学习发达国家能源转型的经验并持续进行科技创新,我国必然会成为能源转型技术研发领域的"领头羊"。此外,对于传统的能源公司来说,地热能的开发利用将提供收入来源多样化、技术创新升级与绿色转型的机会。

第三节 "一带一路"沿线国家地热能产业合作前景

2008年全球金融危机以来,国际经济形势风云变化,能源与环境问题成为全球焦点议题。2013年9月,习近平总书记提出"一带一路"倡议。近年来,"一带一路"逐渐上升为国家大战略。从国家层面来看,"一带一路"旨在发展与沿线国家的经济合作伙伴关系,共同打造政治互信、经济融合、文化包容的利益共同体、命运共同体和责任共同体。对于地热能产业来说,"一带一路"提供了宝贵的时代机遇和不容错过的机会窗口。我国未来地热能产业发展必然是立足国内、面向全球的。这就需要借力"一带一路"国家战略加快"走出去"的步伐。在这一过程中,地热能产业界经营管理人员及有关方面的专家不仅要准确认识"一带一路"沿线国家地热能产业合作前景,也要对其中的风险形成清晰的预警。

一、"一带一路"沿线国家地热能产业合作潜力

从地热带全球分布的情况来看,"一带一路"沿线国家主要分布于环太平洋地热带、地中海-喜马拉雅地热带和红海-亚丁湾-东非裂谷地热带,如东南亚的印尼、菲

律宾，西亚的土耳其，非洲的埃塞俄比亚、肯尼亚，欧洲的波兰、乌克兰、捷克、克罗地亚。这些国家普遍具有地热资源丰富但产业发展处于起步阶段的特点。

根据咨询机构 Global Market Insight 于 2017 年 6 月 10 日发布的预测数据，到 2024 年全球地热能产业将达到 570 亿美元的规模。在这一市场上，"一带一路"沿线国家所占的份额长期保持在 40% 左右。由此可见，这是一个规模较大的重要市场（林美孜，2020）。因此，就地热能产业国际合作而言，"一带一路"沿线国家有着巨大的潜力。对于我国地热能企业及金融机构来说，利用"一带一路"国家战略带来的契机实施地热能产业"走出去"的计划十分可行。

以埃塞俄比亚为例，这是非洲地热资源赋存条件最好的国家之一，地热发电潜力超过 10 000MW。其地热资源分散在埃塞俄比亚裂谷和阿法尔（Afar）洼地。截至 2019 年 12 月底，埃塞俄比亚境内勘查出的地热田主要有 Aluto Langano、Tendaho、Corbetti、Abaya、Tulu Moye、Dofan-Fantale 等。在埃塞俄比亚，超过 69% 的总人口无法使用电网，电力缺口较为严重。而随着对可再生能源投资的增加，埃塞俄比亚国内的电力需求不断增加，这将有助于促进该国地热能市场充分发展。2013 年，埃塞俄比亚政府宣布投资 40 亿美元建设 1000MV 的科贝蒂地热发电厂，一期 500MV 预计在 5 年内投入运营。就目前的情况来看，这些地热田的开发应用均处于可研或预可研阶段，进一步勘探开发的需求十分强烈。同时，根据埃塞俄比亚政府提出的地热开发计划，到 2038 年该国的地热发电装机总容量将达到 5000MV。由此可见，埃塞俄比亚对地热资源的开发有着宏大的目标和长远的规划。

埃塞俄比亚地热资源开发环境具有以下几个方面的特征：①国家垄断资源。埃塞俄比亚电力公司垄断了该国的发电以及地热资源开发权。埃塞俄比亚电力公司宣称，地热资源的前期勘测工作由其负责，地热能开发利用的国际合作则通过招投标方式进行。这一特点决定了在该国进行地热能开发的对接工作将更为单一。②埃塞俄比亚经济基础薄弱但 GDP 增速较快。近 10 年来，埃塞俄比亚的 GDP 增长率保持在 8% 以上，人均 GDP 则只有 750 美元左右，发电装机仅 3000MW，远不能满足国内电力需求。③社会较为稳定。与非洲其他国家相比，埃塞俄比亚政府治理也较为透明，社会秩序相对稳定，廉价劳动力供应充足，为地热能产业的国际合作提供了长期发展的基础。

二、"一带一路"沿线国家地热能产业合作基础

出于对国家能源安全与国民经济发展的考虑，"一带一路"沿线国家政府对可再生能源的开发利用均高度重视，并对地热类可再生能源的开发利用普遍提出了支持性政策。为了优化能源结构、刺激和规范可再生能源投资市场，"一带一路"沿线国家政府突出的扶持性政策主要有：

允许采用 BOO（建设-拥有-运营）或 BOOT（建设-拥有-经营-移交）模式参与其可再生能源投资市场，政府在特许经营权和自主经营权方面，给予外来投资者尽可能多的便利，有利于调动外来投资企业生产创新的积极性。

政府部门按照"成本＋回报"的方式来购买可再生能源开发利用的产品，同时提供税收优惠政策，如免征海关关税和消费税、免征资源使用费、代征土地且租金低廉等。

政府联合国内金融机构提供可再生能源投资项目的收益担保，有效降低项目风险（李君，2016；王卓卓和郭帅，2019）。

除了资本、技术、就业等方面的收益外，地热类可再生能源项目还具有良好的气候效应和社会效应，有利于提高"一带一路"沿线国家的生产率并改善居民生活品质，对当地经济的发展与社会进步起到推动作用。在改善东道国能源结构、降低碳排放等方面，地热类可再生能源项目也将起到重要作用。因此，"一带一路"沿线国家对地热类可再生能源外商投资项目有着良好的心理预期。

三、"一带一路"沿线国家地热国际合作外部安全风险分析

根据国内学者的统计，中国企业在"一带一路"沿线国家发生的投资风险案例已有多起，从风险项目损失金额与投资总额的比值来看，亦高于全球平均水平。由此可见，"一带一路"沿线国家的地热发展国际合作存在外部安全风险问题，以下从政治社会风险、经济风险、法律风险、主权信用风险等角度来进行简要梳理。

1. 政治社会风险

对外投资领域的政治风险可以被定义为"东道国政府突然改变政策规则导致跨国投资者利益受损的可能性"。从地缘政治的角度来看，"一带一路"沿线国家普遍处于中西文明交汇地带，政治体制、公共管理制度、宗教文化、民族习俗等方面的重大差异，所引发的政治社会风险必须引起海外投资者注意。同时，"一带一路"沿线国家也是美国、日本、俄罗斯、印度等大国竞合博弈的重要场所，种种复杂的思想与利益在此交织互动，加剧了这一地区海外投资的政治社会风险。此外，恐怖主义活动频发也需要引起考虑在此布局的国内地热能企业及相关机构注意。

2. 经济风险

对外投资领域的经济风险可以被定义为"东道国经济形势波动、经济政策变化导致跨国投资者利益受损的可能性"。从经济、产业、知识产权等角度来看，"一带一路"沿线国家在国际舞台上普遍性地缺乏竞争优势，具体表现在经济政策科学性差、经济发展波动性大、金融体系落后、市场体系不健全、产业结构滞后等方面。正因为如此，"一带一路"沿线国家在国际经济竞争中更容易受到市场波动的负面影响。地

热对外直接投资项目通常都具有资金需求大、建设周期长等特点,"一带一路"沿线国家的经济发展状况会放大资金运营不可持续性的风险。所以,打算在此布局的国内地热能企业及相关机构需要对这一地区目标市场的波动性有清晰的认识。

3. 法律风险

对外投资领域的法律风险可以被定义为"东道国法律体制差异及司法状况所导致的跨国投资者利益受损的可能性"。"一带一路"沿线国家的法律分属大陆法系、海洋法系、宗教法系及混合法系等,司法水平具有高度的不确定性。因此,如果缺乏对法律风险的认识,可能会介入意外的诉讼,这必然会带来正常营业活动之外的诉讼费用、机会成本与时间成本。

4. 主权信用风险

对外投资领域的主权信用风险可以被定义为"东道国政府违反契约精神所导致的跨国投资者利益受损的可能性"。根据国际国内学者的研究,"一带一路"沿线国家存在主权信用风险水平不稳定、信用等级呈现非均衡分布等问题(胥爱欢,2018;胡颖和刘营营,2020)。例如,"一带一路"沿线国家中既有国家信用等级非常高的新加坡,也有国家信用等级处于较差区间的乌克兰、希腊等。对于打算在此布局的国内地热能企业及相关机构来说,由此可能引发的经济利益损失也必须予以重视。

第四节 国外地热能产业发展对我国的借鉴意义

一、借鉴国外政策完善我国地热产业发展的相关法律法规

如前所述,政府引导与政策引领是美国、冰岛、日本、德国等发达国家地热能产业发展的鲜明特色。这些国家纷纷出台财政补贴、税收优惠、地热发电上网定向收购等政策来推动和保护地热能产业的发展,这对我国构建地热能产业高质量发展模式有着重要的借鉴意义。

二、借鉴国外经验做法确立我国地热产业发展的规划目标

与地热强国相比,我国的地热能产业还处于有规模而竞争优势尚未充分发挥的阶段。这就要求政府及有关机构积极借鉴国外经验做法,确立我国地热产业发展的规划目标。只有目标清晰、方向明确,地热能产业才能更好地走上科学化、规范化的发展道

路。具体来说，要综合运用产业发展相关的各类理论分析工具，从地热能资源赋存情况及产业发展实际水平出发，全面考虑国际国内能源产业发展趋势，从地热能产业发展的总体定位、产业体系、产业结构、产业链、空间布局、经济社会环境影响、实施方案等方面切入，形成明晰的战略目标。

三、利用国外先进技术优化我国地热能技术路线

从目前的情况来看，各地热强国对技术创新均十分重视，纷纷采取财政支持、重大科研项目集体攻关等方式来实现创新型的快速发展。例如，欧盟于2013年推出"地平线2020（horizon2020）"计划，对11项地热能研究项目提供共8360万欧元的财政资助，推动增强型地热系统等前沿科技与核心技术攻关。美国政府于2015年推出FORGE项目，通过提供1.4亿美元的技术补贴来帮助企业在水热型地热能勘探开发利用技术、增强型地热系统等方面进行科研攻关。

从整体上来看，我国在地热能领域属于"大而不强"的后发国家。根据制度经济学领域的研究，后发国家有劣势的一面，同时也有优势的一面。因此，在未来地热能产业发展过程中，应当规避产业底蕴不强等劣势，积极引进国外先进技术与制度来形成符合我国地热能产业发展环境的技术路线，不断寻求和创造"弯道超车"的机会。

以地热供热技术路径为例，我国应当立足地热能资源赋存条件并借鉴美国、冰岛、印度尼西亚等国家的技术发展经验进行分层次、有步骤的技术研发。①坚持浅层地热供热与中深层供热齐头并进的技术道路。有中深层资源的地区实现中深层资源的优先开发。在中深层资源不具备的地区，则侧重于浅层地热能的开发利用。②再以干热岩开发利用技术为例，应当借鉴国际经验规划并落实符合我国地热能产业技术实力的技术路线及技术体系。具体包括：以"资源评估技术—场地选择及设置—场地建设方案体系"为发展路径的选址技术；以"勘测技术—钻井技术—热输送及热交换技术—终端商业应用"为发展路径的开采技术；以"环境影响指标体系建设—环境评估技术体系—商业化系统评估"为发展路径的环评技术等。

四、借鉴国外地热能产业发展的经验教训完善我国地热能产业发展模式

对于所有要发展地热产业的国家来说，资源评价和勘测困难、初始投资高且投资回本周期长、技术难度大等问题都是客观存在的。因此，地热能产业模式的探索和完善必然是困难重重，政府及业界都必须做好打"持久战"的准备。为此，需要对地热能产业发展模式进行科学设计和周密落实，有效凝聚各方面的资源与力量，通过合作发展摸索出一条符合我国地热能产业内在演化规律的发展道路。

中篇

我国地热能产业化发展模式

第五章 我国地热能产业发展现有模式和若干新类型

对于我国地热能产业运作的具体方式，国内学者已经进行了较为详尽的研究。本章在分析我国地热能产业发展的传统模式基础上，致力于对地热能产业发展过程中涌现的几种新类型进行总结评价。

通过本章的阐述与分析，可以进一步了解我国地热能开发利用过程中的一些新情况、新问题、新经验和新趋势，同时也能够对我国地热能产业发展的未来趋势有更准确的把握。

第一节 我国地热能产业发展的传统模式

根据产业经济学理论，基于基本生产要素驱动、传统企业带动所形成的产业发展模式具有显著的路径依赖特性，其结构及功能通常也较为单一。针对不同地区的区域性特色地热能产业，需要采取不同的发展模式。要完善我国地热能产业发展模式，首先就需要对传统的模式进行归纳，从而有针对性地进行宏观架构层面的再设计与细节层面的调整优化。

一、要素驱动模式

任何一个产业，都是围绕特定的生产要素展开和形成。地热能产业就是围绕地热能这一生产要素开发利用而形成的、逐步趋于成熟和完善的体系。在产业发展初期，人们对地热能进行最初的开发利用，发展出了温泉旅游、地热辅助农业生产等较为粗浅和原始的产业活动。随着社会经济的发展，地热能开发利用的条件更为丰富和多元化，人们逐渐发现，作为典型热能的地热能资源可以转化为电能并用于其他领域的生产生活。除此之外，还可以利用地热能来进行居民供暖。在政府及市场力量的推动下，一些有实力、有基础的企业开始向地热能开发利用的方向转型，这就带动了地热能产业的逐渐成长。随着产业发展的不断壮大，由地热能及相关产品/服务驱动的设备制造、技术研发、项目运营乃至咨询服务等为整个产业的发展提供了内生驱动并使之进入相对成熟的阶段。

在要素驱动模式下，企业是地热能产业最重要的运营主体。正如国内学者所发现的那样，我国地热能产业具有要素密集化的特征。也就是说，一些能源、制热制冷领域的企业敏锐地发觉地热能的独特竞争优势以及与自身经营特点、经营规模、经营思路等相匹配的价值基点。经营管理者开始围绕地热能资源的开发利用来进行产业化的运营。例如，河南万江新能源的创始人侯涛在最初经营管理空调产业积累了大量经验后，开始进军地热领域，经过多年的精耕细作，万江新能源成为了地热能产业的一支重要力量。

在产业生命周期中，要素驱动模式多见于初创期，比较适合科技创新能力有限、资本规模小的企业。在地热能产业发展历程中，要素驱动模式在各地都较为常见，也充分发挥了驱动力简单、经营管理边界清晰等优势。但是，随着地热能产业的发展，其所带来的设备及技术落后、规模突破困难等诸多问题日益凸显，向全要素生产率驱动等其他模式的转型是大势所趋。

二、政策驱动模式

从世界各国地热能产业发展的情况看，政府主导地热能产业发展具有普遍性。我国地热能产业发展中也很重视强化政府的作用，属于强政策驱动型，需要政府结合地区资源特点，制订地热能产业规划、建立制度保障体系、出台相关优惠政策、建立产业公共信息服务平台（邵兰，2018）。

面对大数据、区块链、人工智能等技术所提供的时代机遇，政府可以借力信息技术来解决行政管理方面的瓶颈。在地热产业管理上，政府可以利用强大的信息收集、处理、推送能力来提高产业政策引领规划及管理制度保障扶持的效率，通过政策手段实现生产要素向市场竞争优势者的转移和集中，推动地热能产业走上高质量发展之路（刘骏昊，2018；茶洪旺和和云，2019）。

三、投资驱动模式

经济全球化和经济金融化是当今世界经济发展的两大突出特点。没有金融支持的产业在发展规模、增长速度等方面都会受到限制。对于地热能这类新能源的开发利用和产业化发展来说，金融资本的支持能够起到丰富融资渠道、优化公司治理、提升行业监督水平等作用。在我国地热能产业发展过程中，投资机构的渗透程度也越来越高，资本这种生产要素对地热能产业发展的驱动作用也显得越来越重要。尤其是对于民营地热能企业来说，投资驱动模式有助于解决融资成本高、融资效率低等问题，从而以更快的速度进行设备采购、人员招募与项目扩建。对于发展格局优势明显的民营地热能企业来说，资本的支持还能够起到加速知识产权成果转移、提升项目收购能力、优化资金综合成本等作用。

四、创新驱动模式

德国、日本等发达国家的发展经验表明，从模仿型经济到创新型经济是经济体从弱小到壮大的必经之路。经过多年的发展，我国的经济也到了"创新型经济"阶段。经济发展的核心推动力已经从劳动力、技术转变为创新，这对经济体系设计、经济增长方式、社会发展模式等具有重要影响。

在地热能产业发展方面，创新驱动的重要价值已经得到较为广泛的认可（王涛，2011）。①人才为创新提供智力依托，知识产权和技术进化是创新活动的外在表现。②地热能领域的创新不仅体现在理论和技术层面，其在环境保护、可持续发展等方面的作用同样受到高度重视。③持续的创新有利于不断推动地热能企业向产业价值链中高端延伸发展（檀之舟和朱林，2018）。

创新过程中的高投入、高风险等值得引起政府及地热能企业等有关方面的高度重视。产业发展过程中的创新活动应该结合具体情况组织开展，不能为了概念层面上的改进而盲目进行资源投入。

五、系统驱动模式

地热能产业的发展涉及多种生产要素，这些生产要素及其互动关系构成了一个复杂的系统。国内学者注意到了这一现象并引入系统及系统动力学来对地热能产业发展进行探究。这方面的认识主要包括：①不能孤立地看待地热能产业发展问题。也就是说，地热能产业的发展不能仅仅强调经济效益、技术等特定的方面，而是要考虑多方面的协调进步。②地热能产业系统与外部环境的互动关系造成了产业驱动力的变革。能源价格机制、财税金融政策、前沿技术等因素为地热能产业发展注入了新的活力，应当加以合理利用。③地热能产业在发展过程中，结构优化问题也得到各方面的高度重视。也就是说，地热能产业内部的结构优化与其他产业、区域经济之间的耦合关系必须得到高度重视。

第二节 合同能源管理模式（EMC）

一、合同能源管理模式简介

合同能源管理（Energy Management Contracting，EMC）是指能源企业与用能单

位签订服务合同,根据合同条款规定的权利义务关系为客户提供能源服务的一种商业模式。具体来说,合同能源管理模式又涵盖了能源管理服务模式、能源费用托管模式、节能效益分享模式、节能量保证支付模式等不同类型。

就其本质而言,合同能源管理模式是一种面向市场的新型节能机制,是一种降低能源成本的综合管理制度。实施EMC合同管理的企业为客户提供一整套的节能服务,具体包括能源审计、项目设计与融资、工程建设、设备安装、签订节能服务合同的节能量确认等。通过这种有效的节能方式,双方可以实现节能成果方面的双赢。

二、合同能源管理模式在地热能产业运作的具体施行

根据课题调研,合同能源管理模式在河北、河南、上海、陕西等地区已经逐渐被地热能企业所接受和施行。

合同能源管理模式在地热能产业运作的具体施行步骤主要包括:①能源审计。地热能企业对客户的能源供应情况、能源利用效率、能源管理制度进行审计诊断和评价,提出可供选择的节能措施。②能源使用方案。以能源审计所获得信息资料为基础,地热能企业编制更详细的节能方案,制订更具性价比的能源使用方案。这种能源使用方案一般包括能源结构及质量分析报告、能源优化效果预测报告、能源使用方案改革投资分析等。③能源管理测试。双方就能源使用方案达成一致意见后,地热能企业进入现场进行能源管理的测试性施工,让客户对能源使用方案的基本情况有所了解。④能源服务合同的谈判与签署。客户认可测试数据结果后,双方进行合作谈判,达成一致意见后签订能源服务合同。合同的主要内容包括双方的权利义务、能源改造方案的施工及验收方式、能源优化使用监测及效益分享办法。⑤项目实施。地热能企业根据合同进行设备采购、工程施工与性能调试。⑥后期服务。地热能企业为客户提供设备维护维修、操作培训等服务。⑦能源服务效益分享。双方根据合同和项目运行情况进行节能效益的分享。合同到期时,双方签订继续合作的合同或者选择结束合同。合同结束后,客户将享受全部的节能效益及相关的能源使用设备。

三、地热能产业合同能源管理模式的应用案例

1. 河南省开封市尉氏集中供热项目地热资源概况

从太康隆起地理位置图(图5-1)可以看出,太康隆起是NWW向展布的宽缓复式背斜,叠加有NNE向短轴褶皱,被NWW向、NE向和NNE向断裂切割,该地区古生代至三叠纪接受了海相、海陆过渡相和陆相盆地沉积,三叠纪末隆起,地层广遭剥蚀。

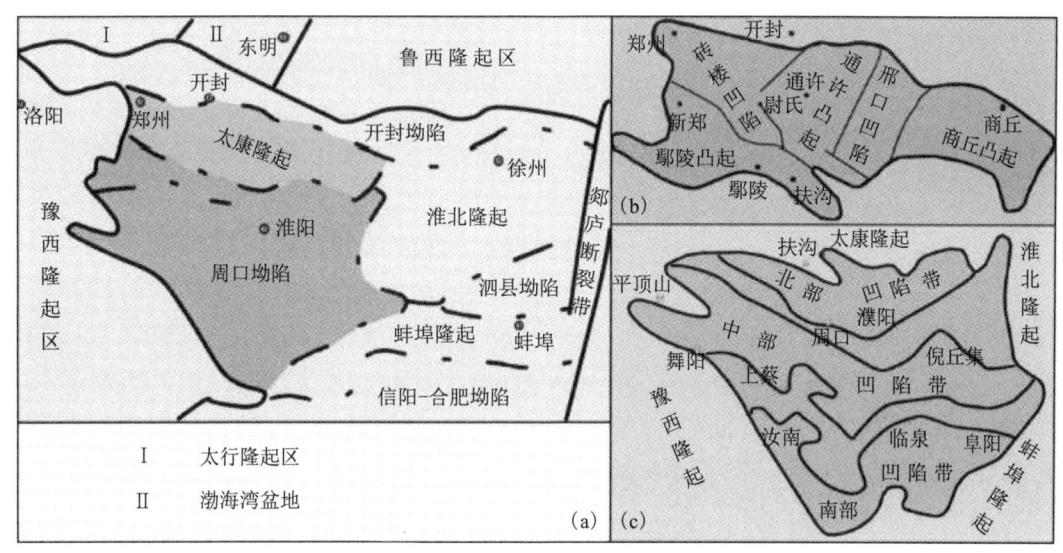

图 5-1 太康隆起地理位置示意图
(a) 太康隆起与周口坳陷示意图；(b) 太康隆起构造单元划分图；(c) 周口坳陷构造单元划分图

该区域新近系地层是目前主要开采的储水层，上被第四纪覆盖，整个区域均有分布，发育比较好，在西部山区的沟谷中及郑州—新密公路两侧均有出露。

2. 尉氏集中供热项目运行主体基本情况

运营公司是一家聚焦地热类清洁能源开发利用的能源投资运营商。公司业务范围主要涵盖3个方向，一是区域性的居民供暖供冷项目的规划设计与投资运营，二是建筑项目的节能改造与合同能源管理，三是工业项目的供热和节能服务。河南通济实业有限公司在可再生资源技术、地源热能开发应用、地表水/城市污水供热供冷、冰蓄冷空调、燃气三联供、余热余压利用等领域不断探索，追求用户受益、企业增长、节能减排的绿色发展之道。

根据具体的区域市场情况，河南通济实业有限公司所运用的商业模式主要包括：建设-经营-移交（BOT）、建设-拥有-经营（BOO）、工程总承包（EPC）等。

为了顺利实施尉氏集中供热项目，河南通济实业有限公司与河南万江新能源开发有限公司合作成立了开封尉氏万江这一运营实体。开封尉氏万江成立于2017年11月，注册资本2000万元，经营年限为30年。开封尉氏万江致力于新能源综合开发利用，专注于城市清洁能源地热能综合利用投资、建设、运营，地热能的开发利用、区域地热能及供热规划、智慧供热系统的开发利用。

开封尉氏万江利用中深层（1000~3000m）获取地热水，利用梯级换热技术将地热水的热量提取出来用于供暖，并将取热后的尾水还回地下。整个系统封闭运行，只是交换了热量,水质没有发生变化,经回灌到地层,取热不取水。项目建设包括:技术规划、热源井钻井、一级管网的建设及站房设备的建设和维护。整体工程施工周期为4个月,项目建设灵活,周期较短,是新时代下清洁能源供热企业发展的方向。

3. 项目技术情况

开封尉氏集中供热项目是河南万江新能源开发有限公司与河南通济实业有限公司通过股权合作的中深层地热集中供暖项目。项目通过地热集中供暖规划和砂岩储层回灌技术,实现"100%同层回灌"和"取热不取水",回灌水质符合技术规范。区域规划供暖面积200万 m^2,采用分布式中深层地热井+水源热泵供热站房形式供热,每个热站可供20万 m^2 建筑。项目遵循国家政策,通过政府授权企业投资建设运营,采用使用者付费模式。

项目主要使用地热梯级利用技术体系,居民集中供热项目技术原理示意图(图5-2)可以直观地反映这一技术体系。

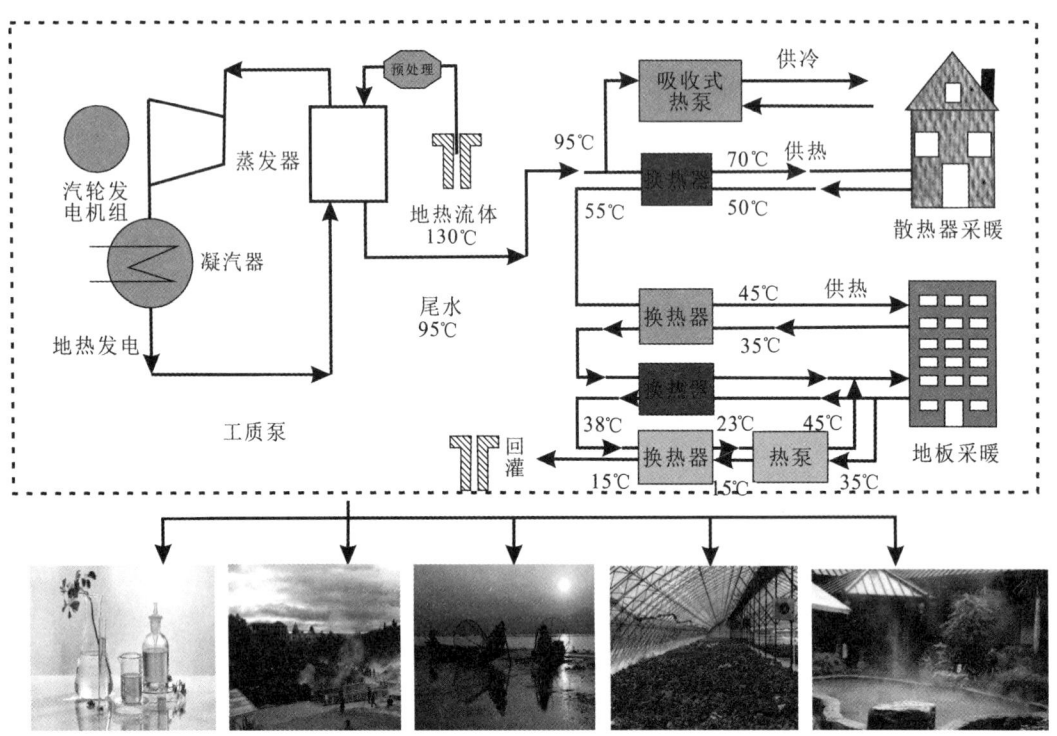

图5-2 尉氏居民集中供热项目技术原理示意图

项目设备主要包括以下几个方面。①集中供热热源:地热勘探、热源井、回灌井、一级管网、供热站房设备。一级管网是指热源井到供热站房以及供热站房到回灌井之间的管网。河南通济实业有限公司负责集中供热热源的维护,自主承担维护费用。②二级管网:二级管网是指以出供热站房法兰为界,向热用户输送和分配供热介质的管线系统,包含:室外管网、楼内立管;用户自用管道热力设施:自楼内立管引入到热用户室内的入户阀门、过滤器、计量表、水平管道以及热用户户内用热设施等。二级管网建设单位负责质保2个采暖季。在此之后,热用户可委托供热企业或小区物业代为管理,由热用户分摊二级管网维护费用。

尉氏集中供热项目工艺流程示意图(图5-3),可以直观地反映这一项目工艺流程。

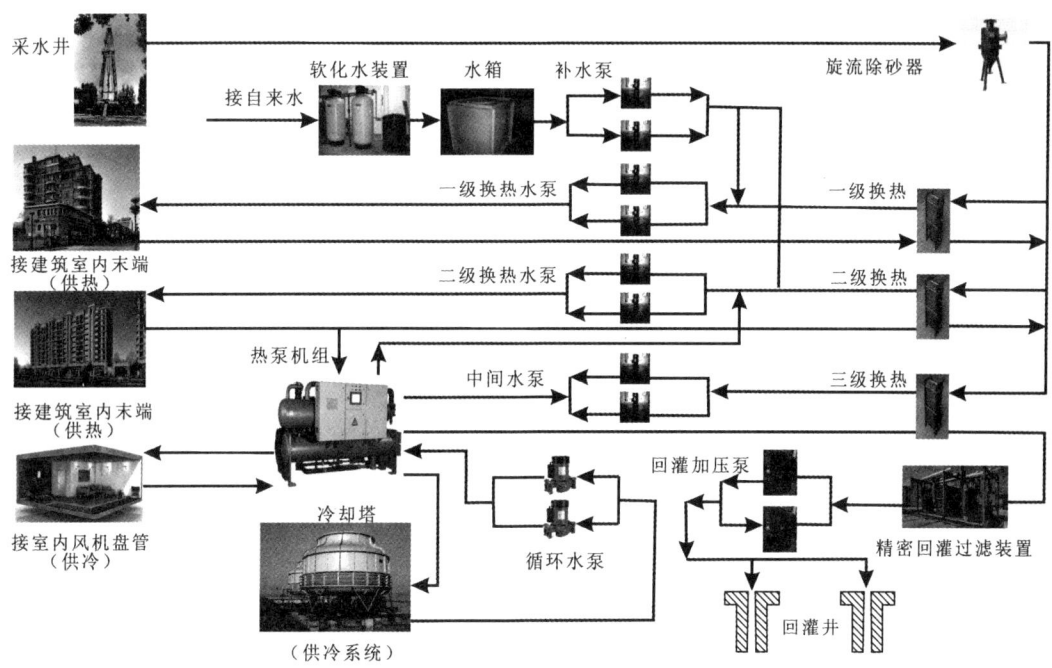

图5-3 尉氏居民集中供热项目工艺流程示意图

4. 项目主体的权利与义务

在该项目中,政府的权力主要包括特许经营权控制、项目运行监督权等,其义务则主要包括为项目运行提供信息支持和政策扶持等。开封尉氏万江的权利主要体现在以节能效益的80%为标准进行合同款项的回收、高效的政策支持等。其义务主要涉及工程建设与咨询、供热产品生产与运营、及时而全面的信息报告、敏捷的客户响应等。通过这些义务的履行,项目公司能够利用自身产品的优势打造先进的能源管理合同网络。通过一次或多次通信,网络可以远程进行供暖产品数量与质量的控制并自动显示所有的参数。这不仅有利于降低居民的取暖费,还将大大提高相关各方的能源管理效率。此外,由于采用了高科技的通信协议,整个系统可以方便地进行能源数字信息的共享。

5. 项目经济指标

从合同能源管理模式集中供冷供热与其他模式经济指标对比简表（表5-1）可以发现，EMC模式具有突出的经济性。项目采用标准化、模块化、分布式集装能源站建设方式，多个能源站可同期实施，建设周期4个月，可当年建设当年供暖，迅速形成清洁供暖能力。由于不需要进行大范围的城市管网铺设和城市道路开挖，具有占地面积小、无需新增土地等成本优势。

表5-1 合同能源管理模式（EMC）集中供冷供热与其他模式经济指标对比简表

供暖类型	EMC集中供冷供热	家用燃气壁挂炉采暖	家用空调供冷供热	家用中央空调供冷供热	空气源热泵集中供冷供热	水源热泵集中供冷供热	地源热泵集中供冷供热	燃气锅炉集中供热
前期投资（元/m²）	48.5	100	150	300	80～100	80～100	150～180	30
每采暖季运行成本（元/m²）	16	40～50	30～40	35	25～30	20～25	22～25	28～35
使用年限	30年以上	6～10年	8～10年	8～10年	8～10年	8～10年	8～10年	6～10年
维护成本	30年内免费	5年后维修率高	5年后维修率高	5年后维修率高	5年后维修率高	5年后维修率高	5年后维修率高	5年后维修率高
配电容量（W/m²）	6	—	132	110	70	40	40	—
舒适度	舒适	舒适	噪音、干燥	噪音、干燥	噪音、干燥	噪音、干燥	噪音、干燥	舒适
系统功能	供冷、供热	供热	供冷、供热	供冷、供热	供冷、供热	供冷、供热	供冷、供热	供热
安全隐患	无	中毒爆炸	漏电、外主机高空坠落	漏电、外主机高空坠落	无	无	无	爆炸

根据公司财务及技术人员的计算，合同能源管理模式在该项目中的应用不仅提升了公司规范管理的水平，还创造了可观的经济效益。据测算，尉氏居民集中供热项目实施后，每年将为当地节约近230万元的能源使用成本，减少约5万t的碳物质排放。

6. 项目风险识别与规避

河南通济实业有限公司发现，合同能源管理模式在我国的运用还比较少，对项目中的一些潜在风险必须予以正确认识和提前规避。

项目中的风险主要表现在以下几个方面。①政策风险。虽然国家对EMC合同能源管理项目的发展进行了法律法规、财政政策、税收政策、金融扶持、会计处理制度等方面的支持，但仍然存在着行业准入标准不完善、节能效益评价标准不统一、配套能耗监测制度不完善等隐患。②市场风险。合同能源管理中的不同主体在信息方面存在一定程度的不对称，这可能会影响相关的决策。同时，能源市场价格的变动会影响客户对节能服务效果的认识，同时也会造成经营者的成本变动，甚至会造成资金链的断裂。此外，相关设备成本的不确定性也会造成一定的风险。③金融机构风险。项目运作离不开金融结构的支持。金融机构的决策会根据汇率、利率的变动而发生变化，如要求提前还贷等。这可能会对项目的实施造成一定的影响。

针对这些风险因素，河南通济实业有限公司采取的规避性措施主要包括：①定期组织管理人员进行相关政策的研究，同时积极加入各类产业联盟，不断加强对相关产业政策的深入认识与准确把握；②利用万江新能源内部的新能源研究院进行定期的市场信息汇总，同时建立周密的信息披露制度，使项目管理人员能够及时掌握有关市场信息并作出敏捷反应；③加快资本运作步伐，积极筹划上市工作。同时，按照7%的比例提取风险准备金，切实加强项目运作的资金保障。

四、合同能源管理模式评价

在 EMC 合同能源管理模式下，客户不需要承担能源优化的设备投资与技术研发，甚至不需要承担相关的风险。同时，客户能够以更有效率的方式实现能源使用成本的节约并获得由此带来的收益。因此，这是一种较为理想的地热能开发利用方式。

第三节 公私合作模式（PPP）

20世纪90年代中期，居民供暖领域开启了市场化改革的步伐。在这一领域，最初通行的模式是传统的承发包模式，即 DDB（Design – Bid – Build）。随着时代的发展，这一模式下的项目建设周期长、职责分配不明确、工序衔接不合理等弊端日益显现。近年来，公私合作模式（PPP，即 Public – Private Partnership）得到了更广泛的应用。

一、公私合作模式简介

公私合作模式的核心在于政府与社会资本根据商定的契约开展公共基础设施方面的项目合作。在某些公共基础设施方面，政府与社会资本各有其优势和不足。在地热能开发利用项目方面，政府有推广这种清洁且可再生新能源的动力，但产业化运作和实践经验相对缺乏。社会资本则刚好可以弥补这种不足，这为双方的合作提供了基础。就本质上而言，PPP 模式涉及产业政策、财政金融政策、行政管理、投融资等多个方面，不仅是资本运作和项目建设的手段，更是社会公共事务领域的体制机制变革。

二、公私合作模式在地热能产业运作的具体实施

PPP 模式下，政府、地热能企业、金融机构、其他相关方共同参与地热项目建设。PPP 模式的实施过程中，政府的主要活动包括：①根据产业政策、地热能开发利用需要、具体项目特点等制定具体的地热能发展规划；②通过招投标方式确定项目施工管理方并确定合作细节；③对项目具体施工情况进行监督管控。地热能企业的主要活动包括：①对地热能开发项目进行前期勘测和各类财务预算，判断项目是否具有可行性，拟定项目管理方案并获得资格许可；②获得项目许可后进入现场负责施工；③工程建设完工后根据预先商定的模式进入"交钥匙"或者继续管理等环节；④享有项目收益。金融机构的主要活动包括：①利用财务模型判断项目预期收益和资本回报情况；②通过各种资本手段介入地热能开发项目，如贷款、基金管理等。其他合作方的主要活动包括提供各类中介咨询服务、参与地热能开发建设项目的社会化监管等。

三、地热能产业公私合作模式的应用案例

1. 河北省石家庄市无极县地热项目背景

近年来，天然气等传统能源价格一路走高，给北方地区的冬季供暖成本造成了巨大的压力。在冬季，北方多地普遍出现程度不等的供气不足和限气、停止供暖等事件，解决能源匮乏刻不容缓。同时，国家在生态环境方面的一系列政策要求政府大力进行大气污染治理。面临这种双重压力，河北省各地正在努力实现燃煤供暖锅炉的全面整改。在整改过程中，"气荒""意外断电"等现象的出现使供暖价格提升至 45 元/m^2 左右。在此压力下，居民纷纷呼吁低成本清洁型能源供暖的采用。

在此背景下，河北石家庄市无极县政府与宝石花地热能开发有限公司合作进行中深层地热清洁能源开发项目的建设。

2. 项目概述

该项目的主题为分布式 U 型井中深层地热供暖，致力于"取热不取水"，充分利用地热能资源来降低对煤炭、天然气等传统化石能源的高度依赖，逐步降低由于供暖而产生的二氧化碳排放。

无极县政府以财政部、住建部、环保部、国家能源局于 2017 年 5 月 16 日联合发布的《关于开展中央财政支持北方地区冬季清洁取暖试点工作的通知》和《河北省冬季清

洁取暖工程实施方案（2018）》等文件精神为依准，制定该中深层地热清洁能源开发项目的 PPP 合作方案。县财政下属经投公司与宝石花地热能开发有限公司成立合资公司共同进行项目投资。

宝石花地热能开发有限公司在无极县设立了项目公司"无极县三迦新能源科技有限公司"并与无极县政府签署 BOT 合同。根据该合同，项目供热收费标准为采暖季每建筑平方米 22 元，公建供暖为采暖季每建筑平方米 28 元。目前，项目公司已完成《无极县地层勘查报告》，勘查覆盖面积约 524 km^2。

3. 项目实施重点

公私合作模式下的该项目实施重点包括：①以政府文件与合法合同为基础。该项目通过当地政府及人大决议，并列入财政年度预算。②多维度的公私合作。除了项目建设中的公私合作外，宝石花地热能开发有限公司还与河北省地矿局签订战略合作框架协议。通过人力、技术、资金等方面的资源共享，双方利用已掌握的地热地质资料为地热资源开发靶区选择提供了详实的数据参考。经过 2019 年上半年的努力，编号为 JRT-1 的地热井于 2019 年 10 月 7 日成功出水，初步测定井口水温 97℃，水量达 80m^3/h，钻井深度 4000m。③特许经营公司股权。项目实施过程中，无极县政府在土地、基础设施建设等方面赋予宝石花地热能开发有限公司一定的特许经营权。在双方成立的合资公司中，县政府方面具有主导权和控股权。宝石花地热能开发有限公司主要负责项目的运营。④项目融资。根据双方的合同，该项目所需资本考虑引入银行信贷、保险信托、资管计划及保险资金等多种融资形式。

通过公私合作模式的应用，无极县政府与宝石花地热能开发有限公司实现了资源的高效整合，项目投资、建设及运营管理效率大大提高，探索出了一条节约型、环保型、可持续型的地热开发利用路径，对建设环境优美的宜居城市、提高居民生活质量起到了重要作用。

四、公私合作模式为地热能产业运作带来的优劣势分析

社会资本和政府之间的伙伴关系对双方都有好处。例如，社会资本所引领的技术和创新可以提高运营效率，从而帮助政府提供更好的公共服务。政府部门则提供政策导向，鼓励私营机构按时在合理的预算下进行工程建设。此外，公私合作模式（PPP）创造了经济的多元化，使整个社会在促进基础设施建设和相关建筑、设备、支持服务及其他业务方面更具竞争力。在地热能产业发展上，这一点已经得到了很好的体现。

当然，公私合作模式（PPP）也有不利的一面。公共基础设施涉及多重风险，如建设施工风险、市场风险、资本风险、需求风险等。如果产品没有按时交付、超出成

本估算或存在技术缺陷,责任的承担将成为难题。

从总体上来说,公私合作模式(PPP)是一种新型的公共产品供给模式,在地热能产业运作中的深入施行能够带来诸多有益之处。通过政府公共管理与民间资本力量及其他相关资源的整合,公私合作模式(PPP)将起到促进地热资源统一开发利用、提升产业效率、优化能源结构等作用。同时,在公私合作模式(PPP)的运行过程中,特许经营权招标制度也将得到有效应用,这有利于地热能企业在供热市场上的进一步精耕细作。

第四节 "工程总承包+融资"模式("EPC+F")

提到"EPC+F",需要首先厘清 EPC 的概念。所谓 EPC 是指工程(Engineering)、采购(Procurement)、建设(Construction),它是国际通用的工程总承包产业的总称。"EPC+F"中的"F"则是指融资(Financing),其目的是通过整合项目融资与承包环节,在帮助业主解决资金来源的同时,承建方发挥在融资、设计、采购、施工的全环节竞争优势,实现"双赢"格局,即在推动当地建设的同时,企业实现规模和效益的增长。

一、"工程总承包+融资"模式简介

从某种意义上说,该模式是国内企业参与国际工程而被迫"发明"的。国内企业承担的国外项目大多在发展中国家和地区,当地政府亟待解决经济社会全面发展的压力,但往往财力有限,无法承担巨大的基建项目费用,并且因为国际工程领域竞争的白热化,国内企业被迫拿出比竞争对手更强的优势,即"带资进场"。国内企业通过为项目所在国或地区提供"EPC+F"的项目运作模式,从而在资金与技术共同加持下于逆境中求得项目机会,借助后期的品牌与口碑逐步拓展国外市场。

二、"工程总承包+融资"模式助力地热能产业发展

近几年,随着国家环保政策的调整,地热能作为可再生新能源得到了社会各界的普遍重视,资本市场也在一段时间将其作为"蓝海",地热能开发类企业如雨后春笋般涌现,市场竞争也日趋白热化。

但地热能产业作为能源产业的本质并没有改变,行业的基本特质决定其具有行业规模发展快、资金体量大、交易程序繁琐且成本高、结算复杂度高等特点,形成了"外热内不热"的被动局面。同时,个别大型国企、央企为了布局产业发展,利用自

身在资金、技术等方面的优势，在一定程度上形成排他的竞争优势，提出"EPC＋F"的地热能项目开发模式。

该模式工程造价涵盖了工程成本、融资成本和工程利润。业主（政府）将工程发包给施工承建方，按工程进度安排支付款项，建设期施工承建方不垫资，项目竣工后移交给政府，后期可以联合政府共同负责运营、维护。该模式主要优势是集中发挥了EPC模式的灵活性。在EPC模式下，设计、采购、施工一体化集成，避免了多头协调，相比PPP模式可从立项、决策等环节缩短项目周期。而且，在EPC＋F模式下，可采取融资租赁、材料设备出口信贷等多通道融资，既能降低融资成本又能提高融资效率。这种无往不利的经营模式转变有助于产业得到提升与发展。

三、"工程总承包＋融资"模式在地热能产业中的实践

目前EPC＋F模式只是在国外地热发电项目中得到了应用，在国内仍处于起步阶段。例如，2016年杰瑞石油中标肯尼亚Olkaria井口式地热发电厂项目、2019年开山股份全资孙公司欧亚公司承建土耳其CANAKKALE的地热发电站项目。但是，考虑到未来的巨大潜力，EPC＋F模式辅助地热能产业发展将是大概率事件，尤其是在节能环保的压力下，大中型国企、央企的介入势必起到有力的推动作用。

四、"工程总承包＋融资"模式评价

对于地热能产业来说，EPC＋F模式还有待市场检验，但其发展潜力不容忽视。EPC＋F模式为地热能带来的改变至少包括以下几个方面。一是自2018年底进入清理整顿阶段以来，社会各界对PPP模式进入了观望阶段，给EPC＋F的发展提供了机遇。二是EPC＋F模式操作相对简单，更能满足地方政府（业主）和施工承建方对实施效率及短期业绩的要求。三是在地方政府（业主）财权事权不匹配的情况下，EPC＋F模式能帮助地方政府筹资融资，解决实际问题。四是EPC＋F模式对业主方的要求低于其他类项目，且其项目实施类似于捆绑式、陪伴式销售，可以极大降低业主方的顾虑。

通过建立这种管理经营模式，特别是随着大量同类项目的孵化落地，该模式的优势将会逐步显现，并有可能在全国产生规模效应，也会推动地热能产业内部的各类资产实现更为便捷的流通与交易，促进产业有序、高质量的发展。

第五节 "地热能＋"模式

在知识社会创新2.0、工业4.0、物联网、工业互联网、5G技术等力量的推动下，

各行各业都出现了一些新业态、新模式，地热能产业也不例外。围绕地热能而形成的"地热能＋"模式已经进入人们的视野。从本质上来看，"地热能＋"模式具有全要素生产率驱动的特点。换言之，"地热能＋"模式综合了地热能开发利用方面的各种要素，探索出了一种多要素协同作用的产业发展新路径（刘中云，2018；梅婷婷，2018）。

一、从规划层面看

规划层面上的"地热能＋"是指发展"深层地热能＋浅层地热能＋太阳能＋工业余热＋污水源热泵＋工业余热"的"大地热"多能互补的产业发展模式。通过梯级利用和综合规划，该模式能够起到保障城乡居民能源消费需求、助力实现绿色低碳发展的作用。与太阳能、风能等其他类型的新能源相比，地热能的优势是能源产出稳定、可以根据不同温度来进行分层次的梯级利用。高温水进行地热发电后，带有中温的余水还可进行地热供暖，而供暖后的余水，还可以经过处理后输入其他管道进行梯级利用。这样使每个阶段的温度得到充分利用，既节约了资源，又提高了效率，同时也有利于多角度收益，是全面提升地热能产业竞争力的一个有效手段。

二、从产品层面看

产品层面的"地热能＋"是在推广地热供暖的基础上，加入制冷产品模块。目前，地热供暖主要有两种模式。一种是小规模的地热井为城镇小区供暖，另一种是零散的地源热泵系统供暖。大型集中供暖不仅代表着地热能供暖的发展趋势，同时也是清洁型能源消费的重要体现。欧洲一些国家的地热能企业不仅可以进行地热供暖，同时还可以进行地热制冷。在拓展地热产业发展模式的过程中，这一点也必然被我国地热企业及研究机构借鉴使用。在"地热能＋"模式下，大型集中供暖将与地源热泵制冷等技术结合起来，这样可以更有效地利用地热资源。例如，国内一些地热企业已经通过借鉴互联网及高端制造业模块化运营思路，实现了围绕地热能的集约化运营。

三、从服务层面看

服务层面的"地热能＋"的一个例子是依托地热温泉旅游进行地热服务综合体的开发。也就是说，顺应消费者需求层次升级的需要，依托地热温泉这种特殊资源，加上地产、休闲、养生、娱乐等其他功能，打造多层次、多角度的综合体。这不仅可以实现地热温泉资源的增值，同时也可以起到矿产资源保护的作用。

总之，"地热能＋模式"不仅实现了地热产业发展过程中诸多要素的整合，更通过对互联网及其他领域头部企业先进经验的吸纳，发展出更为多元化的经营管理方法。

第六节 区块链模式

习近平总书记曾经指出，"区块链技术应用已延伸到数字金融、物联网、智能制造、供应链管理、数字资产交易等多个领域"。区块链技术与产业创新发展的融合已经成为重要的趋势，将区块链模式运用于产业经济发展势在必行。在能源市场上，这一模式已经初现端倪。

一、区块链模式简介

就本质而言，区块链是由不属于任何单个实体的计算机集群管理的一系列带有时间戳的不可更改的数据记录。这些数据块中的所有数据都使用密码原理来进行保护并彼此绑定。由于它是一个共享且不可更改的电子数据，其中的信息对任何人都是开放的。因此，任何建立在区块链上的东西本质上都是透明的，参与其中的每个人都要对自己的行为负责。

近年来，区块链所创造的智能合约社会化、去中心化、资产数字化等趋势引发了社会各界的高度关注，它也正在逐渐向社会各领域渗透。就地热能产业而言，区块链模式已经成为一个值得高度重视和研究的现象。结合有关文献，本书将地热能产业出现的区块链模式定义为"区块链与地热能产业深度结合所产生的新型产业形态"。

地热能产业是能源产业的组成部分，具有行业规模发展快、资金体量大、交易程序繁琐且成本高、结算复杂度高等特点。同时，在地热能产业内部建立有效的信用机制十分困难，产业数据的共享利用率也比较低。区块链模式的出现，将逐渐克服这些问题并创造新的发展机遇。

二、区块链模式在地热能产业中的具体施行

区块链模式在整个能源市场上的应用均处于起步阶段，在地热能产业中的具体施行也只是零星出现。但是，考虑到其未来的巨大潜力，区块链模式向地热能产业的渗透将是大概率事件，对其应用也需要形成大体上的框架。

区块链模式在地热能产业中的具体应用场景包括以下几个方面。①分布式交易。在未来的地热终端产品/服务的交易过程中，去中心化的交易模式将部分乃至全部地取代现在的中心化现金交易模式。②地热金融。一方面，地热能企业和产业金融机构

可以通过区块链来开展融资活动;另一方面,整个产业的交易信息数据被放置于区块链之中并用于不同主体的金融征信。③碳交易与绿色电力证书认购交易管理平台。在未来,区块链将发展为碳交易及绿色电力证书认购交易的综合处理平台。以这些场景为基础,地热能产业中的交易活动将得到充分的技术赋能,从而体现出开放化、自主化等新的特征。

三、区块链模式评价

对于地热能产业来说,区块链模式尚属新鲜事物,但其发展潜力不容忽视。区块链模式为地热能带来的改变至少包括以下几个方面。①建立新的关联节点系统,引发深层次的技术融合、要素融合乃至产业融合,最终形成基于区块链的产业链;②消费者的角色更为复杂,他们不再单纯地接受地热能企业提供的产品/服务,而是凭借区块链深度参与能源市场的交易;③区块链模式下的通证化(Security Token Offering)将为地热能产业中的债权、股权、基金、衍生品等各种交易标的建立新的金融交易模型和交易模式。通过这种交易模式上的转变,地热能产业内部的各类资产将实现更为便捷的流通与交易。同样,其中所蕴含的资本、市场、技术等风险也必须引起地热能企业及有关机构的重视。

第六章　促进我国地热能产业高质量发展的模式构建

前文对我国地热能产业发展现有模式和若干新类型进行了分析，对国外地热能产业发展的现状及经验教训进行了总结反思。本章结合前文分析，提出了我国地热能产业发展路径的时代变更，阐释了地热能产业高质量发展模式的理论构想，构建了地热能高质量发展模式的基本逻辑框架，并初步对地热能产业高质量发展模式的关键点进行了系统探讨，对有关主体的优劣势和作用发挥进行了初步分析，提出我国地热能产业高质量发展模式是："我国经济新常态下地热能产业坚持创新驱动型发展、协调可持续型发展、绿色生态型发展、高效率型发展、有效供给型发展、中高端结构型发展、开放包容型发展、为民共享型发展有机统一，政府部门作为政策供给者、地热能企业作为价值创造者、金融机构作为资本供给者、高校及科研院所作为理论和人才支撑者优势互补的一种科学产业发展模式"。

第一节　地热能产业发展路径的时代变更

改革开放40多年来，传统的区域性产业发展路径可以总结为：生产要素融资—生产基础设施建设—招商引资—项目运营—债务偿还。在新常态背景下，这种产业发展路径演化为：产业选择—产业政策引导+产业培育—基于产业平台的项目价值实现—政府与企业的协同成长。这种发展路径，反映到特定的产业上，就必然会为产业发展模式的变革注入新的活力。

相比改革开放初期，我国多数产业都实现了前所未有的进步。就本质而言，这种发展的根本路径在于劳动力生产水平在政策及时代环境驱动下的迅速释放。这种产业发展的时代红利已经被消耗殆尽。这要求我们对时代变更背景下的产业发展路径进行审慎思考，将新时代产业发展的战略思维转移到生产工具改进和发展模式提升上来（张博雅，2019；覃成林和潘丹丹，2020；许晓冬，2020）。具体到地热能产业，笔者认为其新时代发展路径至少应当突出以下几个方面：

（1）新时代的产业发展路径应当立足于技术突破和创新驱动。

20世纪末至今，网络技术的蓬勃发展极大地促进了社会生产力及生产关系的变革。目前，新一轮技术变革已经呼之欲出。5G、AI（人工智能）、VR（虚拟现实）、区块链、物联网、量子计算机、可控核聚变等均处于突破前沿，必将引起各产业发展模式的深层次变革。从整体上来看，我国政府对这些领域均高度重视，发展水平也位于世界前列。"摸着石头过河"已经成为过去，类似于"无人区"的技术环境对产业战略思维的创新性与前瞻性提出了更高的要求。同时，以"中国制造2025"为代表的发展目标也彰显了产业技术的努力方向以及核心领域突破重点。当下，新一轮科技革命和产业变革对全球经济格局和全球创新版图起到了重构、重塑的作用。谁能占领科技创新的高地，谁就将在未来的经济发展中立于不败之地。

就政府的产业规划及产业政策而言，利用技术突破实现增长方式转型必须从两个方面来进行考量。一方面，聚焦战略新兴产业并为之提供政策、土地、财政、金融等方面的支持，为社会经济发展注入新的活力。另一方面，这些新领域的发展对人才资本、管理能力等因素的要求也非常高，政府需要注意政策导向的精确性和产业发展的区域均衡性。

就地热能产业发展模式而言，应当积极把握技术变革所带来的机遇，通过科技赋能提高生产经营的效率，真正实现产业发展在规模和维度上的双重突破。从成本层面来看，有必要借助各种前沿技术进行流程再造，减少生产及营销环节的资源浪费。从效率层面来看，有必要深度整合产业链的各个价值创造环节，提升整个行业的运作效率。此外，有必要利用SaaS、大数据、VR/AR、云能源等技术进行产业赋能和消费场景优化，推动整个产业实现转型升级。

（2）新时代的产业发展路径应当注重空间布局的科学性。

在一个国家的经济活动中，产业通常扮演着"主体"与"支柱"的角色。对于省级区域的地方经济发展来说，产业更是发挥着难以替代的作用。当前，国际国内市场环境的复杂多变性、新冠肺炎疫情的意外冲击等因素给区域经济的发展造成了沉重的压力。一方面，2008年国际金融危机以来，全球经济呈现需求不振的局面，政治格局也在发生深层次变革，全球化的进程逐步放缓，加上我国经济进入新常态，经济增速逐步放缓，影响了新产能的市场需求。另一方面，层出不穷的新技术、新业态、新模式给传统产业发展模式带来严峻挑战，产业政策、产业组织、产业区域布局都需要进行优化调整。

就地热能产业发展模式而言，产业空间的合理布局也应当予以充分重视（谭璐，2019）。具体来说，有必要在摸清地热资源"家底"的基础上根据不同地区的地热资源赋存情况进行地热能产业空间布局的优化。在西南、西北等高原地区，重点发展干热岩发电、高温地热发电，在东北、华北、华东、华中等平原地区，重点发展基于地热能的供暖制冷。在某个具体的区域，则可以根据地热资源条件和经济发展基础打造符合地区发展特色的地热能综合利用体系。例如，河南充分发挥不同性质地热能企业在融资渠道与资金成本、生产管理、市场营销等方面的优势，形成了从初级到高端的地热能梯级开发利用体系。

此外，有必要通过地热能高质量发展示范区的建设来推动地热能产业区域布局的科学发展。例如，以雄安新区为中心实现周边辐射。在规划理念方面，坚持规划先行、因地制宜和综合发展；在功能来源上，逐步实现浅层地热能、水热型地热能到干热岩的多元使用。在供暖制冷方式上，逐步实现电力、地热能及其他方面能源的联合开发。产业价值链方面，着力发展上中下游纵向一体化的地热能产业优质集群。再如，以青海共和盆地地热试验区为中心进行干热岩型地热能的勘查开发。以青海共和盆地的干热岩型地热能为基础，追踪国际前沿技术，组织各方力量进行战略科技攻坚，争取在基础理论建设、技术体系拓展、工程与装备研发等方面实现核心突破。

进一步地，地热能产业发展规划不仅要注重区位优势，更要注重网络空间的市场拓展。在网络及通信技术持续进步的驱动下，未来的地热能产业规划不仅要着眼于地理及物理空间的整体布局，还要找准在全球产业网络中的"生态位"。除了利用"一带一路"国家战略加强地热能产业的海外布局之外，还有必要积极抢占地热能产业国际分工的高附加值环节。对于政府来说，应当引导地热能产业与"互联网+"的进一步融合，通过智能化的产业政策引导实现数字驱动。对于地热能企业来说，应当注重网络层面的市场占领，同时还要积极与上下游企业及具有横向合作关系的其他机构共同打造全球化的网络生态链。

(3) 新时代的产业发展路径应当突出生态环境保护意识。

应当承认，在传统的要素驱动、政府驱动、投资驱动等模式下，地热能产业也获得了一定的成绩。但是，也应当认识到，这种成绩具有资源依赖的特点，低环境成本、低劳动成本的特征同样较为突出。同时，对生态环境保护不够重视的弊端也较为明显。在新常态背景下，这种模式在产业发展实践上已经显得十分落伍。近年来，国家对生态环境保护问题日益重视，生态环保和健康科技都已发展成为十万亿级别的规模市场。在此背景下，地热能产业发展应当突出生态环境保护意识并将之作为产业规划及产业政策的重要方面。

(4) 新时代的产业发展路径应当体现共享与融合。

党的十九大报告指出，要"着力加快建设实体经济、科技创新、现代金融、人力资源协同发展的产业体系"。从中可以看出，从国家层面，已经不再高度强调传统第一产业、第二产业、第三产业的传统划分方式，产业发展的资源共享和模式融合正在成为一种新的趋势。体现在地热能产业发展模式上，就不能拘泥于传统的规划思路，而是要以"互联网+"为背景实现产业发展资源的共享及发展模式的多层次融合。此外，近年来我国的国民经济发展还出现了另外一种趋势，即发展重心逐步从家电、汽车、服装、房地产等个人消费品向公共交通设备、智慧城市、航空航天等公共品进行转移。作为地热能产业代表性终端产品/服务的供暖制冷及电力也属于公共品的类型。

这种高度复杂的公共品的产业发展已经不能依靠某个城市或区域的产业链配套，取而代之的是规模化产业集群下关键零部件及整个生产运作体系的精准匹配（徐东等，2017）。

总之，新常态是当前各产业整体规划及产业政策的实施重点。地热能产业发展模式不仅要着眼于产业效益的实现，更要着眼于产业发展与社会发展其他方面的耦合。在构建新型地热能产业发展模式的过程中，不仅要考量技术研发、市场开拓、产业空间布局、产业国际分工等内容，更要从产业发展路径时代变更的角度出发来实现具有质变意义的思路突破。

第二节 构建地热能产业高质量发展模式的理论构想

随着产业内部资金、技术等要素的积累以及政策导向、市场需求端的变动，产业结构本身也会发生从低级到高级、从简单到复杂的演进。同时，一个国家特定产业参与国际分工的深度和广度也在发生着变化。因此，产业发展模式总是在发展变化的。在第二章，笔者对产业高质量发展模式的概念进行了初步解析，在此将对这一概念构想在地热能领域的运用进行更深入的阐释。

在新常态背景下，我国国民经济的增长方式正在逐步由速度型向高质量型转变。这是中国特色社会主义经济发展到特定阶段的一种必然产物，更是一种历史性的转变。结合国内学者的研究可以认为，高质量发展将是21世纪上半叶我国经济发展的关键战略方向（任保平和刘鸣杰，2018；陈锡稳，2020）。反映在具体的产业上，质量、效率和动力等方面的变革将成为提升产业发展模式的价值基点。

产业高质量发展是一个具有综合性、系统性和动态性的概念，代表了未来产业发展的新潮流、新趋势、新方向、新范式与新规律。我们应当站在打造优势战略新兴产业、提升产业国际竞争力乃至中华民族伟大复兴的角度来认识产业高质量发展的概念内涵。也就是说，通过产业发展模式理论框架的完善以及在不同产业的运用，应当能够构建起产业组织、产业政策等方面的"中国方案"。这要求我们更加清晰地理解产业高质量发展的内涵，从基本逻辑、运行规律等不同维度对其特征进行准确把握。有鉴于此，笔者提出"地热能产业高质量发展模式"的理论构想。

（1）地热能产业高质量发展模式要体现经济效益与社会效益的和谐统一。

在新常态背景下，多数产业都面临着产能过剩、市场需求日益精细化等局面，过去那种通过粗放式的资源投入来追求利润的发展方式将遭到淘汰。反映到地热能产业的发展模式上，就应当积极进行变革创新。地热能产业新型发展模式的构建不能仅仅满足于阶段性、局部性的经济利益，而是应当通过对需求侧的深入分析来进行针对性提升，进而创造更高的价值并实现经济效益与社会效益的和谐统一。换言之，地热能产业新型发展模式的衡量标准不仅包括产业规模、利润、要素生产率等经济指标，还包括了生态环境保护水平、居民生活满意度等社会效益指标。

（2）地热能产业高质量发展模式要体现高度的稳定性。

在复杂多变的外在环境下，地热能产业高质量发展模式要求我们对其运行规律有更深入的认识，进而追求稳定的、可持续的、低风险的长期增长。例如，在产业集中度方面，要在审视产业内部企业与市场互动关系的基础上进行合理控制。既要积极培育若干经营规模突出、技术雄厚、市场运作能力强的龙头企业，也要通过产业链的合理布局扶持一批为地热能产业提供支持性活动的中小企业。通过这种平衡，将能够降低地热能产业内部结构方面的波动性，推动整个产业实现稳定增长。

（3）地热能产业高质量发展离不开时间维度的审慎考量和周密落实。

地热能产业高质量发展应当立足于我国地热能资源赋存条件与市场需求的精准耦合，坚持具体问题具体分析，在不同的发展阶段完成不同的产业发展任务。在近期，以基于地热能的供暖制冷为核心，通过政策扶持和体制保障，进一步完善绿色产业链。在中期，以核心技术突破为抓手，为地热能的大规模开发及梯次利用奠定坚实基础，打造一批具有示范意义的地热能综合利用工程，形成优势产业集群，逐步向全国推广。从长期来看，逐步完善地热能资源勘探、开发利用的技术体系与市场体系，把地热能产业培育为新能源产业的核心组成部分，为推动能源结构优化和保障国家能源安全发挥关键作用。

（4）地热能高质量发展模式要注重因地制宜。

在华北地区，生态环境形势较为严峻，有必要通过浅层地热能与水热型地热能的体系开发来替代对煤炭、石油等传统化石能源的使用，逐步实现清洁供暖。在西南地区，要充分利用高温地热能赋存丰富的优势，有序推进地热能发电，为当地经济发展提供成本更低、效率更高的清洁基荷电源，为改善当地居民生产生活条件作出应有贡献。在未来西南地区地热能发电技术更为成熟的条件下，还可以向华北、华中、华东等地区进行电力输送。在华东及华南地区，加快浅层地热能开发利用的步伐，为当地居民提供更为经济有效的供暖制冷服务，推动长江经济带真正实现绿色发展。同时，加强地热能产业发展的国际布局，与"一带一路"沿线国家进行更密切的产业合作，不断提高我国地热能产业的价值输出能力。

第三节 构建地热能产业高质量发展模式的基本逻辑框架

在产业发展竞争日益激烈的时代背景下，地热能产业高质量发展模式不能仅仅满足于提出概念和理论构想。更重要的是，有必要对高质量发展模式进行深层次的解析，形成相对完备的逻辑框架。

一、构建地热能产业高质量发展模式的应然性

产业发展有关理论、环境适应理论及环境选择理论的相关研究都能够支撑这样的观点：产业发展总是与外在环境息息相关的。前文使用PESTEL工具对地热能产业发展进行环境分析的意义不仅在于认识其战略性和关键性的外部环境，更在于探索如何在战略性、关键性外部环境发生深刻变化的时代背景下进行新的模式构建。从这个意义上来说，地热能产业高质量发展模式的构建有其深刻的时代应然性（蔡绍洪，2010；吴洪发，2018；贺晓宇和沈坤荣，2018）。这是响应环境倒逼的客观需要和开展适应性变革的重要抉择，决不能仅仅停留在纸面意义上的概念演绎。

（1）落实党和国家能源战略、助力新能源生产以及消费转型的需要。长期以来，党和国家领导人都高度重视新能源事业的发展，习近平总书记更是将之提升到国家战略的层面并提出了"四个革命、一个合作"的总体方针。根据该方针，到2050年我国新能源事业将实现质的突破。彼时非化石能源在一次能源中所占比例将超过50%，而电能在终端能源消费中所占比重也会达到这一水平。此外，还应当考虑到，能源产业也关系到"一带一路"的落实。要实现此类宏伟目标，以地热为代表的新能源将起到有力的支撑作用。构建地热能产业高质量发展模式将有助于推动新能源产业实现高效增长，从而能够使国家能源结构逐步得到优化。

（2）产业转型升级的需要。近年来，地热能产业发展获得了宝贵的机遇窗口，产业规模持续提升，产业发展机制趋于成熟。根据产业生命周期的一般规律，地热能产业发展将逐步由"规模型"向"质量型""效益型"转变。与传统能源相比，地热能的储存、生产及应用均有分散性、波动性等特点，这也给地热能产业的发展提出了新的挑战。要实现地热能产业的高质量发展，就需要通过资源整合、科技创新、人力资本培育等各种手段来提升整体竞争力。

（3）建设国际一流能源企业的需要。地热能产业高质量发展模式的构建必然意味着地热能相关企业经营管理水平的改善。进一步地，这会推动地热能相关企业积极进行技术创新和管理升级。只有地热能产业将进入自我赋能、自我进化的时代，地热能相关企业才能充分利用政策、市场、技术等方面的机遇实现运营模式的升级改造。

（4）助力地方社会经济发展的需要。近年来，我国经济进入"提质换挡"的特殊时期，中央及地方政府对地方产业结构调整问题高度关注。在经济转型过程中，地热能这类新能源更是重点所在。着力进行地热能高质量发展模式的构建，打造新业态、新模式和新生态圈，不仅可以更好地推动地方经济发展，还可以从生态保护、环境美

化等角度创造综合性的社会效益。

总之，地热能产业高质量发展模式意味着对单一、粗放、低效的传统产业增长方式的扬弃和对多元、集约、高效的发展模式的构建。这不仅是地热能市场发展的内在要求，也是落实国家有关产业政策的必然选择。

二、构建地热能产业高质量发展模式的实然性

从本质上来说，地热能产业的高质量发展模式是一个具备周密标准系统的科学体系，并非华而不实的空中楼阁。地热能产业的高质量发展模式对发展状态与发展范式提出了新的更高要求。对于各相关利益主体来说，需要从传统的低质量发展状态进化至新的高质量发展状态，也需要从粗糙的发展范式进化至科学、规范、精细的新型发展模式。这一过程既包括量的提升，更重要的是质的飞跃。要实现这一过程，就必须抛弃任何形式主义的想法，实事求是地考虑产业发展驱动因素与制约因素的影响，进而形成对地热能产业高质量发展模式的现实支撑条件及约束条件的理性认识。有此基础，地热能产业高质量发展模式的"落地"才具备实现的可能。

（一）客观支撑环境

前文回顾了地热能产业发展的历程，对产业发展的环境也进行了分析。得益于开放的发展理念、有效的政策供给、持续的生产要素积累、庞大的市场需求等因素，地热能产业发展所具备的条件均基本具备。从总体上来看，我国地热能产业所面临的发展环境是较为有利的。

（1）适宜的社会生态。从终端市场需求侧的角度来看，我国14亿人民日益提升的生活水平带来了关于供暖产品/服务及清洁能源消费的巨大需求，这为地热能产业的高质量发展提供了广阔的市场纵深。从社会参与来看，社会公众、非政府组织、非营利组织、公众媒体都是地热能产业价值系统中的节点与成员，扮演着十分重要的角色，地热能产业及内部企业的变革与创新都离不开它们的参与。

（2）有效的政策供给。改革开放的伟大成就证实了社会主义制度的优越性，同时也彰显了各级政府高水平的政策供给能力。在新常态背景及落实"一带一路"背景下，我国各级政府必然会沿着既定的轨道不断提升公共管理水平，产业发展政策的供给也必然会随之持续改善。前文曾经提及，地热能产业发展的政策、制度及配套都处于不断完善的过程中，这为地热能高质量发展模式的构建提供了有力、有利的制度保障。

（3）坚实的产业基础条件。通过前文分析可以发现，我国地热能高质量发展模式的构建具有坚实的产业基础，具体包括：丰富的地热资源赋存、庞大的消费需求、持

续进步的技术能力、深厚的人力资本储备，以及富有特色的多元化经营模式等。

（4）多维度的企业赋能。经过多年的市场洗礼，我国地热能企业的经营管理水平比20世纪已经有了较大程度的提升，对自身竞争优势的培育通常都较为重视。在时代赋予的宝贵机遇的推动下，我国地热能企业有动力也有能力进行资金、知识产权、管理制度、流程、市场营销、渠道、人力资本等多个维度的自我赋能。同时，政府、社会中介组织及社会公众也从另一方向对企业进行赋能，这将推动我国地热能企业进一步提高自身竞争力，最终必然会传导至地热能产业的整体发展模式上。

值得指出的是，社会生态、制度供给、产业基础条件和企业自我赋能之间并非单纯的并列或简单的单向线性影响关系，而是相互作用的共同演化关系，存在多重的非线性影响，对这一点还需要进行深入的研究分析。

（二）现实约束条件

地热能产业高质量发展模式的构建是一项复杂的系统工程，需要"久久为功"。如果不能正确认识这方面存在的现实约束条件，就容易忽视发展过程中所必然会遇到的困难与风险。

（1）从客观困难的一面来看，地热能高质量发展模式所面临的因素包括：①地热能在新能源家族中的地位及社会认知并不乐观；②地热能产业发展需要克服诸多方面的研发难点和工程管理变数；③在当前中美贸易战的大背景下，我国地热能产业在"走出去"的过程中必然会面临以美国为代表的竞争对手的反击乃至遏制。

（2）从风险概率的角度来看，地热能高质量发展模式所面临的因素包括：①产业发展本身所蕴含的风险，包括产业生命周期阶段、产业波动性、产业集中程度等，这要求相关各方对地热能产业发展的内在规律进行持续而深入的研究；②产业发展影响因素中所蕴含的风险，包括政策风险、金融风险、管理人员道德风险等。从目前的情形来看，学术界对地热能产业发展过程中的风险所进行的研究还不够完善。在课题调研过程中，笔者也发现，多数地热能企业还没有设置专门的风险管理职能部门，应对产业风险方面的管理措施也远远不够。

三、构建地热能产业高质量发展模式的实现性

高质量发展模式首先是一种理论构想，其付诸实践的过程离不开目标体系的设计、策略的科学安排和任务的细化分解。在构建地热能产业高质量发展模式的过程中，应当立足地热资源赋存情况、顶层制度设计、产业发展现状等推动落实。

（一）地热能产业高质量发展模式的目标体系

地热能高质量发展模式的"落地"需要以清晰的目标为导向，否则就容易在发展

过程中出现方向上的偏差（牛晓帆，2012）。综合前文研究，结合有关理论成果，本文对地热能高质量发展模式的目标体系进行了初步的整体总结（表6-1），可以直观地看出其目标内容、目标意义和具体工作。

表6-1 地热能高质量发展目标体系简表

序号	目标内容	目标意义	具体工作
1	全国地热资源的科学勘查与量化评价	为地热资源的产业化开发应用提供依据	支持地质勘探研究及地热能企业协同参与地热资源勘查评价，加快查明全国地热能的区域分布、地质条件、热储特征、地热资源量并对开采技术经济性进行科学评价
2	推进浅层地热能模化利用	逐步实现浅层地热供暖的规模化利用	通过推进示范区建设，推进浅层地热能清洁供暖规模化利用试点区域先行先试，探索地热能场化投资运营模式，不断完善地热能商业化运营的方式和体系，实现地热能资源的集约利用
3	积极发展中深层水热型地热能供暖	将中深层地热能供暖作为城镇冬季清洁采暖的重要方式	积极推行EMC、PPP、EPC+F等模式，以及地热能+、区块链模式，支持不同类型的地热能企业进入地热能供暖市场，鼓励地热与电力、燃气、生物质等其他热源的联通使用，切实优化能源供给结构
4	落实"十三五"地热规划关于地热发电的路线规划	进一步拓展地热产业经营范围，优化能源结构	加强地热发电技术研发；提升干热岩开发利用工艺
5	完善产学研创新合作体系	整合不同类型的生产要素，提高产业竞争力	利用知识产权促进地热能产业的高质量发展；攻克地热开发利用领域的关键技术；培养地热能产业发展的高素质人才队伍
6	形成周密的产业管理制度	改进地热能产业布局；优化地热能产业发展的政策供给	从源头明确地热资源的性质；理清地热能开发利用的管理职责；制定和落实推动地热能高质量发展的政策；加强监督、考核、信息共享等方面的配套制度建设
7	完善产业竞争力评价体系	提高地热能企业及整个产业的国际竞争力	从经济效益与社会效益等不同维度建立地热能产业发展的评价体系，定期对之进行评价计算，将考核结果与有关人员的绩效考核挂钩；关注地热能企业核心竞争力的培育；拓展地热能企业的国外销售网络，提升地热能对外贸易竞争力

该体系以"地热能产业高质量发展"为总体目标，具体包括了全国地热资源的科学勘查与量化评价、推进浅层地热能模化利用、积极发展中深层水热型地热能供暖、落实"十三五"地热规划关于地热发电的路线规划、完善产学研创新合作体系、形成周密的产业管理制度、完善产业竞争力评价体系7个子目标。

（二）地热能高质量发展模式的实现策略

随着时间的推移，地热能产业必将日趋成熟，其发展也将显现出更为理性、规范和稳健的一面。这符合事物发展的普遍规律，同时也是人类认识事物、利用事物、监督和控制事物发展的必然结果。与此同时，地热能产业的发展显著地同国家的发展阶段、经济发展的规模和发展的程度密切相关。国际国内产业发展的经验教训也表明，任何产业发展模式都必须遵循产业发展的内在逻辑，不能盲目求快求成。因此，加深对地热能产业发展规律的认识，积极进行模式层面的思路调整，合理地制定发展规划，是高效开发地热能矿产资源的关键，也是推动地热能高质量发展的重点。

（1）明确指导思想。将地热能产业的高质量发展纳入能源安全保障、绿色能源体系建设、能源结构优化、生态环境保护的整体框架进行研究。以"绿水青山就是金山银山"的思想观念为引领，以助力环境治理、应对气候危机、发展绿色高效产业为导向，坚持因地制宜、面向未来，主动融入"一带一路""京津冀协同发展""粤港澳大湾区建设"等，通过顶层制度设计、空间布局优化实现地热能产业的高质量发展。同时，加快地热能资源调查评价与工程技术支撑体系建设，切实提高地热能企业及相关机构的主体活力，推动地热能产业与相关产业的深度融合，着力建设地热能优势产业集群，最终实现经济效益与社会效益的有机统一。

（2）改进整体战略布局。综合资源禀赋与地区社会需求，立足区域地质、水资源和浅层地热能特点、居民用能需求，结合城区、园区、郊县、农村经济发展状况、资源禀赋、气象条件、建筑物分布、配电条件等，合理开发利用地表水（含江、河、湖、海等）、污水（再生水）、岩土体、地下水等蕴含的浅层地热能，不断扩大浅层地热能的开发应用。

（3）优化产业发展对策。学习借鉴美国、冰岛等地热强国在产业政策方面的经验，对标国际一流水平，以地热能高质量发展为导向，以关键技术突破为核心支撑，通过政策制度推动优势生产要素在地热能产业内部的优化配置，切实提升地热能产业整体竞争力。同时，针对当前资本要素在地热能产业发展中作用尚未充分发挥的现状，通过政策引导社会资本深度参与地热能高质量发展，形成健康稳定的资本市场竞争机制，推动地热能产业实现规模与效益的同步增长。

（4）提升产业组织水平。一方面，立足专业化生产，培育一批竞争力强的地热能企业，通过市场扩张获得规模效益。另一方面，规范产业秩序，促进有效竞争，通过质量和服务水平提升、发展科学价格机制等手段增进社会福利，使地热能资源得到充分、有效、合理的开发利用。

（三）地热能高质量发展模式的任务分解

结合对国家地热能产业发展政策的研究和对有关文献的梳理，从政府层面，可将地热能产业的整体目标如下：①摸清资源家底，建立资源数据信息库。启动资源调查项目，科学规划，重点部署，开展对宜于开发地热资源的调查研究；进行全国地热资源评价和区划，确定国内具有经济开发价值的重点地域，探讨将评价范围扩大到干热岩地热资源。②研究制定优惠扶持政策，加速扶持地热产业快速发展。参照其他新能源领域的国家补贴方式，对地热能开发利用进行充分的政策激励和产业扶持政策。③基于技术经济的条件，设立地热能产业"十四五"发展思路。即以"四个革命、一个合作"能源安全新战略和"创新、协调、绿色、开放、共享"五大发展理念为根本遵循，按照构建清洁低碳安全高效的现代能源体系要求，充分开发利用地热能，为北方地区清洁取暖、南方夏热冬冷地区的供暖（制冷）提供绿色替代能源，进一步推动西南地区高温地热发电的增长，争取干热岩发电的突破，实现地热能产业的高质量可持续发展。

通过前文的分析发现，政府、金融机构、地热能企业是地热能产业发展的重要主体。在地热能高质量发展的过程中，需要这些主体承担起各自的责任并通力合作。地热能高质量发展模式任务分解情况简表（表6-2）可以直观反映初步的任务分解。

表6-2 地热能高质量发展模式任务分解情况简表

主体类型	任务
政府	提出地热发电与直接利用的长期目标；完善地热产业发展的管理制度；优化地热能产业发展的空间布局；增加地热能研发公共投入；建立、发布和维护国家及地方级的地热资源及产业发展数据库；推动地热能产业发展的国际合作
地热能企业	攻关关键技术；深耕终端市场；培育企业核心竞争力
金融机构	拓展地热资源勘查开发利用的融资途径；为地热能产业发展提供资本支持
高校及科研机构	基础理论研究及人才培养；建立干热岩选址与评价技术整套方法；开发地热方法与模型，用以找到干热岩或隐伏型水热资源；开发廉价的钻井技术或降低成本的新工艺；改进坚硬岩石和高温高压钻井技术；探索开采干热岩地热能的替代技术的可行性；探索开采水热型地热能的替代技术的可行性；充分发挥国内实力雄厚的研究中心的引领作用，加强地热能相关理论及技术研发的国际合作

第四节 构建地热能产业高质量发展模式的关键点

2015年10月，习近平总书记在关于《中共中央关于制定国民经济和社会发展第十三个五年规划的建议》的说明中指出：发展理念是发展行动的先导，是管全局、管根本、管方向、管长远的东西，是发展思路、发展方向、发展着力点的集中体现。在党的十八届五中全会第二次全体会议上的讲话中，习近平总书记进一步鲜明提出了创新、协调、绿色、开放、共享的新发展理念。新发展理念符合我国国情，顺应时代要求，对构建我国地热能产业高质量发展模式、破解发展难题、增强发展动力、构塑发展优势具有重大指导意义。此后，习近平总书记又在多个场合强调，推动高质量发展是做好经济工作的根本要求。劳动密集、资源密集、高能耗、盲目追求规模化的经济增长方式将逐步被市场所淘汰，取而代之的是体现新发展理念、突出高质量发展导向的"高质量发展模式"。将这一概念应用于地热能产业发展领域，就有必要改变过去那种高投入、高能耗的粗放式增长模式，走出一条科学化、高端化的路子，把我国的地热能产业打造成一流产业。2019年3月8日，国家能源局局长章建华在接受人民网访谈时指出，"高质量发展是关系到能源行业全局深刻变革的大考。在机遇与挑战并存的形势下，能源高质量发展要着力解决能源安全保障、供给侧结构性改革、清洁能源利用比例提升及效率改进、关键核心技术研发突破、能源市场结构优化与市场体系建设等挑战"。因此，面对地热能产业高质量发展这一系统工程，不仅要注重逻辑框架的整体构建，还应当抓住一些关键点来深化理解、完成相关方面的制度设计。在这一过程中，政府与市场、国内与国外、总量增长与绿色发展等方面的关系也需要得到高度重视。

中国科学院院士赵鹏大在谈到新时代地球科学与地质工作的特征时，将其概括为"系统、综合、定量、立体、新型、智能、绿色、惠民"。地热能作为一种新型的可再生清洁能源，其产业发展也应符合这一发展趋势。一是系统。利用地热能资源离不开对地球科学"硬系统"的研究，同时在数字化时代，建立数字地热能"软系统"，有利于合理高效地规划和利用地热能资源。二是综合。加强地热能科学、数据、模型、工具的整合，利用多种方法，勘探、综合开发利用地热能资源。三是定量。用数据的方法研究地球科学，既要研究描述地热的特征，还要定量表征，才能准确给出其差异、特征。四是立体。就地热能而言，浅、中、深是不可分割的，研究深部离不开对浅部的深入了解，也离不开对中部的了解，建立起浅部、中部、深部的相关联系。五是新型。通过开发利用地热能资源这种新型能源，改善我国的能源结构。六是智能。利用各种信息科学、人工智能虚拟实现等手段，通过智能系统、智能设备等高效控制地热能开采和利用。七是绿色。地球生态体系的保障要靠科学的地质工作来加以实现，推动地热能产业发展，绿色是需要遵循的根本原则。八是惠民。地热能产业最终归结于满足人们对生态文明的向往和对幸福美满生活的追求，产业发展必须落实到环境的改善、生活质量的提高这一根本目的上。

结合笔者对有关文献的梳理及课题调研，构建我国地热能产业高质量发展模式，可从以下8个方面进一步深化（图6-1）：高质量发展是创新驱动型发展、协调可持续型发展、绿色生态型发展、高效率型发展、有效供给型发展、中高端结构型发展、开放包容型发展、为民共享型发展。如果能够在这些维度进一步实现突破，将会有助

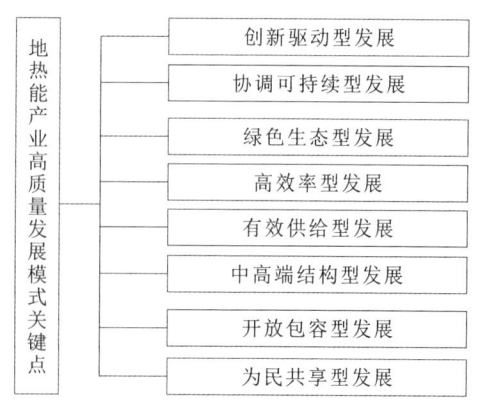

图 6-1 地热能产业高质量发展模式关键点示意图

于加快我国地热能产业技术提升、模式转型以及结构调整的步伐。

一、高质量发展是创新驱动型发展

科学技术是第一生产力,创新是引领地热能产业发展的第一动力。提升科技创新能力不仅是我国未来国民经济发展的动能之所系,更是推动实现地热能产业高质量发展的关键所在。构建我国地热能产业高质量发展模式,首先要强调创新驱动。加快科技创新步伐是提高地热能产业竞争力的一个重要方面,推动地热能产业高质量发展要以创新为突出导向,加大科技研发力度,着眼于瓶颈问题和核心问题,通过勘查技术促进高质量发展,开发技术落实高质量发展,智能信息化技术提升高质量发展,标准化技术体系规范高质量发展,通过连接供需的地热能智慧管网系统,打造智能地热供能系统,打造推进地热高质量发展的科技引擎。

通过创新驱动推进我国地热能产业发展现代化,需要瞄准高效换热、中低温发电、梯级综合利用、防腐防垢、保温和砂岩经济回灌等技术攻关方向,走出一条"原始创新-引进消化吸收再创新-集成创新-引领式创新"的路子。要通过科技创新带来技术突破,抓住工业4.0革命、5G、人工智能等前沿技术带来的机遇,加强现代信息技术在地热能产业中的应用。同时,建立全国地热能大数据平台,利用人工智能、大数据分析等技术,优化资源配置,为地热能产业的创新驱动型发展提供信息支撑,推动地热能产业高质量发展,不断提升我国地热能产业在国际上的影响力。

在具体产业发展实践中,政府可以通过先行先试的办法进行地热能高质量发展示范区的建设,一方面推动其他地区实现地热能产业的高质量发展,另一方面引导其他地区参与地热能资源开发利用。比如,按照世界眼光、国际标准、中国特色、高点定位的要求,服务于高起点、高标准、高质量建设雄安新区,做好雄安新区地热发展规划，量身打造创新驱动型高质量地热能开发利用方案，最终把地热能产业打造成为雄安新区特色产业之一，助推规模化发展的"雄县模式"升级为高质量发展的"雄安模式"，打造全球地热产业发展的样板，占领世界地热行业创新制高点。

二、高质量发展是协调可持续型发展

根据产业生命周期理论，任何一个产业都必然要经历从初创、成长、成熟到衰退的不同发展阶段（任保平，2018）。地热能产业盲目扩张与粗放式的高速增长是不可取的，其所带来的生态环境和资源浪费代价也是不可承受的。要实现高质量发展，就必须遵守客观规律，坚守科学发展理念，量力而行，保证地热能产业协调可持续增长。在认识到这一规律之后，人们就可以对产业发展节奏进行适当的控制，从而人为地延长产业存续的时间。地热能产业高质量发展模式的构建也需要考虑这一问题，尽可能地采取各种有效手段延长产业存续与发展的时间，实现协调可持续性增长。

在产业经济发展所构成的系统内，存在自然资源、生产要素、劳动力素质、资本、知识产权、国际国内环境、政策制度等不同要素。因此，产业的高质量发展应充分考虑各要素充分互动的情形，实现相互依存而又相互促进的协调状态。

地热能产业的高质量发展必须突出协调性。只有地热能产业协调发展才能是可持续的发展，协调发展是可持续发展的必要保障。具体来说：①地热能产业的高质量发展要注重与国家政策的协调，通过拉动农村劳动力就业、设立专项基金等途径为精准扶贫及社会主义新农村建设等国家政策的落实做贡献。②地热能产业的高质量发展要注重与其他产业的协调，不断从互联网、房地产等其他优势产业汲取有益的发展养分，实现地热能产业与关联产业之间的联动、协同与融合。③地热能产业的高质量发展要注重与地区发展的协调，不仅要实现因地制宜的地热能开发，更要推动形成不同地区优势互补、资源共享的协调发展机制。总之，有必要通过产业内各要素的优化配置助力区域经济发展。

可持续性经济增长的核心思想是"着眼长远，兼顾当下利益"。在经济发展方式转型的过程中，原有的劳动力成本、人口红利、市场开发程度低等优势将逐渐弱化，单纯依赖生产要素的粗放型增长不可持续。在地热能高质量发展模式的构建过程中也应当从生产要素的优化投入上来实现不同维度的可持续增长。以时间的维度看，从中国地热能资源禀赋与市场需求匹配度的实际情况出发，近中期以供暖（制冷）为主，加大政策支持力度，理顺体制机制，充分释放地热能资源的能量，促进形成多元高效的能源结构。以适度性的维度看，在地热能资源开采方面，既要着眼于经济利益的实现，也要避免非理性的资源开采，做到"适度而不过度"；在产业发展增速方面，要保持合理的增长水平，避免出现过大的、不必要的波动；在企业市场竞争策略方面，要体现出适度的商业伦理道德感，坚决杜绝恶性竞争。从系统性的维度看，地热能产业的高质量发展是新常态背景下能源发展提质增效的重要支撑，通过地热能产业空间布局的优化和产业链的提升，可以实现地热能与其他能源的协调发展与互补利用，这不仅有助于提升我国能源系统的智能化水平和运行效率，还能够提高整个能源系统的运行效率。

系统科学、生物学、博弈动力学等学科的研究均表明，复杂的体系、群落相对易于稳定和可持续发展，功能简单的体系则容易崩溃。在地热能产业高质量发展过程中，也应当重视这一规律，在区域经济空间结构理论等有关理论的指导下，打造一种生态位多元化且不同主体相互促进的产业体系，保证产业协调可持续发展，从而最终实现和谐永续增长。

三、高质量发展是绿色生态型发展

根据经济合作与发展组织（Organization for Economic Co-operation and Development）的定义，绿色增长是指"以生态资源资产的存续和自然发展为前提的经济增长方式"。在21世纪，推动我国地热能产业高质量发展也需要遵循这一理念，这也正是习近平总书记"绿水青山就是金山银山"理念在经济发展方面的微观投射。

地热能产业发展的国际经验表明，通过政府的精准引导，工业发展与生态资源之间的综合平衡是有可能实现的。在地热能产业的管理过程中，政府有必要将生态环境的保护治理纳入相关的制度建设与政策落实中去，实现"绿色增长"。首先，鼓励地热能企业在清洁生产技术方面进行升级改造，积极淘汰落后产能，通过产业集群、产业园区、产业协作平台的建设来提高地热能资源综合利用效益；其次，综合运用行政、经济和法律手段来解决地热能产业发展过程中所可能引发的环境类问题；再次，要打造面向地热能产业的生态文明建设评价指标体系，对建设项目做好环境评测工作；最后，推出污染者付费制度，对个别地热能企业过度开采、环境污染、生态破坏的行为要坚决予以惩治，敢于和善于使用多元治理手段来提高制造生态环境负外部性行为的成本。

总之，地热能产业高质量发展模式的构建应当突出绿色生态意识，坚持以周密保护水资源与生态环境资源为前提，确保不产生地质灾害、不浪费地热资源、不污染水质、不破坏周边地区生态平衡。除了严格的政策法律法规的硬性约束外，还应当通过绿色金融进行引导，政府尽快设立地热能产业发展专项基金，将地热发电、地热供暖等地热开发利用纳入可再生能源发展专项基金补贴范围，扶持资源勘查、技术攻关、先进示范、信息平台等。同时，引导、鼓励社会资本设立产业投资基金等，引领地热能产业绿色生态型发展。

四、高质量发展是高效率型发展

在以往的产业经济发展过程中，良好的改革开放政策、快速的大规模城镇化、无可比拟的人口红利所形成的驱动力起到了重要作用。近几年来，受国际国内多重因素的影响，我国经济面临沉重的下行压力，许多产业都出现了增长率下降的趋势。但是，这并非经济新常态的必然产物。正如经济学家吴敬琏所说的那样，"高效率支撑的中低速增长才是真正的新常态"。因此，新常态背景下的地热能产业高质量发展模式应该以效率为导向，实现规模及利润、社会效益与生态环境效益等不同层面的高效率增长。

从全球范围来看，没有规模的产业就谈不上竞争力的提升。对于地热能产业来说，只有发挥出集聚效应和规模效应，才能扩大整个产业的竞争力以及在整个社会范围内的影响力。①对于整个产业来说，不仅有必要通过专业化整合来实现上下游产业链的规模化拓展，通过并购重组等方式实现不同企业、不同区域在地热能开发利用方面的优势互补。只有这样才能实现产业集中度的调整与整体意义上的优化升级。当然，规模意义的高效率增长绝不仅仅指产出数字的量级提升，"质"的因素同样不容忽视。也就是说，在做大的基础上更要做强。积极整合政策、资源、资本、品牌、渠道、人才等要素，形成产业创新网络，带动知识和技术的协同外溢，实现产业高度的持续突破。②对于产业内部的企业来说，整体规模的扩大也是经营管理中必须加以注意的一个方面。这就要求企业经营管理人员拓宽思路，一方面通过产品线的多维度延伸与服务体系的升级来增加营业收入，另一方面还要通过资本运作、并购、重组方式来提升经营规模。

利润不仅是衡量地热能企业经营管理的重要指标，对于地热能产业发展来说同样具有重要的评价意义。归根到底，只有实现利润才能证明地热能产业存在的价值，也只有一定的利润水平才能保障地热能产业在生命周期的不同阶段持续发展，而只有较高的利润水平才有可能为地热能产业的高度提升提供有力支撑。①对于地热能产业资本来说，要瞄准产业发展趋势，抓准地热能产业链上的优势环节，在具体的项目操作及并购重组中尽量降低资本周转时间，切实提高产业资本的运营效益。②对于产业内部的企业来说，有必要引入现代化的财务管理制度，从理念和实务操作两个层面完善企业的财务管理水平。一方面，要想方设法拓宽收入渠道；另一方面，在日常管理中要从细节入手实现开源节流，对各方面的费用情况要进行仔细的财务核算和内部监督控制，使成本支出得到有效的控制。

五、高质量发展是有效供给型发展

我国的改革开放事业取得了辉煌的成绩，但是也带来了能源资源约束严重、生态环境形势严峻等问题。新形势下,推动能源结构向纵深方向进行优化调整,加大有效供给,为生态资源的保护和可持续发展奠定基础,这是非常紧迫的任务。地热能是稳定可靠的本土能源,有着极其丰富的资源赋存和巨大的开发潜力。地热能产业发展过程中,应当顺应能源领域供给侧改革的趋势,通过制度设计、技术、人力、资本、创新等要素的投入来推动能源的有效供给及高效供给。

地热能产业有效供给型发展首先要着眼于能源供应体系升级,在技术路线设计上,应当走"中浅层→深层"的地热资源开发路线,同时应着力攻克干热岩技术难题。在地热能产业发展的整体布局上,应当考虑地热能产业发展现状及资源、制度等方面的约束,对地热能产业的区域战略布局进行精心谋划,在重点发展中低温资源能源化利用的基础上,先在高温、中低温水热发电上进行攻关,再在干热岩利用与发电上实现重要突破。在地热能产业发展的政策推动上,中央和地方政府应当齐心合力,实现国家层面"十三五"规划和地方区域产业规划的高效耦合,做好"十四五"规划的有机衔接,形成科学有效的国家与地方两级地热能产业发展规划体系。

地热能产业的高质量发展不能局限于地热能的开发利用,更要加强供给侧结构性改革,以生产端、供给侧为突破口,通过供给结构的持续优化调整为地热能产业高质量创造更好条件、探索更佳路径。投资有回报、产品有市场、企业有利润、员工有收入、政府有税收、环境有改善,才是较为理想的发展。有效供给是地热能产业高质量发展的本质特征,也是更高效率、更好效益、更实效果的发展。通过地热能的全面开发利用,能够优化能源领域的产业结构和投资结构,为人民群众提供更优质的能源类产品/服务,交易成本也将持续改善。借助于地热能产业的发展,能源领域的各种生产要素能够得到更充分的开发利用,从而实现能源类产品/服务的高效流通与开放共享。例如,将地热发电与电力市场化改革相结合,能够充分调动相关企业参与电力交易的积极性,为整个社会带来降电价、促发展等改革红利。

六、高质量发展是中高端结构型发展

产业发展的国际经验表明,经济结构的高技术化和知识化才是产业结构调整的核心所在。《地热能开发利用"十三五"规划》中提出了"清洁高效、持续可靠;政策驱动、市场推动;因地制宜、有序发展"等地热资源开发利用的一些原则,可以发现,这本质上是一种系统集成型发展,也是一种高端结构型发展。这就需要我们从以下几个方面着力:

(1) 站在国际地热能产业发展的整体高度来进行制度设计、政策供给、技术研发及产品/服务提升。在管理制度上,要围绕地热能产业开发利用领域的知识产权转化、产业融合、产业发展基金等重点做文章,同时切实而明晰地进行产业管理权责的分配，形成现代化、信息化、智能化的地热能产业管理制度。在产业政策供给上，要适当向知识创新型的企业和机构倾斜，不断优化地热能产业的空间布局，积极促进地热能产业内部的结构性调整，充分发挥优势生产要素的功能作用。在技术研发上，要大胆启用年轻一代科研技术人才，积极统筹不同性质的单位、企业及机构的智力资源，紧密追踪国际地热能开发利用技术前沿，围绕关键技术进行聚焦式开发，利用知识产权这一抓手来推动地热能产业走上高端创新之路。

（2）面向地热能产业链来进行产业内部的结构优化。以战略性和全局性为原则，以"巩固、增强、提升、畅通"为方针，支持不同区域、不同经营重点的地热能企业进行产业协同发展与技术合作公关，实现整个产业链水平的发展进步。例如，在产品/服务上，要坚持市场导向意识，面向客户需求开发出精细化的、高附加值的产品和服务。在产业链提升上，由政府能源管理部门及高等院校牵头，成立地热能技术开发平台，引导产业内部各企业进行跨平台、跨区域乃至跨行业的关键共性技术问题解决。

（3）面向微观意义上的企业进行培育扶持。一方面，发挥行业龙头作用，扶持出一批技术过硬、资金雄厚的大型地热能企业集团。另一方面，宣扬企业家精神和工匠精神，在地热能产业内部培育一批以"专""精""特""新"为特色的中小型地热能企业。

（4）在地热能产业中高端结构增长的过程中，有必要发挥中石化、中核集团、北京控股等大型央企国企的示范带头作用，在产业链上的高附加值环节取得重大突破，从而实现以京津冀协同发展地热资源综合利用、西藏地热发电、干热岩发电示范基地建设等重点工程为龙头，不断向地热能产业发展水平相对落后的地区进行辐射的目标。

七、高质量发展是开放包容型发展

在21世纪初期，新一轮科技革命和产业革命已经呼之欲出。我国国民经济的发展以全球经济结构的重塑和全球创新版图的重构为重要背景。在全球互联互通、彼此开放、共同发展的新格局中，地热能产业的发展应当坚持开放包容的原则，加强产品、服务、信息、资本、技术和人才在全球范围内共享、流动和重新组合，切实提高产业国际竞争力和抗风险能力。

当前世界经济处于深刻调整的过程中，国际贸易领域的单边主义与保护主义均有所抬头。正因为如此，多边主义和自由贸易体制受到了强力冲击。在地热能产业高质量发展模式的构建过程中，应当积极参与国际分工。地热能产业发展模式的完善不仅要立足国内现实，更要站在国际市场的高度进行积极赶超，争取尽快形成技术出口、方案出口的市场能力。这就要求地热学界和产业界在思路上共鸣，在行动上团结，积极整合各单位、企业的人力物力财力资源，通过产学研优势的发挥实现跨越式发展。

不可否认，同美国、日本、冰岛等地热强国相比，我国地热产业尚在很大程度上处于弱势地位，要高举和平发展的旗帜，积极发展与"一带一路"沿线国家的经济合作伙伴关系，全面统筹、努力促进我国地热能产业供给侧改革。加强地热能产业合作，以地热资源禀赋和市场需求为前提，沿着"陆上丝绸之路"在中亚及东欧地区重点开展地热供暖（制冷）项目合作开发，沿着"海上丝绸之路"与环太平洋地热带西部、红海-亚丁湾-东非裂谷地热带的国家开展地热发电项目合作开发，助推我国地热能产业成功走出国门。加强地热科技合作，借助我国地热能产业的国家间平台，引进国际先进的地热利用技术，充分利用和加强现行合作机制，与德国、冰岛、英国、美国等国家开展砂岩可持续开发技术、高温钻井技术、干热岩开发利用技术方面交流互通，促进我国地热科技研发与国际共轨并行。特别值得一提的是，要借助2023年世界地热大会筹备和召开的契机，积极开拓"一带一路"沿线国家地热利用市场合作机会，真正实现我国地热能产业"引进来、走出去"的目标，加速我国地热能产业的国际化发展进程，逐渐加强我国在国际地热行业的影响力和领导力。

八、高质量发展是为民共享型发展

地热能产业高质量发展的根本目标是满足全体人民对美好生活的向往，为民共享是地热能产业高质量发展的根本目的。地热能产业的发展必须更加突出以人民为中心、切实让人民共享发展成果、更好满足人民美好生活需要。由此，应当加大对于地热能行业的财政扶持力度，对新建地热供暖项目或可再生能源替代既有燃煤锅炉项目，对热源和一次管网或热泵系统（浅层地热能项目）给予一定比例投资补贴。加大税费优惠力度，抓紧明确"取热不取水"的地热项目免征水资源税等相关税目。落实地热供暖企业以及相关设备和材料制造企业的相关增值税、企业所得税优惠政策。

地热能产业为民共享型发展的一个突出表现，应该是社会效益层面的高效率增长。社会效益是指"有效利用各类资源满足社会公众日益增长的物质文化需求"。地热能产业的高质量发展模式不仅应考察经济效益，对社会效益也应当予以充分的关注。根据笔者对有关文献的梳理及课题调研，可以将其社会效益归纳为3个方面：①满足群众供暖需求。随着居民生活水平的提高，对冬季供暖的需求越来越细致。在我国北部地区，城市供暖系统建设趋于稳定，广大农村地区对供暖服务的要求也会越来越高。近年来，秦岭—淮河供暖线以南的地区降雪范围有所扩大，而传统采暖模式造成的集中供暖管网系统建设滞后、环境污染、资源浪费等问题长期没有得到解决。因此，群众对冬季供暖的呼声越来越强烈。根据供暖业内人士的测算，南方地区冬季供暖每小时就需要消耗 3.5×10^6 度以上的电力。如果能够进行地热供暖的推广应用，可以为广大居民提供舒适的过冬环境。②优化能源结构。在 21 世纪，能源问题已经成为关系到国家安全的战略性问题，稳健的能源结构至关重要，这就离不开清洁能源的大力开发。在这一过程中，地热能产业的发展将起到促进节能减排、提高能源利用效率、优化能源结构等作用。③促进就业。地热能产业的发展必然要招募项目运营、技术研发、设备制造、经营管理等一大批专业人才，同时也要吸纳更多数量的一线操作人员，这对于促进就业能够起到有效的支持作用。同时，地热能产业发展与国家扶贫相关政策的精准对接还可以起到支持农村经济发展、提高农村劳动力素质、深度参与新一轮农网改造升级工程等作用。

在新常态背景下，经济发展逐步向绿色环保、生态友好的方向转型，"绿水青山就是金山银山"的发展理念备受社会各界重视。因此，以地热能产业为代表的新能源事业必然会大放异彩。从这个意义上来说，构建起符合我国地热能资源赋存特点、顺应产业转型升级潮流的高质量发展模式势在必行。笔者此部分内容旨在抛砖引玉，提出的构建地热能产业高质量发展模式的 8 个关键点还比较初步。在今后的研究中，笔者将利用更新的理论和更全面的第一手数据信息，进一步加强地热能产业高质量发展模式的理论体系建设。

第七章　地热能产业发展融资方式探析

通过对地热能产业高质量发展的研究可以发现，产业发展背后金融支持的动力是重中之重。十九大报告指出，资本市场的要素配置效率最重要，而且最高。同时，十九大报告中也提到，金融服务实体经济的关键在于提高直接融资的比重，促进多层次资本市场健康发展。在地热能产业发展过程中，资本能够推动整个系统的发展，也能够有效促进各要素之间的良性互动。当下，我国资本市场正在蓬勃发展，以地热为主题的融资活动也非常普遍。融资方式的选择，是地热能产业发展的一个关键，也是本书提出的"高质量发展模式"的重要切入点。

第一节　地热能产业融资的理论分析

一、金融资本、银企关系与产融结合

在资本主义经济发展过程中，资本在社会资源配置中的作用越来越明显，达到垄断阶段的工业资本与银行资本融合在一起，就出现了金融资本的概念。金融资本主要表现在3个方面：一是企业扩张过程中产业资本和银行资本发生结合，二是产业资本通过多元化延伸而与银行资本发生结合，三是产业资本在并购重组过程中与银行资本发生结合。这种结合的途径主要包括三类，即金融联系、资本参与和人事参与。这种结合是现代资本运作的必然结果，是货币最高级也最抽象的表现形式，充分体现了货币的本质及职能。

金融资本的出现以企业和银行的关系为纽带，双方相互渗透的程度会不断提高。银企关系也逐渐由基础性的借贷关系逐步过渡到不同程度的股权参与关系，从而形成产业＋金融的结合关系。作为一种监督机制，银企关系有助于减少管理层的机会主义行为，也有利于缓解双方之间的信息不对称。

马克思的资本积累及信用理论和列宁的金融基本理论都对产融结合现象进行了深入分析。但是，他们的理论受到了时代的限制，对产融结合本质、运作机制的解释还有所不足。20世纪中后期，交易费用理论和信息经济理论更好地诠释了产融结合的普遍规律。

金融机构与企业有着不同的利益诉求，二者之间的资金交易必然产生交易费用。设计一种结构来实现交易费用最小化，对银企双方来说都具有重要意义。在这样的背景下，产融结合这种制度安排就出现了。进一步地，产融结合有助于缓解双方的信息不对称。对于金融机构来说，企业的资信情况、贷款目的、还款意愿和偿债能力是一种未知数和风险。同时，企业管理人员的道德风险与逆向选择意愿也值得高度重视。对于企业来说，金融机构"晴天借伞，雨天收伞"的约束往往也是难以承受的。通过产融结合，金融机构与企业之间可以建立充分的合作关系，有助于增进了解、相互控制和增加依存度，从而达到缓解信息不对称、提高金融资源配置效率之目的。

二、地热能产业融资理论

资金之于企业，正如血液之于人。没有资金，一切生产经营活动都无法展开，产业发展也就成为无源之水、无本之木。要完善地热能产业发展模式，融资问题能否得到解决是重中之重（表7-1）。

表7-1 地热企业融资方式简表

模式	方式一	方式二	方式三	方式四	方式五	方式六	方式七	方式八
项目和政策融资	产业政策融资	高新技术融资	BOT项目融资	项目包装融资	专项资金融资			
债权融资	国内银行贷款	国外银行贷款	发行债券融资	民间借贷融资	信用担保融资	金融租赁融资		
股权融资	股权出让融资	无形资产融资	产权交易融资	杠杆收购融资	风险投资融资	投资银行融资	上市融资	私募股权融资
内部和贸易融资	资产管理融资	票据贴现融资	资产典当融资	商业信用融资	国际贸易融资	国际贸易融资	补偿贸易融资	

根据优序融资理论，地热企业的融资活动是一个随产业经济发展由内源融资到外源融资的交替变化过程。在成立之初，地热企业生产能力有限，市场竞争力弱，难以承受沉重的财务成本压力。通常情况下，此时的地热企业会倾向于依靠内源融资来逐步扩大生产投资规模。相对于外源投资而言，这种方式可以降低融资成本、节约财务费用，股东在企业剩余控制权方面也得到增强。但是，内源融资的规模和增长速度通常是有限的。随着企业的发展壮大，内源融资将难以满足地热企业发展的资金需求。考虑到地热项目前期投资比例高的特点，仅仅依靠内源融资将给企业的扩张造成严重

制约。所以，到了发展成熟阶段，地热企业必然会选择外源融资这种方式，产业融合的程度也会不断提高。

按照融资来源和融资方法的不同，地热企业的外源融资又可以分为直接融资和间接融资两种方式。直接融资是指地热企业和金融结构之间直接发生信用关系的融资方式，主要包括债务融资、贷款、股权融资等。间接融资是双方通过金融机构中介间接发生信用关系的融资方式，主要包括融资租赁、资产证券化融资等。与内源融资相比，外源融资意味着融资成本和财务费用的提升。如果不顾自身能力盲目进行外源融资，地热企业很有可能由于沉重的财务成本压力而陷入困境。对整个社会的金融资源配置效率来说，也是较为不利的。

对于地热企业来说，借助融资手段进行发展要经历以下几个阶段。①单一融资渠道运营。这是指依靠银行这一渠道进行融资，以债权债务关系为纽带建立产融关系。在这一阶段，地热企业需要保持良好的信用管理水平，维护与银行之间的信贷关系。在具体操作上，可以通过长期贷款和短期贷款的业务组合降低财务成本，同时还要做好融资节点的管理。②多元融资手段综合运用。在这一阶段，地热企业的融资能力不断提高，具体的融资手段包括发债、典当、担保、借贷、金融租赁等，融资方式趋于多元化。此时，地热企业已经能够选择不同的融资方式或组合来获取发展所需资金。③推动资产证券化。资产证券化是企业依托现金流或特定资产组合发行可交易证券来进行融资的一种方式。在这一阶段，地热企业的融资手段已经拓展到信托、发债、公开上市（IPO）、股权融资、私募、借壳等。④创新金融服务。在这一阶段，地热企业的融资已经扩展到金融工具、金融信息、金融产品、金融人才等层面，能够利用金融资本来对企业进行改造升级。⑤深层次产融互动。在这一阶段，地热企业实现产业元素和金融元素的深层次互动，能够利用创投、并购、资源整合等方式放大核心资产，实现融资水平的飞跃。进一步企业可以从经营战略、管理模式、市场营销、研发信息、组织运作等方面入手构筑"泛金融"的运作模式。

三、地热能产业发展与金融支持的关系

随着现代社会经济的发展，金融已经取代农业、工业、服务业而成为最高级的社会经济形态。金融业不仅是经济体的组成部分，而且是对产业成长与发展具有特殊价值的架构性存在。通过资本这一关键生产要素的融通，金融业可以为实体经济的发展提供高效的资源配置模式。

从积极的一面来看，金融资产代表着实物资产的所有权，使实物资产可以实现跨时间、跨空间地进行配置，这无疑意味着资源配置效率的极大提高。从消极的一面来看，金融资产具有虚拟性、易于复制性等特点，通过金融衍生工具的自我复制与循环

可以实现以几何指数上升的增值。由于这种规模上的极度膨胀，金融资产与实物资产的比例会增长到超过实体经济发展需要的程度。所以，从经济全局发展的角度来看，不仅要关注金融业效率的提高，更要重视金融业对实体经济的贡献及对整个经济体运行效率的价值。

金融支持是指"金融资金对经济发展的支持作用"，主要表现在经济发展过程中的资本融通能力。对于地热能产业发展来说，金融支持以融资支持为主，具体包括融资制度供给与融资供给等内容。①各级政府对地热能产业的制度供给，如财政补贴、税收优惠、政策扶持。②资本市场对地热能产业的扶持，包括政策银行、商业银行及民间资本等主体为地热能产业发展提供的融资通道等。③外商直接投资（FDI），这具体又涉及 FDI 的规模、份额及结构等。

地热能产业的发展需要依靠企业持续进行技术创新，这就离不开企业对研发、生产、销售及管理的结构性调整。同时，地热能产业的发展离不开各种创新型人才、复合型人才、管理型人才，这也需要充分的资源保障支持。从这个意义上来说，地热能产业的发展在一定程度上建立在金融支持的基础之上。这就要求政府及社会共同构建起积极、有效、完善的融资环境，合理利用各种工具手段来推动地热能产业进行技术研发、解决方案优化及管理转型升级。同时，从国际经验来看，地热能产业发展层次高低的一个衡量标准就是金融支持的发展程度。相应地，地热能产业的发展也会对金融支持产生反作用。当地热能产业及其背后的清洁能源产业发展到一定程度时，就会对金融支持水平产生倒逼作用。可见，地热能产业发展与金融支持能够相互促进、共同提高。

国内学者的实证研究表明，金融支持的增长能够带动清洁能源产业的发展，两者之间存在长期平稳的相互关系。对于地热能产业来说，其发展过程中需要注重合理发挥金融支持的作用，合理引导金融支持增加与结构性调整，形成长效发展机制，这就需要不断完善地热能产业融资的环境与模式，更好地吸引来自不同方面的金融支持。

根据前文对地热能产业融资机制的分析可以发现，我国地热能产业发展的金融支持程度是较为滞后的。这就要求政府、银行及其他金融机构、社会中介等各方面共同参与，切实推动金融领域的供给侧结构性改革，提供更加有效的金融支持。

第一，加强政府制度供给。首先，提供财税支持与税收优惠，如适当下调地热企业的所得税与增值税税率、提供低息或无息贷款、实行税收减免优惠等。其次，强化制度保证，通过提供创业服务支持、政府采购扶持等策略，为地热能产业发展提供制度支撑。最后，完善创业板地热企业上市引导政策，引导地热企业进行战略重组，适当放宽地热企业创业板 IPO 上市的准入门槛，使地热企业能够在政策规制及市场发展许可的框架下更方便进入股市进行融资。

第二，提高银行及其他金融机构的融资供给。一方面，推动银行及其他金融机构重视地热能产业的发展，引导加强对地热能产业市场需求结构和市场供给的分析，综合使用债券、股票、基金、期货等多元化资本工具，进行全方位的风险分析与控制，形成科学的信贷发展战略。另一方面，加强地热能产业发展的信息数据共享，在全国范围内发展地热能产业的信用风险转移市场，构建科学、严密、稳健的地热能产业融资市场。

第三，注重招商引资。将融资的范围逐步从国内扩展到国外，利用国际金融市场"搭台唱戏"，推动国际资本向我国地热能产业的注入，形成国际化、多元化的地热能产业金融支持体系。

地热能产业发展与金融支持之间存在密切关系，金融支持的力度直接关系到地热能产业的发展水平。所以，在地热能产业发展过程中，需要切实加强金融支持力度，逐步调整产业发展结构，增强地热能产业发展能力，实现地热能产业与金融支持的协调发展。

四、地热能产业融资的瓶颈突破

根据我国地热能产业内部企业融资存在的问题，借鉴西方发达国家的经验，突破地热能产业融资的瓶颈需要从以下几个环节入手进行解决。

（1）建立科学的发展方略。前文对不同国家地热能产业发展的经验进行了回顾，可以发现，中央政府统一布局、统一决策和统一实施的模式较为常见。我国地热能产业的政策环境日益向好，但政府对地热能产业的政策导向主要体现在发展目标的制定及宏观的管理制度上，具体的发展策略则更多地依靠市场的自我演进。在地热能产业内部，投资冲动和发展盲目的现象时有发生。考虑到严格的信贷管理体制，地热项目要想获得金融机构的认同还需要一系列科学的发展方略。

（2）形成针对性的政府主导。发达国家地热高新技术产业发展经验表明，政府对技术研发的投入在 GDP 中所占的比例通常会维持在 $3\% \sim 6\%$ 的范围内。在关系到国计民生的重大项目上，政府则往往不惜全额包揽。尤其重要的是，政府的财政投入具有战略性和导向性，对长效机制的构建尤为注重。相比之下，我国政府在投资理念、能力、管理和机制上都还存在一定程度的不足。就地热能产业融资问题而言，我国政府应当予以高度重视，不断从顶层制度设计层面形成针对性的政府主导力量。例如，可以参照美国经验出台《国家合作研究开发法》，建立国家层面的"技术银行"，发展民用高级技术局，拓展证券市场体系等。

（3）建立发达的产业投资体系。政府要发展包括股票、债券、期货、产权和其他金融衍生品的资本市场，吸引带动民间资本、国际资本参与到风险投资中来，构建立体化的产业投资管理体系，推动地热能产业实现可持续发展与内部的结构优化升级。

在法律制度建设、金融支持、税收优惠等方面，政府也应当进行有力的支持。同时，产业投资事业的基础是一大批高层次专业人才。政府应当鼓励高等院校、中介组织和产业投资机构加强合作，培养理论功底深厚、实践技能丰富的复合型人才，切实培育产业投资领域的人力资本。

（4）引入和推广多元化的金融工具。在成长的不同阶段（种子期、初创期、成长期和成熟期），企业对资金的数量以及具体的融资方式都有不同的需求。要降低地热领域的资金错配风险，就需要有多层次的、多元化的金融市场及融资产品与之配套。例如，在创建期，地热企业的产品及商业模式开始由策划方案转为市场实战，资金缺口和投资风险都非常大，这就需要基金、投资银行和商业银行的恰当介入，将地热企业的资产与负债转化为流通性更强的有价证券。

（5）宽敞的资金流动通道。在产业融资问题上，人们对资金的融入较为关注。但是，资金及其风险的流动通道也非常关键。就地热能产业的融资而言，不仅要加强资金"入口"的建设，也要为之设计合理的"出口"，从而形成一个完整的产业资金循环体系。在发达国家的资本市场，公开上市和私募转售均较为成熟，我国地热能产业融资也应当积极借鉴。

第二节　地热能产业融资的具体方式

一、财政税收融资

在地热能产业内部，依附于人才的知识、智力等要素非常重要。同时，相关理论和技术的发展进步对地热能产业的发展具有非常重要的推动作用。这些理论知识和技术都会产生外部溢出效应，具有一定的非排他性和竞争性。考虑到收益和成本上可能出现的非对称性，地热能产业的融资还需要政府给予有效支持。

对于地热企业来说，财政融资是指从国家财政部门获得的融资形式与方法，具体包括财政直接投资、政府采购、税收优惠等。中央财政和地方财政可以制定出有利于地热企业的产业扶持优惠政策，利用投资或政策性放款等方式进行资金的供给。通过财政资金杠杆作用的充分发挥，可以充分引导社会资本增加投入。财政融资具体的实施机构主要包括财政信用机构和政策银行，如国家开发银行、农业发展银行等。

根据李斯特等的贸易保护理论，政府应当对处于幼稚期的民族工业进行保护。由于能够降低产品风险，政府采购往往是民族产业保护的重要措施。近年来，欧盟国家政府采购在GDP中所占的比重已经达到10%以上，对刺激国内需求产生了重要作用。在我国，政府办公也会产生用电、用暖的需求，此时可以考虑通过政府采购的方式来为地热能产业发展提供间接的财政支持。

税收优惠是指国家税收部门通过税收减免、税收返还等形式帮助企业间接地获得发展所需基金。①房地产租售优惠。在地热能产业用地、厂房建设、办公用房或企业配套房地产租售上，政府可以予以适度的优惠。②税收优惠减免。对符合相关政策的新产品、新商业模式可以进行增值税、企业所得税等方面的免征、减征等支持。③加速折旧政策。对地热企业的科研仪器或其他关键生产设备，可以通过加速折旧或管理费用分摊等办法来进行税收支持。④对核心产品或零部件的国产化进行税收减免。如果地热企业实现技术上的重大突破，在核心产品或零部件上能够取代进口，政府应当予以适当的税收减免。

除了这些传统的模式之外，政府产业引导基金在产业融资方面的影响力越来越大，也在事实上构成了财政税收融资的重要操作方式。

政府产业引导基金是一种政府牵头、社会资本广泛参与的新型产业融资平台。政府产业引导基金的资金来源包括财政预算内投资、中央和地方各类专项建设基金及其他财政性资金。其目的在于扶持特定行业、特定发展阶段、特定区域的可持续发展，日常运营由专业的投资管理团队负责。政府产业引导基金有助于落实国家产业政策和扶持重大关键技术产业化，对经济结构调整、产业转型升级和资源优化配置均具有创新价值。在实践中，我国各地的政府产业引导基金通常都遵循"政府引导、市场运作、防范风险、滚动发展"的原则。北京、上海、广东等地区出现了一大批战略新兴产业引导资金。截至2017年底，国内共成立政府引导基金97支，总规模达3 031.3亿元，平均单只基金规模约31.25亿元。

根据《国务院关于创新重点领域投融资机制鼓励社会投资的指导意见》和《政府投资基金暂行管理办法》（财预〔2015〕210号），产业引导基金可以采取公司制、有限合伙制和契约制等组织形式。

与商业性基金相比，产业引导基金是非营利性的。对新兴行业和创新型产业来说，政府产业引导资金的融资成本优势非常明显。与此同时，政府产业引导资金还可以带来优质项目获取、公共关系拓展、渠道铺设等方面的优势，不失为一种重要的、基础性的融资渠道。但政府产业引导基金也存在一些需要注意的地方。①政府有自身的价值取向与职能定位，政府产业引导基金所具有的政府、政策色彩往往比较浓厚，市场化程度则相对较弱，甚至可能与金融市场的通行规则存在激烈冲突。基金管理团队不得不在行政指令和市场经济的夹缝中求生存。这就容易导致很多基金在项目选择上趋于被动，出现"有钱不能投"的尴尬局面。在发扬市场资源调配中作用的前提下带动区域地热能产业发展，仍然是一个难度较大的挑战。②从本质上来说，政府产业引导资金属于国有资产，其管理运行都处于国资委、发展和改革委员会、证券监督委员会等部门的监管之下。因此，政府产业引导资金对资产的保值增值有特殊需求，与社会资本的风险偏好有显著差异。在投资方向上,政府产业引导基金青睐处于种子期、起步期的企业,社会资本则更青睐处于成长期和成熟期的企业。这就容易与金融市场内在规律发生矛盾。在管理架构设计上,许多政府产业基金将政府所持股份作为劣后部分。这有利于吸引社会资本投入,但在具体的操作策略上还需要探索创新。③在运作过程中,政府产业引导资金会引发"双重代理问题"。"政府—母基金管理公司—子基金"是一层委托代理链,"政府和社会资本—创业投资家—企业家"之间又会产生一层委托代理链,这就会进一步加剧政府产业引导基金内部的目标冲突。④一些政府产业引导基金在人力资源配备上不到位,工作人员缺乏金融市场运营经验,容易造成资金落地难、管理秩序不稳定等问题。同时,在属事、属地责任的划分上,个别政府产业引导基金也存在界限模糊的问题。这就需要建立一种长效机制,防范可能出现的金融风险。

中国清洁发展机制基金就是一支典型的国家批准设立的政策性基金。仅张家口一个城市就从这支基金获得了大量的供热项目投资。2013年,下花园集中供热项目获得贷款5000万元;2014年桥西供热项目获得贷款6000万元,宣化特种子项目获得贷款5000万元;2015年崇礼县集中供热工程项目获得优惠贷款6000万元。截至目前,张家口市已累计获得中国清洁发展机制基金贷款总额已经接近3亿元。

在地热资源勘查评价方面,地热企业应当积极争取国家地质勘查基金、国土资源大调查资金、地方优势矿产资源勘查专项周转金和其他财政性资金,降低自身在这一领域的投入,提高地热资源勘查评价的运作水平。针对地热能产业的整体发展,中央及各地政府有必要完善地热能产业的准入机制,根据各地资源和市场具体情况设计合理的产业布局方案,提高对地热能产业的扶持和资金投入,为解决地热企业融资困难提供积极的政策支持。

二、债务融资

债务融资(Debt Financing)是指企业向银行或非银行金融机构贷款或发行债券等方式融入资金的融资模式。债务融资的范围涵盖银行贷款、民间借贷、金融债券、综合授信、信用证、保函等形式。其中,银行贷款又包括了信用贷款、担保贷款、贴现贷款等方式。债务融资的特征包括以下几个方面:①短期性。债务融资筹集的资金具有使用上的时间规定,一般为6个月、1年、3年或者5年等。②可逆性。对于通过债务融资所获得的资金,企业承担按约定还本付息的义务。③负担性。债务利息会增加成本压力,这也是沉重的负担。④流通性。在金融市场上,债券可以自由流通。

对于地热企业来说,债务融资这种方式具有一些突出的优点。首先,提高债务融资比例能够优化股权结构。詹森(Jensen)和麦克林(Meckling)发现,假设股东的绝对投资额不变，增大负债融资的比例有助于减少股东和经营者之间的目标利益分歧，这意味着股权代理成本的降低。其次，提高债务融资比例可以激励经营者努力工作。对股东来说，经营上的冒险可能会影响自身财富的安全性。同时，他们可以通过多种手段分散投资风险。对于经营管理人员来说，只有采取适度的冒险才能获取较高的收益，其工资收入、股票期权乃至人生价值都与公司运转状况紧密相关。最后，债务融资可以产生避税效益。相对于股利来说，利息支付是税前执行的。通过举债，企业可以进行合理避税并提高每股税后利润。但是也应当注意，负债所带来的财务拮据成本和破产成本可能会大于或者抵消负债所产生的避税效益。此外，负债融资可以提高资金使用效率。假设企业内部存在大量自由现金流，经营管理人员倾向于不分红或少分红，甚至会利用自由现金流用于私人利益。在提高债务融资比例的情况下，经营管理人员在实质上做出了按期支付债务利息的承诺。这就使债务利息成为红利分配的有效代替品，从而降低由于经营管理人员逆向选择所造成的代理成本，资金使用效率可以得到一定程度的改进。

在实践操作中地热企业的债务融资还存在过桥贷款等形式，在此不再详细一一阐述。

三、股权融资

股权融资是指企业的股东让渡部分企业所有权来引进新的股东的融资方式。在实践中，股权融资主要为了实现公开上市。除了资金的流入以外，企业一般会委托专业机构来进行管理、生产、营销、财务、技术等方面的优化升级。

在风险资本市场日益成熟的背景下，股权融资使地热企业获得外部权益资本的机会和时间都得到有效改善。与其他融资方式相比，股权融资具有永久性（无到期日而且不需归还）、不可逆、成本灵活（没有固定的股利负担，股利的支付与否和支付多少视公司的经营需要而定）等优点。如果地热企业能够在生命周期的开始就获得精准高效的权益资本及与之配套的增值服务，就更有机会和实力度过初创期和成长期的重重难关。然后，地热企业就有机会借助专业投资银行的帮助进行公开上市。这对于充实企业运营资金、提高公司知名度、改善公司治理结构等都具有重要价值。

四、融资租赁

根据我国《合同法》和《融资租赁法·草案》的定义，融资租赁可以被定义为"根据承租人对租赁物与供货人的认知、甄选与认可，出租人从供货人处取得的租赁物，按照合同约定出租给承租人占有、使用并收取租金的交易活动"。一般来说，融资租赁的最短期限为一年。在实践中，融资租赁包括简单融资租赁、回租融资租赁、杠杆融资租赁、委托融资租赁、项目融资租赁、经营性租赁和国际融资转租赁等多种形式。从总体上来看，可以将之划分为直接租赁和回购租赁两大类。

直接融资租赁是指租赁公司借助自有资金、商业贷款或招股等途径，在国际国内金融市场上完成资金筹措，向设备制造商直接购买设备再租给承租企业使用的融资租赁方式。直接融资租赁是最典型的融资租赁模式，这种模式下租赁当事人发生直接的商务接触和合作关系，对各方权利义务的规定都非常具体清楚。从操作时间的角度来看，直接融资租赁基本没有时间间隔，出租人不需要承担设备库存压力。因此，直接融资租赁也被称为经典融资租赁，通常简称直租。直接融资租赁的操作步骤主要包括：①根据承租人的要求，租赁公司与供货商或设备制造商签订租赁标的物买卖合同，按照市场规定的流程支付设备购置款；②租赁公司与承租人签订融资租赁合同，根据合同约定的时间与条件完成设备出租，承租人可以使用设备；③承租人根据融资租赁合同的规定支付租金，承担合同规定的义务；④承租人与供货商或设备制造商签订售后服务协议，根据售后服务协议及融资租赁合同，承租人享受售后服务权益以及租赁物的残值；⑤承租人或有关第三方向租赁公司履行还款承诺，在规定期限内完成租金支付。

回购租赁业务是指承租人将自有物件或外购资产出售给出租人，与出租人签订融资租赁合同，然后再从出租人处租回该资产的交易活动。在这种模式下，承租人和供货人实际上为同一人。回购租赁业务可以帮助企业把固定资产变为现金，再投资于其他业务，承租人从原设备设施的所有人转变为设备的承租人。买卖合同的金额是融资租赁租金的计算基础。回购租赁业务的特点包括：交易过程中，承租人在使用资产上较少受到限制；资产的售价与租金紧密相关，资产出售损益不需要计入当期损益；合同执行成本由承租人承担；承租人可以获得纳税财务利益。

在地热行业，通过融资租赁这种方式进行融资的行为较为常见。例如：2012年3月，哈尔滨物业供热集团有限责任公司通过农行黑龙江省分行办理了租赁期限为5年标的2.5亿元的供热设备融资租赁业务；2017年11月，西安BK热力有限公司通过招商金融租赁有限责任公司完成了金额为10 000万元的设备融资租赁业务。

五、资产证券化ABS融资

资产证券化是指"以特定资产未来所产生的现金流为基础发行资产支持证券（Asset-Backed Securities，ABS）的过程。"狭义的资产证券化主要指信贷资产证券化，广义的资产证券化则涵盖实体资产证券化、证券资产证券化、现金证券化、特许经营权证券化、收益权证券化等多种类型。在我国，资产证券化的操作主要包括信贷资产证券化、企业资产证券化和资产支持票据等不同类型。

资产证券化系指将缺乏即期流动性,但具有可预期的、稳定的未来现金收入流的资产进行组合,借助内外部信用增级,并以此为偿付基础在金融市场上发行可以流通的有价证券的融资活动。

对于地热企业来说,资产证券化融资可以带来多重好处。①增强资产的流动性。一方面,通过对流动性较差资产的证券化处理,地热企业可以将之转化为交易机会更多的证券。这就扩大了资金来源,提高了资产的流动性。另一方面,在金融市场流动性短缺的情况下,资产证券化可以帮助地热企业获得新的融资渠道,提高了整个企业的流动性水平。②降低融资成本。一般而言,相对于其他长期信用工具来说,通过资产证券化的证券信用等级更高,付给投资者的利息则相对较低。其中一个原因在于投资者所购买的信用不再局限于地热企业的信用质量,而是经过金融机构进行资产组合的整体信用质量。③提升财务管理效率。通过资产证券化,地热企业可以对资产、负债和所有者权益进行精确匹配,从而使财务管理模式更加灵活,资产管理水平也随之水涨船高(表7-2)。

表7-2 某资产证券化方案执行概要

项目	说明
原始权益人(项目公司)	西安**热力有限责任公司;新疆**热力有限公司;太原**再生能源供热有限公司
基础资产	供热收费权
额度匡算	7亿元;由主体AA+以上的主体进行差额补足并为原始权益人提供流动性支持,可以直接用收入测算ABS额度,不用考虑运营成本和费用。因此额度主要由项目公司供暖费收入规模决定
期限	6年(3+3)
还本付息频率	差额补偿人主体评级是AA+的,通常每满6个月或者3个月归集一次
增信措施	差额补偿人:BK**科技发展有限公司(AA+); 优先次级分层; 专项计划现金流对优先级本金和收益的覆盖倍数(1.2倍)

六、互联网金融融资

20世纪末以来,互联网以惊人的速度快速占领了人类生活的每一个角落。近年来,随着云计算、社交网络、搜索引擎尤其是虚拟支付平台的发展,一种基于(移动)互联网的新兴金融模式兴盛开来。这种网络化的资金融通、支付、投资和信息中介服务的金融模式被称作互联网金融。在这一概念框架下,发展出了P2P网络小额信贷、第三方支付平台、基于大数据的金融服务平台、众筹、金融理财产品网络销售等具体的互联网金融模式。考虑到地热能产业的特点，其中最有可能采取的两种融资方式为众筹和基于大数据的金融服务平台。

1）众筹融资

与其他融资方式相比，众筹是一种更大众化的融资方式。目前，众筹这种模式主要用于创业行业。

在金融管制的宏观背景下，民间融资渠道不畅、融资成本较高等现实问题对地热能产业融资活动构成了强大的阻力。随着互联网金融的发展，众筹模式必然会在其他行业得到广泛应用。对于地热企业来说，发展众筹这种融资模式的优点很多。其一，融资对象扩展至整个社会，可以利用搜索引擎优化、专业论坛、网络推广等技术手段快速找到潜在投资群体；其二，融资渠道进一步拓宽，对金融机构和资本市场的依赖程度会有所降低；其三，融资费用大大改善，减轻巨额利息所带来的沉重压力；其四，可以拉近与终端用户之间的心理距离，有利于创造品牌形象和产品推广。

2）大数据金融融资

在互联网时代，地热市场上消费者行为、地热企业经营活动和政府及金融机构有关活动所产生的信息汇集起来后，会形成海量的非结构化数据。从性质上来看，这也是"大数据"的一种。通过对这些数据的分析，可以分析和预测地热企业的融资需求。对地热企业来说，这也是一种有效的融资分析手段；对于金融机构和金融服务平台来说，这可以使产品营销与风险控制更具针对性。

对于地热能产业融资活动来说，大数据金融具有很多优点。其一，网络化呈现。在大数据金融时代，地热企业可以将融资渠道延伸至固定网络和移动网络，选择更适合自身需求的融资产品。地热企业与融资有关的金融咨询、贷款、支付结算等活动都可以通过网络实现功能转型。其二，高效率。利用大数据金融，地热企业将打破传统融资活动的效率瓶颈，大大节省在流程上耗费的时间，交易成本得到有效节约。其三，信息不对称得到有效改善。借助日益强大的数据分析能力，地热企业和金融机构之间的信息不对称程度将大大降低，对金融产品（服务）的理解和应用也会更具针对性。其四，灵活操作。借助大数据金融，地热企业可以和金融机构携手设计个性化的金融产品，实现灵活的融资操作。例如，通过对上下游企业现金流、进销存、合同订单信息的深入挖掘，大型地热企业可以依托自身资金平台发展供应链金融；依托终端客户的需求，小型地热企业可以和金融机构合作，以普惠金融为切入点发展小额金融产品，从而盘活自身资金周转。

七、项目融资

在本书中，项目融资是指以特定地热项目未来收益为依托进行的商业融资活动，其方式主要包括BOT、PPP等。在大型矿产资源开发项目中，项目融资是一种较为常见的融资方式。对于提供资金的机构来说，其收益来自项目建成之后现金流的时间价值。与其他融资方式相比，项目融资不需要以资产或信用作为担保，也不需要政府部门提供信用背书，在操作流程上相对简单一些。一般情况下，项目融资的期限以项目周期为准。因此，对于地热企业来说，项目融资还有助于安排资金运作的节奏。对政府来说，项目融资可以减轻财政投入，还可以发挥各种金融机构的主动性与创造性，提高地热项目建设、经营、管理和服务的质量。节省下来的财政资金可以投入到其他领域，从而带动国民经济的发展。

BOT（Build-Operate-Transfer，即"建设-经营-转让"）是基础设施投资、建设和经营的一种运作方式。BOT以政府和私人机构之间的协议为基础，前者为后者提供基础设施投资、建设和运营的特许权。在基础设施（公共产品或服务）的数量、质量和价格上，政府会对私人机构进行限制，但应当保证后者获取合适的利润。BOT过程中的风险由双方共同承担，BOT结束之后项目转由政府指定部门经营和管理。这种方式可以充分发挥"政府"与"市场"的协同优势，在各种基础设施建设项目中的应用非常广泛。经过世界各国的实践积累，在BOT的基础上发展出了BOOT（建设-所有权转移-经营-转让）、BOO（建设-所有权转移-经营）、BLT（建设-租赁-转让）和TOT（转让-经营-转让）等。在一个完整的BOT框架中，涉及的主体包括项目发起人、产品购买商或接受服务者、政府、债权人、建筑发起人、保险公司、供应商和运营商。

PPP（Public-Private-Partnership，即"政府-私人机构-合作"）指政府与私人机构之间基于提供产品和服务达成特许权协议的一种运作方式。PPP模式的出现，主要是为了弥补BOT模式下"权力寻租"的弊端。在具体的运作上，PPP的组织结构较为复杂，但本质上与BOT模式较为类似。PPP和BOT的一个重要区别在于，PPP模式下通常会由基础设施建设公司、服务经营公司或对项目进行投资的第三方共同组成的"特殊目的公司"。换言之，在PPP模式中，政府的参与程度更深且效率更高。与BOT模式相比，PPP的优点主要包括以下几个方面。①消除费用的超支。一般而言，PPP模式下，只有项目正常运转的情况下私人机构才开始获取收益。这就对私人机构在基础设施项目建设过程中的行为构成了有效的制度约束，可以带来约17%的成本节约。②推动项目参与各方整合组成战略联盟，有效协调内部的利益矛盾关系。③风险分配合理。PPP模式下政府在项目初期就承担了一部分风险，有助于提高项目融资、建设和运营成功的概率。

在后文所述的"雄县模式"和"陕州模式"中，项目融资的理念都得到了深入的应用。在未来地热能产业发展过程中，项目融资也必然会发挥越来越重要的关键作用。

八、产业发展基金融资

根据国家发改委曾起草的《产业投资基金管理暂行办法》，产业投资基金可以被定义为"对未上市企业进行股权投资及经营管理服务的投资制度"。在金融市场上，产业投资基金的概念是非常广泛的，国外通常称之为风险投资基金和私募股权投资基金。产业投资基金通常针对具有高增长潜力的未上市企业进行股权或准股权投资，同时参与到被投资企业的经营管理中去。被投资企业发育成熟并公开上市后，产业投资基金可以通过股权转让的途径实现资本增值。利益共享、风险共担是产业投资基金的重要特征。在管理操作上，产业投资基金通过基金公司参与到创业投资、企业重组投资等投资活动中去。根据目标企业所处阶段不同，产业基金分种子期（早期产业基金）、成长期产业基金和重组产业基金等。

产业发展基金是投资活动发展到一定阶段的产物，是普通投资行为的升级演化。可以从以下几个方面认识产业发展基金的具体特征。①产业发展基金着眼于事业投资，其投资对象通常是高成长性产业中的创业企业的股权。企业发展后的股权增值是产业发展基金的利润源泉。②产业发展基金需要专业的管理团队来负责运营管理。团队中一般有基金股东、基金管理人、基金托管人以及会计师、财务分析师、律师等资深人士。其中，基金管理人要负责具体投资操作和日常管理。和单纯的投资行为不同，产业发展基金不仅提供直接的资本支持，还深度参与到企业运营管理中去，通常会提供资本运营、发展扶持等高附加值服务。③产业发展基金机构化、组织化的程度较高。产业发展基金的核心竞争力在于创业资本的高效经营。从目前的发展情况来看，产业发展基金可谓是创业资本的最高状态。其资本来源已经趋于多元化，除了银行理财和自营资金外，保险和券商等机构也可以进行资本对接。④产业发展基金属于买方金融，其运作过程是融资与投资的有机结合。产业发展基金建立在资金筹措的基础之上，该资金在本质上处于权益资本。这种权益资本用来购买目标企业的股权资产并为之提供针对性的资本经营服务。产业发展基金看中的盈利增长点在于未来企业资产转让的差价，而非普通的股权分红。⑤产业发展基金有确定的退出机制。在所投资的企业发育成长到相对成熟的阶段后，产业发展基金会按照预先的约定进入退出程序，退出方式包括委托贷款还款、回购股权、受让有限合伙份额、补足收益等。一方面，这有利于资本增值的"落袋为安"；另一方面，这也有利于进行新一轮的产业投资。相比之下，普通资本的收益来源主要是股息，已经显得"落伍"。⑥产业发展基金的用途灵活多样，可以满足股权融资、债权融资、PPP项目融资、产业升级等各种情形的融资需求。

地热能产业发展基金从宏观上可以与政策进行对接，中观上可以与产业进行对接，微观上可以与企业进行对接。在产业及企业发展的不同阶段，地热能产业发展基金可以在投资、融资、管理和风险防控方面发挥不同的功能。从这个意义上来说，地热能产业发展基金会对产业经济发展产生特有的效应。①落实政府意志的功能。相对于其他产业来说，地热能产业还属于幼稚产业，其模式发展离不开政府政策的干预。在"政府"和"市场"界限越来越清晰的时代背景下，政策对企业的干预不再那么在直接，而是更大程度地通过产业发展基金等类似载体来实现。在地热能产业发展基金的运作过程中，政府意志能够得到更好地落实和贯彻。例如，通过地热能产业发展基金在不同地区、不同程度的投放，可以落实地热能产业政策的发展规划。②资本配置功能。与西方发达国家相比，我国资本市场还很不成熟，供求对接容易出现时间、主客体及方式上的冲突。长期以来，我国地热企业在融资方式上对银行的依赖程度较高。地热能产业发展基金的出现，可以打破资本配置方面的准垄断格局。首先，提升融资均衡水平。银行这种单一化的资本配置方式不符合地热能产业发展多样化融资偏好的事实，在资本配置上显得不够均衡和高效。地热能产业发展基金可以给地热企业制作产品多样化、额度差异化、时间灵活化的投融资方案，这有助于满足不同阶段的资金需求，从而实现投融资均衡水平的提高。其次，拓宽融资渠道。在地热能产业发展基金框架下，地热企业的融资活动既可以自己发起，也可以在政府、金融机构及其他社会资本的辅助下自由选择。这就从根本上拓宽了多元化的融资渠道，同时也有利于融资成本的降低。最后，缓解融资约束。传统的债务融资模式容易给企业造成硬约束，对融资双方都造成了沉重的压力。也就是说，企业要承担高额的利息，银行等金融机构要承担各种风险。引入地热能产业发展基金后，双方的合作程度不断深入，有助于优化双方的资本结构，在风险配置和风险分担方面都有了新的提升。③股权功能。与普通的股权相比，地热能产业发展基金的股权在专业化和多元化等方面具有明显优势。一方面，地热能产业发展基金的投资主体和投资对象都是分散和多元的，这不仅迎合了地热能产业投资规模巨大化的产业特征，同时也降低了参与各方的资本风险。另一方面，地热能产业发展基金在管理上较为专业化，在企业管理、项目运作、利润预测、风险识别等方面有独特的优势。对于地热企业来说，"近朱者赤"的传导效应必然会带来运营管理的优化升级。

从资金具体投放上，产业发展基金主要有以下几种具体的方式。①资本金投入。主要用来弥补目标企业发展中资金不足或者解决重大项目资金匮乏的问题。②阶段参股和跟进投资。主要用于对符合国家相关产业政策、具有行业龙头潜质的高成长性企业。③贷款贴息。主要用于预期社会效益较好的企业或项目。④过桥贷款，在目标企业急需流动资金周转时，产业发展基金可以利用间歇资金安排、资金沉淀提供临时性的过桥贷款来进行支持。

第八章 地热能产业发展基金的管理策略

在 21 世纪，新的理论、新的观点层出不穷，产业经济领域也不例外。从整体上来看，为完善地热能产业发展模式探索一套理论体系并不困难。但是，考虑到我国社会转型期的特殊国情，在地热能产业发展的实践中则需要拿出可靠的、行之有效的解决方案，本章阐述的地热能产业发展基金则是其落脚点。同时，从实践操作的角度来看，地热能产业发展基金这种融资方式可以涵盖和容纳其他各种融资方式。因此，地热能产业发展基金有着独特的重要性。通过对设计、募集、投入、管理、风险管控、退出等具体策略的探析，可以加深对地热能产业发展基金的把握，为相关各方的决策提供有益参考。

第一节 地热能产业发展基金的设立

目前，我国资本市场建设步伐逐渐加快，地热能产业发展经济的制度条件、组织条件、经济条件和技术条件都已经初步具备。然而，在具体的设立策略上，地热能产业发展基金还没有摸索出成熟的经验，这就可能对未来的投融资管理造成一定程度的负面影响。

一、地热能产业发展基金的策划

地热能产业发展基金具有知识密集和资本密集的特点，前期策划阶段中的智力因素融入非常关键。"凡事预则立，不预则废"，地热能产业发展基金的发起、设立和运营过程都与前期策划方案的水平及落实程度息息相关。

地热能产业发展基金策划的第一步是团队建设，这直接决定了整个基金的操作思路。首先要确立一个总策划人的角色。总策划人所需具备的条件包括深厚的专业知识背景、丰富的实践运作经验、结构化的人脉关系网络和敏锐的资本市场直觉。在总策划人的主持下，吸纳基金运营、法律、财务、公关及有关专业人士构成地热能产业发展基金的运营团队。

地热能产业发展基金策划的第二步是形成一个深刻、创新、独特的投资策划方案。整个方案可以由地热能产业发展基金策划团队拟定，也可以委托专业机构制作。

投资规划方案应当包括基金管理架构、目标企业选择策略、风险控制、收益分配及清算、退出机制安排等几个方面的内容。

地热能产业发展基金策划的第三步是确定投资客户资源。具体的操作方式有三大类：地热能产业发展基金策划团队利用人脉和目标企业进行直接对接；对地热能产业内部的企业进行梳理分析，寻求适合基金操作思路的目标对象；委托融资经纪机构介绍合适的客户。如果没有足够的客户资源以及有效的商务推广手段，地热能产业开发基金的管理方案不过是"纸上谈兵"。

地热能产业发展基金策划的第四步是形成执行方案。当前国内的资本市场是一个复杂多变、信息敏感、充满新颖元素的特殊市场，其无序性、非线性和混沌性的特点都对基金操作思路的"落地"提出了强有力的挑战。只有拿出一份说服力强、可操作性佳的执行方案，地热能产业发展基金策划团队的工作才能告一段落。

二、地热能产业发展基金的发起设立

地热能产业发展基金的发起人一般为履行并完成地热能产业发展基金设立法定程序，需要完成起草审议报告、设定具体方案、拟定基金契约等有关文书，还需要为此承担相应的法律责任。地热能产业发展基金设立的基本条件、发起人所拥有的权利和义务与其他类型的产业投资基金发起人类似。其中需要注意的是，发起人需要承担基金亏损或终止时的有限责任，也不得从事任何有损基金及其他基金持有人的活动。

地热能产业发展基金的设立程序一般包括：①设立基金运作方案。针对地热市场发展形势、目标企业潜力、自身金融运作优势等，发起人可以制订出一份可行性分析报告并以此拟定基金运作方案。基金运作方案至少要涵盖基金类型、定位、策略、推出时间、总体规模、存续时间等内容。②组建基金管理团队。聘请基金经理人、基金保管人、投资顾问、注册会计师、律师等专业人员构成的基金管理团队。③向监管机关报批。规模超过50亿元的地热能产业发展基金需要经国家发改委批准设立，具体程序包括订立基金章程或契约、委托确定一名发起人按规定程序办理申请设立报批手续、向工商行政管理机关核准登记并领取营业执照、按规定履行出资义务等。需要提交的资料包括申请报告、发起人名单及协议、基金基本信息、基金发起人权利与义务、基金合同草案和托管协议草案、招募说明书草案、律师事务所出具的法律意见书等。规模低于50亿元的地热能产业发展基金设立程序包括做好设立申请前内部准备工作、办理工商注册登记、履行出资义务、向指定备案部门办理备案并提交指定文件等。④公布基金招募说明书，对外发售地热发展基金证券。

地热能产业发展基金通常实行董事会领导下的总经理负责制，内部的职能部门应当包括综合研究部、基金募集部、投资管理部、财务部、审计部、行政部等，同时可以考虑设立投资决策委员会、风险控制委员会、公共关系委员会等专门决策机构。

三、地热能产业发展基金的募集

没有融资的驱动，地热能产业的发展就只有依靠要素驱动及自我演进。类似地，没有足够的资金，地热能产业发展基金也只能是空中楼阁。

从募集对象的角度来看，地热能产业发展基金主要从政府、金融机构、非金融企业、个人等方面获得所需资金。

从具体募集运作的角度来说，地热能产业发展基金主要有私募发行和公募发行两种方式。私募发行是指面向少数特定的投资者（一般为金融机构和个人）发行的基金资金募集方式。这种方式的发行费用较低，时间节省，监管也相对宽松，但在规模方面有可能受到一定限制。对处于起步阶段的地热企业来说，私募发行这种方式更为可靠。公募发行是指面向广大社会公众发行的基金资金募集方式。公募发行的特点与私募发行刚好相反，比较适用于进入成熟期的地热企业。

从操作策略的角度来看，地热能产业发展基金通常可以采取以下方式来募集资金。①借力政府产业引导资金。目前，各地政府都积极发展政府产业引导资金来推动传统产业转型和新兴产业拓展。同时，政府产业引导基金通过股权投资及并购投资来调整当地产业结构的现象非常多。地热能产业是清洁能源行业的一个有机组成部分，借力政府产业引导基金这一低成本资金来源，可以为地热能产业发展基金"雪中送炭"。对地热企业来说，对资金量的需求将越来越大，企业只有做大做强才能构筑核心竞争力并降低建设运营成本。政府在产业引导方面的诉求与地热企业对创新金融服务的迫切需求恰好可以"对接"，这也是各地绿色产业引导基金的主要运作模式之一。②借力业内央企国企。近年来，绿色新兴产业的发展已经引起中石化集团、中煤矿业集团、中核集团、北京控股等多数央企国企的注意，它们在这一领域的战略布局已经悄然启动。对于地热能产业发展基金来说，可以谋求央企国企的资金介入，共同发展绿色产业基金。更重要的是，这些企业通常拥有上市平台，可以使地热能产业发展基金的退出渠道更加顺畅。③借力公共关系。结合自身定位找到准确的投资者是地热能产业发展基金能够募集成功的关键。考虑到能源投资的专业性，应当对同行业或类似行业的投资者进行深入分析，利用自身人脉找到突破口，先打造一个规模相对较小的基金。在地热能产业上打造精品项目获得投资收益后，则可以进一步扩大资金募集范围。

第二节 地热能产业发展基金的日常管理

一、地热能产业发展基金的运作策略

地热能产业发展基金的运作流程一般包括项目初审、项目评估与投资决策、签署投资合作协议、投资管理、投资退出等。项目初审的内容包括项目源登记筛选、项目初步分析、项目审议、项目立项/结项等。项目评估与投资决策的内容包括通过项目谈判达成初步合作意向、尽职调查、投资决策、投资决策执行等。

在签署投资合作协议之后，项目进入正式运营阶段。此时，地热能产业发展基金管理方还需要严格履行投后管理程序。对子基金的投资策略尤其值得地热能产业发展基金管理方注意。①子基金的总体投资策略。对子基金所投项目的投资阶段、地域、行业分布、金额限制、资金分配与竞争优势等，母基金应当进行严格监管，避免盲目投资；②子基金的项目开发，具体包括项目来源、项目储备情况、项目筛选程序、项目SWOT、项目投资决策机制、项目投资决策外部价值网络、项目后续跟进投资政策等；③子基金的权责分配及权利义务履行情况，重点考察基金管理制度是否得到严格落实；④子基金的项目组合管理，具体包括项目管理流程、项目管理介入的类型、项目公司定期报告及其频率、项目增值服务网络资源、投后管理策略、方法与执行等。

通过各种手段将所投项目转手之后，地热能产业发展基金可以进入退出或结项环节的操作。

二、地热能产业发展基金投资机制制定

地热能产业发展基金是金融中介的一种，其优势在于通过金融工具引入和合约设计来缓解投融资双方之间的信息不对称问题。与地热能产业发展基金管理人员相比，地热企业对自身能力、项目质量、项目运行情况及盈利预期拥有更丰富、更全面、更有效的信息。投融资双方的信息不对称可能造成"劣币驱除良币"的现象并导致市场失效。为了避免和减少所投地热企业管理人员的道德风险及逆向选择所造成的损失，有必要逐步完善投资机制。一方面，地热能产业发展基金管理人员应当具备扎实的信息搜集能力，充分发挥地热能产业发展基金的关系网络优势，妥善利用各种信息渠道搜集与企业、项目、地热市场的有关信息。另一方面，在项目调查阶段应当设置严密的评估标准，通过高强度、高质量的尽职调查来选择优秀的地热经营团队和具有良好潜质的地热项目。就项目而言，应当重点考察项目的技术可行性、市场竞争情况等因

素；就地热企业管理团队而言，应当重点考察教育背景、领导能力、以往业绩、行业信誉等因素，尤其要关注企业家个人品质和商业经验。只有筛选机制足够严格，才能保证所投地热企业的质量，避免由于道德风险和逆向选择而造成的重大损失。

三、地热能产业发展基金交易价格确定

地热能产业发展基金的交易主要可以分为企业和项目两个方面。交易价格不仅决定地热能产业发展基金的利润，更直接决定了地热能产业发展基金在市场上的价值。判断交易价格是否合理的标准在于对所投地热企业及地热项目的投入与未来收入之间的比例情况。一般而言，具体的交易价格以地热能产业发展基金对企业及项目的估价为基础，最终通过双方谈判确定交易价格。从这个意义上来说，交易价格的确定是地热能产业发展基金交易的重点，这具体又包括企业估价和项目估价两个方面。

（一）地热能产业发展基金的企业估价

要收购地热企业的股权，首先就需要对企业的市场价值进行评定。在尽职调查的过程中，地热能产业发展基金可以获得企业资产、以往经营业绩、预期盈利能力等相关资料。以此为基础，可以对企业价值进行估算。在实践中，企业估价的方法主要包括以下几种。一是资产基础法。资产基础法的原理是获得企业当前资产所需要的重置成本减去合理的损耗后得到一个评估价值。重置成本一般按照企业现有资本的市场价计算，损耗部分主要包括实体性贬值、功能性贬值和经济性贬值。计算所得金额再减去企业负债就可以对企业进行价值估算。显然地，从本质上来看，资产基础法按照账面价值来确定目标企业的资产价格。这种方法以经过审计的资产负债表或清产核资报告为依据，具有操作方便的优点。资产基础法没有考虑由于资产的组合溢价，也很难将商誉、知识产权等无形资产包括在内。但是，这种方法可以给地热能产业投资基金管理人员提供一个估值"下限"，具有重要的参考价值。二是净现值贴现法。净现值贴现法的思路是对企业资产未来收益进行折现得到被评估企业的资产价格。这种方法可以较为公允地体现目标企业资产的内在价值，容易得到投融资双方的认可。但是，由于容易受到主观判断与不可预见因素的约束，企业资产未来收益的测度较为困难。三是现金流折现法。现金流折现法的思路来自现金流货币时间价值对企业资产价值的侧面反映。其计算方法与净现值贴现法类似。在实践中，现金流折现法包括了未来收益法、创业投资作价法和第一芝加哥估价法等具体的操作方法。其中，第一芝加哥估价法是对最坏、正常、最好三种情况下企业资产估值的平均，具有一定的参考价值。四是市场比较法。这种方法是一种可比较交易法，建立在"替代原则"的基础之上。具体的操作方法是，在市场上找出若干个与目标企业相同或类似的企业作为参照系，

通过关键经营指标的比较分析得出一个估计值再进行修正后得到被评估企业的价值。随着股权转让市场的发展，这种方法的应用范围将越来越广。五是EVA法。EVA是经济增加值（Economic Value Added）的简称。EVA能够反映企业税后营业净利润与投入资本总额（包括债务资本和权益资本）之间的差额。如果EVA大于零，则表明企业创造了价值和财富，反之则表明企业造成了价值损失。如果EVA等于零，则说明企业仅能实现债权人和投资者的预期收益。在完整的EVA体系中，战略性投资、研发费用、市场开拓费用、递延税项、营业外收支、商誉等因素都被考虑进去。在国内地热能产业的投资中，这种方法的重要性日益提高。六是Berkus法。这种方法主要根据目标企业的基本价值、技术、执行水平、市场策略、销售情况这五个关键因素来对其价值进行判断。对于地热能产业发展基金来说，Berkus法主要适用于还没有产生营业收入的初创型地热公司。

近年来，风险投资企业的一些估价方法也被应用于地热能产业发展基金的企业投资估价。这些方法有很多，主要可以分为绝对价值评估法和相对价值评估法两大类型。前者主要采用现金流折现、期权定价来对项目未来收益进行折现，在具体的运用中会使用到回收期（PBP）、净现值（NPV）、内部收益率（IRR）、盈利指数（PI）等计算指标；后者则通过具体的比率指标来判断投资项目收益是否达到某种标准，具体包括市盈率法（P/E法）、市净率法（P/B法）、市销率法（P/S法）、PEG估值法等。通常情况下，地热能产业发展基金应当选择一到两种主要的方法进行计算，同时以其他方法作为必要的补充。绝对价值评估法与企业估价方法类似，在此对相对价值评估法进行简要阐述。

（1）市盈率法（P/E法）。市盈率是每股市价与每股盈利之间的比率，是企业经营能力的数据化反映，具体又包括历史市盈率（当前市值/公司上一个财务年度的利润）和预测市盈率（当前市值/公司当前或下一财务年度的利润）两种类型。但是，如果收益小于零，市盈率的意义就会有所削弱。此外，市盈率受市场波动的影响较大，同时在预测高成长性企业时显得说服力不足。

（2）市净率法（P/B法）。市净率主要研究企业市场价值与净资产之间的比例关系。市净率与市盈率的原理较为类似，只是对每股净资产这一参数较为重视。市净率指标克服了市盈率可能为负值的缺点，理解起来也容易让投资者接受。但是，会计政策选择会对企业账面价值产生相当程度的影响。基于不同的会计标准或政策框架，得出的结论可能存在较大差别。

（3）市销率法（P/S法）。市销率主要针对企业市场价值与销售收入之间的比例关系。一般而言，销售收入这一指标为投资者所青睐，计算起来也较为方便。但是，这一指标对成本控制能力、成本结构、盈利增长性等方面缺乏足够的解释力。

（4）PEG估值法。PEG估值法是对以上几种方法的拓展，其计算公式为：PEG

=P/E/企业年盈利增长率。通常情况下,PEG 估值法可以对企业未来盈利水平做出更可靠的预测。

此外,风险因子求和方法、记分卡估价方法、比率估值法、清算价值法等方法也可以运用于地热企业的资产估价。

(二)地热能产业发展基金的项目估价

地热能产业发展基金不仅要投资于地热企业,有时也需要对具体的地热项目进行投资,这就涉及项目估价的问题。项目估价的方法主要有费用效益分析法、内部收益率法等。

费用效益分析法主要对项目费用支出和整体收益进行比较,如果项目总收入能够超过总费用,则认为项目具有投资价值。相反,如果费用效益之比大于 1,则说明项目基本不具备投资价值。

内部收益率法主要使用内部收益率这一指标。所谓内部收益率是指"使项目净现值为零时的折现率"。其计算步骤为:首先,如果净现值大于零,就提高折现率直至净现值接近于零;其次,提高折现率直至净现值小于零,然后逐步至净现值接近于零的负值;最后,利用线性插值法将以上两个步骤中得出的折现率调整为内部收益率。

四、地热能产业发展基金的激励

地热能产业发展基金在资本和企业家之间构建了一种委托-代理关系。由于两者的目标有所区别,这就需要对企业家的行为进行约束和激励,在推动其努力投入地热项目运营的同时减少其道德风险和逆向选择行为。要减少双方之间的目标距离,就需要根据地热企业(项目)特点、企业家性格特征、人力资本市场现状等因素制订合理的激励方案。同理,在地热能产业发展基金内部,也需要进行类似的制度安排。根据现代激励理论,地热能产业发展基金的激励主要从物质和精神两个层面进行。

从物质层面来看,地热能产业发展基金的激励通过薪酬体系来体现。地热能产业发展基金为企业家制定的薪酬应当包括基本工资、绩效奖金、股权与股票期权等。其中:基本工资主要根据人力资本平均水平、同等水平人才的供应量、岗位与地热企业效益的内部关联程度性、企业家真实水平等因素来制定;绩效奖金主要根据企业家关键指标完成率、当年项目效益等因素来制定;股权与股票期权激励的含义是让企业家持有一定比例的股份或期权,实现企业家与地热事业的利益捆绑。根据基金、企业与项目的具体情况,还可以安排增股、递延报酬、附有限制的股票方案、人寿保险等薪酬激励措施。此外,还可以考虑引入竞争性薪酬制度。也就是说,将地热企业家的薪酬分为固定收益和变动收益两部分。在企业和项目经营所得超过预期值时,企业家可以获得固定收益与变动收益；否则，企业家只能拿到固定收益。

从精神层面来看，地热能产业发展基金的激励通过荣誉、目标、竞争、信任、情感等方式完成。以竞争为例，地热能产业发展基金可以引入竞争机制，让具有成就需要的企业家在地热市场的竞争中获得征服对手、获得更高市场份额的成就感，这必然会有利于地热能产业的创新与兴旺发展。

第三节 地热能产业发展基金的风险管控

对于地热能产业发展基金来说，风险是客观存在的，投资的实际收益和预期收益之间总会存在一定的差额。郭丽华（2009）认为，地热能产业发展基金可能面临资金时间错配风险、资金退出风险、政府信用风险等重大风险。如果这种风险过高，必然会严重影响地热能产业发展基金的绩效，同时也会向整个产业系统传导并酿成系统性的金融风险。这就需要地热能产业发展基金管理方树立起高度的警觉性，同时积极采取各种策略进行风险管控。

一、地热能产业发展基金风险概述

政府、企业、金融机构等共同构成地热能产业发展基金的主体，各方的利益诉求都有所区别。政府的利益诉求点在于政绩、社会效益和生态效益，企业和金融机构则主要致力于获取高额收益。但是，地热能产业本身也蕴藏着巨大的风险。在不同的产业环节，在生产经营、资金周转等不同面，都存在程度不同的风险因素。从总体上来说，根据风险影响程度的高低不同，可以将之划分为系统性风险和非系统性风险两大类别。

系统性风险主要是指国际国内宏观形势的变化所造成的收益不确定性，具体包括以下几个方面。①政治风险。政治风险是指由于政治条件发生变化而导致的产业投资风险。一般来说，政局动荡会对产业投资带来严重的不确定性并造成收益剧烈波动。目前，我国政治局面较为稳定，这方面存在的风险程度相对较低。②政策风险。国家财政政策、货币政策、产业政策的变化会给地热能产业及产业发展基金造成重大影响。其中，以产业规划及配套政策的调整最为明显。③通货膨胀风险。通货膨胀意味着货币贬值，产业发展基金的资产价值将遭受影响。近年来，我国货币超发现象逐步得到遏制，但通货膨胀的风险依然存在。④法律风险是指法律法规变化给产业发展基金所带来的产业投资风险。例如，新劳动法的出台会造成新的成本压力。对地热企业来说，产业法律法规的变化很可能反映到收入和成本中去。

非系统性风险主要是指产业内部及企业内部因素所造成的收益不确定性，具体包括以下几个方面。①市场风险。政策利好和市场需求激增的共同作用下,众多企业和投资者纷纷加入到地热能产业中来。对原有企业来说,市场竞争风险呈现上升趋势。同时,境外资本对国内地热能产业的渗透程度也会越来越高。外资企业在资金实力、技术水平上都具有较强的相对优势,这就进一步放大了地热能产业的市场风险。②技术风险。目前,国内多数地热企业的生产设备、生产工艺与国外同行相比都明显较弱,这就造成了较低的产能。但是,随着社会经济的进步,地热消费终端客户对产品质量的要求也会不断增加,这对地热企业生产技术的研发更新提出了严峻的挑战。③经营风险。企业战略定位、产品价格、销售手段等都会造成价值的波动和未来收益的不确定性。同时,企业经营管理人员的道德风险和逆向选择问题也必须给予高度重视。

在理论界,一般用函数 $R=f(P,C)$ 来表示风险与事件发生概率、事件发生后果之间的数量关系。其中,R(Risk)表示某事件的风险,P(Probablity)表示事件发生的概率,C(Consequences)表示事件发生的后果。对地热能产业发展基金本身而言,风险损失主要包括资本损失和收益期望值未能达成所造成的损失两大部分。

对于地热能产业发展基金来说,风险的一些特征需要引起管理人员的注意。①客观性。地热能产业发展基金所遇到的风险是客观存在的,不以基金管理人员的意志为转移。这要求基金管理人员保持高度的理性和警觉性,不能麻痹大意。②时间上的不确定性。地热能产业发展基金所遇到的风险何时发生具有不确定性,要准确预测十分困难。③相关性。地热能产业发展基金的金融产品属性决定其风险与经济和社会密切相关,同时也与基金管理人员及所投地热企业管理人员的风险管理水平存在一定联系。④传导性。地热能产业发展基金的风险如果没有得到恰当的处理,就可能在产业内部发生转移,甚至也可能给金融机构乃至区域经济造成不利影响。⑤可测性。通过现代金融风险管理工具的应用,可以对地热能产业发展基金的风险进行测量和分析,这也是风险管理的基础。⑥损益双重性。任何事物都具有两面性,风险也并不必然意味着损失。如果能够恰当处理,地热能产业发展基金所遇到的风险有可能被转化为经营管理水平提升的介质。

二、地热能产业发展基金风险评估

在不同的发展阶段,地热企业面临的风险因素会发生动态变化。在初创期,管理滞后、研发效率低、成本上涨、营销策略错误等问题会导致增速缓慢、竞争力弱等风险;在成熟期,核心人员流失、盲目扩张、管理边际降低等问题会导致市场占有率下降、上市计划受阻等问题。此外,国内地热企业在经营方式和财务核算方式各有不同,这就进一步加大了地热能产业发展基金风险评估的难度。

随着金融市场的发展，对基金风险评估的理论研究也日渐成熟，已经形成了若干套行之有效的方法体系。具体来说，地热能产业发展基金风险评估主要包括评价指标的选取和具体的风险计算两个方面。

地热能产业发展基金的风险主要来自政策与产业、环境、市场、产品、管理、技术等多个方面，这些可以构成地热能产业发展基金风险评价的一级指标。在每一个指标下面，又可以根据基金、企业和项目的具体情况安排详细的分解指标。例如，市场风险包括市场前景、潜在竞争者、企业竞争力、市场稳定性、市场份额等分解指标。

在风险计算方法上，可以参考前文的模糊综合评价法，也可以使用灰色多层次分析法、历史模拟法、蒙特卡罗模拟法、共变异数法等。

三、地热能产业发展基金风险规避

近年来，国内金融市场上的风险定价方式正在经历着革命性的变化。客户信用风险评价的管理体制、思维方式和操作方法也发生了重大变革。原来以人工处理为主的信用评价方式已经被基于数据挖掘的客户识别、分类和信用评估所取代，事后的回顾式评价也被动态、实时的监测所替代。总之，信息化的风险识别正在成为主流。在地热能产业发展基金的运营管理过程中，要顺应这种趋势，综合利用各种手段进行风险规避。

首先，严格履行尽职调查，从源头上避免各种潜在风险。

尽职调查（Due Diligence Investigation）通常是指"在与目标企业达成初步合作意向后，投资方了解对方真实经营情况和自信水平的调查活动"，具体包括业务尽调、法律尽调和财务尽调等不同类型。尽职调查的前提是双方协商一致，其目的在于通过完备的调查摸底解决双方之间存在的信息不对称问题。近年来，尽职调查已经成为国内投资活动中必不可少的一项程序。一般而言，在核实目标企业资产状况、摸清盈利能力、揭示财务和税务风险之后，应出具《尽职调查报告》。

对地热企业进行尽职调查的内容应当涵盖以下几个方面。①企业概况。具体包括：注册时间、注册资本、所有权性质、技术水平、发展规模、员工人数、员工素质等基本信息；创始人及团队核心成员的教育背景、工作经历和成功案例；公司股权结构及组织结构设计情况。②市场概况。具体包括：根据细分市场规模、目标用户消费特征等计算预期市场份额；根据行业成熟度、资本布局等判断行业发展趋势；根据管理团队、组织结构、流程效率、企业文化、渠道、品牌、公共关系等评估企业市场竞争力。③业务及盈利模式。具体包括：企业在市场上的定位；商业模式设计、盈利模式等。④关键数据指标及未来趋势。对关键数据指标如营业收入层面、成本、财务费用、用户数据等，不仅要分析过去情况，还要对未来趋势进行合理判断。⑤征信情况。有必要结合地热企业财务报表中短期借款、应付票据和长期借款三个会计科目的数据进行详细核对,对企业当前融资、历史融资及对外担保情况做到深入把握。⑥未来发展计划。具体包括:市场拓展规划、产品升级、新客户群开发等。

在对地热企业进行尽职调查的过程中,需要用到的方法主要包括以下几种。①审阅。对地热企业的营业执照、公司章程、重要会议记录、重要合同、财务报告、账簿、凭证、法律文件、业务资料、项目可研报告、抵质押物评估报告等有关文件进行详细审阅,对关键问题及重大财务因素更要深入掌握相关情况,尽可能发现隐藏的风险。例如,对于项目可研报告,要充分了解技术方案的成熟度、竞争企业运行情况、上下游关系、经济评价和财务评价所用参数的合理性等相关情况。②分析。从多种渠道获得全面、真实、交叉覆盖的信息资料,通过文本分析和数据挖掘,加强结构分析和趋势判断,以便发现异常现象和重大问题。③小组访谈。配置财务、法律、管理等不同背景的专业人才,组建调查小组。与企业管理人员、基层职工代表、关联方及中介机构开展深入沟通,从不同层面掌握地热企业日常经营的具体情况。对应收账款、设备利用、公共关系等方面的重要信息,更应当给予高度关注。④实地考察。对企业的厂房、固定资产及存货等进行实地盘点和查账比对。

总之,通过审慎的尽职调查,地热能产业发展基金可以了解地热企业财务、人事、管理、市场等各方面的高质量信息,从而缓解信息不对称性并降低由此带来的潜在风险。

其次,优化投资合约设计,加强现场控制,避免道德风险。

针对地热企业管理人员的道德风险问题,地热能产业发展基金需要在律师、注册会计师等专业人士的指导下对投资合约进行优化设计,通过详细的条款安排和明细的权利义务分配来规范被投资企业的行为。

在地热能产业发展基金的实践操作中,投资合约的设计依据主要有两个方面。一个是《公司法》《合同法》《证券投资基金法》等相关法律法规,另一个是国际国内产业投资基金的运作惯例。通常情况下,地热能产业发展基金与地热企业签订的投资合约应该涵盖如下内容:合同主体、投资总额、出资方式、数额和期限;双方的权利义务及限制性条款;组织机构及决策机制、日常事务的管理执行、监控机制、危机处理;资金账户管理、利润和成本的分配政策及支付方式、亏损分担方式;退出程序安排;保证及承诺;股权转让;违约责任;法律适用;其他条款。在签署投资合约文件后,地热能产业发展基金管理人有义务督促并协助被投资企业办理工商登记、股权变更及有关行政审批手续。

实践经验表明,详尽的保障性条款是地热能产业发展基金确保自身的权利并实现权益最大化的重要依据。这些条款包括以下几个方面的内容。①分段投资的条款。按照国际金融市场上的分段投资惯例,处于对企业家行为进行激励和约束的目的,产业投资基金方通常只提供企业发展到某个具体阶段或约定期限所需要的资金。根据事先约定的条款，如果被投资地热企业管理人员投入程度不够或者出现损害投资方利益之情形，地热能产业发展基金方可以行使放弃追加投资的权利。相反，如果被投资地热企业业绩表现超过预期，地热能产业发展基金方可以加大投资数额。由于后续融资激励和投资中止压力的共同作用，被投资地热企业管理者会严格履行投资合约所规定的内容。②投资约束的条款。为了保障自身利益和规范被投资方的行为，产业投资基金方可以设计和运用对赌条款、反稀释条款、管理及表决权条款来进行有效约束。所谓对赌条款是指如果被投资地热企业在规定期限内没有达到预期利润水平或其他条件，则需要按照既定价款来赎回或受让不同份额的投资者股权。所谓反稀释条款是指地热能产业发展基金对地热企业新的融资活动进行限制的条款。所谓管理及表决权条款是指地热能产业投资基金方在重大事务的表决权上拥有与其股权比例不相当的权利甚至是一票否决权。③业务禁止条款。地热能产业发展基金方可以规定，被投资企业不得从事与自身业务存在竞争的业务，也不能在双方的目标市场上与第三方合作开展类似或相关业务。④管理团队稳定性条款。地热能产业发展基金方可以要求被投资地热企业在双方合作期间保持管理团队的稳定性，核心成员的流失率要控制在一定的范围内。⑤管理与监督条款。在投资合约中，地热能产业发展基金方可以就拟派驻董事及管理人员的数量及对被投资企业有关部门监督约束条款进行详细说明。

再次，提高风险分析水平，及时防范被投资企业的运营风险。

在签订投资合约之后，地热能产业发展基金要保持对所投资地热企业发展情况的高度关注，切不能做"甩手掌柜"。在必要且可行的情况下，可以派驻运营经理、财务经理、董事等高管人员进行监督控制。这些运营经理、财务经理、董事等高管人员应当保持高度的自觉性，积极深入被投资企业生产运营一线，及时发现潜在风险并进行控制和上报。

最后，在资本市场上进行风险对冲。

要对地热能产业发展投资基金中的风险进行管控，仅仅从被投资地热企业是远远不够的。地热能产业发展基金方还应当从整个资本市场的高度出发，整合利用各种投资工具和金融衍生工具，综合多种资本操作手段，全方位地设计风险对冲的路径。

针对债权，可以通过信托、债务利率掉期、质押或抵押、资产证券化途径。信托是一种委托人将其合法拥有的财产委托给受托人进行管理或者处分的行为。对于地热能产业发展基金方来说，可以将所拥有的债权委托给信托公司进行风险对冲。以双方约定的目的和条件为基础，由信托公司对地热能产业发展基金方的债权进行管理、运用和处置，其具体的操作方法通常包括债转股、流动资产抵债等。根据双方的协议，地热能产业发展基金方可以预先获得信托资金，这就构成了对该项债权的"防火墙"。债务利率掉期：利率掉期是交易双方同意在未来的某一时间点根据两笔币种、金额、期限均相同的本金进行交换利息现金流的交易。但是，交易的一方提供浮动利率，另一方提供固定利率。对于地热能产业发展基金和地热企业来说，双方向银行借入款项时在浮动利率成本和固定利率成本方面有所区别，这样就可以利用债务利率掉期的方式各自借入自己具有优势的那种利率，从而创造融资成本上的双赢局面。质押或抵押：地热能产业发展基金可以将债权和项目特许经营权质押或抵押出去获得资金并进行周转及再投资。资产证券化：地热能产业发展基金可以委托专门从事资产证券化业务的金融机构，委托后者以所持的债权或包括债权在内的资金池作为依托发行证券。通过这种操作，地热能产业发展基金可以将债权转换成更容易流通的证券，从而提前收回债权投资。资产证券化的另一种方式是将地热企业运作上市，通过上市后的资产增值或者转让收益，也可以实现债权风险的转移。

针对股权，地热能产业发展基金也可以通过类似的手段进行风险对冲。同时，由于股权的特殊性，还可以通过远期市场、期货市场及OTC现货交易等途径来实现风险对冲。总之，只要相关途径的收益大于当初投资总额及投资期间利息总额或者能够有效降低损失，风险对冲都是较为可行的。

第四节 地热能产业发展基金的退出

地热能产业发展基金包含了委托方与代理人之间的"委托-代理"关系，这种关系在特殊情况下需要中止或结束，这就产生了"退出"的问题。从本质上来说，地热能产业发展基金遵循着一种"募资—投资—管理—退出—再投资"的循环过程。也只有这样，才能确保投资资本的快速增值。具体来说，地热能产业发展基金退出包括途径、时机选择、保障机制等几个问题。

一、地热能产业发展基金的退出途径

根据基金管理的国际经验，地热能产业发展基金的退出途径主要包括上市、股权转让、企业回购、清盘四种类型。①上市：对所投资企业通过IPO（Initial Public Offerings，首次公开募股）或借壳等方式进行上市运作后，地热能产业发展基金可以通过二级证券市场将所持权益转换为公共股权。地热企业上市的国内渠道主要包括主板（上海股票交易所与深圳股票交易所）、中小板、新三板和中原股权交易中心。地热企业上市的国外渠道则包括北美、欧洲、新加坡等地的证券交易所。②股权转让：地热企业股权交易的方式较为灵活，包括场外交易、向原股东或第三方进行协议转让、并购重组等。地热能产业发展形势良好，地热企业盈利规模及成长性都非常可观。但是，在我国证券市场管理越来越规范的形势下，地热企业不一定能在投资方预期的时

间内满足上市要求和条件。这就可以通过产权交易市场来进行股权的协议转让。在对象上，地热企业股权协议可以向企业股东或者新的投资者进行转让；在时间上，地热企业股权协议的转让基本不受限制；在操作上，地热企业股权协议的转让具有简便易行的特点。所以，对于产业投资基金来说，股权转让不失为一种比较理想的退出途径。③企业回购：这是一种以市场公允价格让被投资企业回购股权的退出方式。在《公司法》《证券法》许可的范围内，由企业管理层或员工通过现金、信托等方式进行回购的现象将越来越多。对于地热能产业发展基金的退出来说，这也是一种不错的选择。④清盘：地热能产业具有一定的风险性，地热企业可能会面临经营不善、市场发生重大变化、关键技术人员及管理层变动甚至是即将破产等局面。此时，产业投资基金不能消极等待，而是应该通过清盘的方式来降低和停止投资损失。此外，地热能产业发展基金的退出方式还包括次级市场和变相退出等。

二、地热能产业发展基金退出的时机选择

时机选择是地热能产业发展基金退出的一个关键点。过早则可能面临后期投资企业价值迅速上升的尴尬局面，过晚则可能严重影响投资收益。这就要求管理人员根据投资企业及项目的实际情况安排退出时机。一般来说，地热能产业发展基金退出时机的选择主要有两种情况。①按照投资协议规定的时间实现退出。在投资协议阶段，地热能产业投资基金就需要与被投资企业就退出时间进行协商。在双方达成一致意见的前提下，地热能产业发展基金可以按照双方的约定在合适的时间点退出。通常情况下，这个时间点是指被投资企业被证实无法达到预期财务目标之时。在具体的退出条款上，要安排好偿付协议、回购方式和回购条款。②按照初始设定的退出触发点选择退出时机。在地热能产业发展基金的实践操作中，管理方通常会设置清晰的退出路线。一旦时机情形与预设的触发点吻合，退出操作程序就会迅速启动。从宏观角度来看，这种触发点一般包括经济形势发生重大变化、产业政策突变、产业景气指数持续大幅下降等情形。从微观角度来看，这种触发点一般包括实现预期财务目标、某项指标超出预警水平、发生不可抗力事件、被投资企业破产清算等。

如果产业发展基金没有安排好退出保护协议和退出路线，则可以根据政策、技术、市场结构、法律法规等因素的变动合理选择退出时机。例如，被投资企业在关键技术上被竞争对手抢得先机、市场前景不理想甚至经营严重困难时，产业发展基金应当果断退出。

第五节 地热能产业发展基金的案例及启示

从整体上来看，我国地热能产业尚处于起步阶段，并无一套成熟的理论体系可供

应用。不仅如此,政府、企业及有关金融机构在这一领域的诸多实践操作也都处于探索和起步阶段。正因为如此,与地热能产业发展的任何理论都应当被放置在具体的实践中进行深入考察。本节选取 BK 地热能产业发展基金来进行基于实践的案例探讨,借以验证前文所阐述理论的价值所在。

一、地热能产业发展基金的具体实践:以 BK 地热能产业发展基金为例

(一) BK 地热能产业发展基金背景

近年来,社会经济水平和居民可支配收入持续上升。随着人民生活水平的提高,对冬季供热质量有了新的要求。在城市基础设施建设过程中,供热已经成为一种基础保障。为了适应时代的发展需求,在供热模式上有必要不断的创新,智能化的集中供热模式越来越引起人们的重视。

集中供热是指在人口密度相对集中的区域建设,向技术条件许可范围内的企业、居民提供生产和生活用热的一种新型供热方式。常见的集中供热模式包括热电联产、区域燃煤锅炉、燃气锅炉等方式。在城镇化程度不断提高的大驱使下,集中供热与人民群众对供热产品的需求明显更为适应。与传统的分户供热相比,集中供热具有节约燃料、降低环境污染、节省用地、提高供热质量、低噪音、少扰民、自动化程度高、维护方便等优势。

从整体格局的角度来看,我国城市集中供热的热源以锅炉房、热电联产为主,其他热源方式为补充。国内集中供热覆盖率较低,仅在北方几个大中城市的主要城镇兼有集中供热系统,平均覆盖率尚不足 50%。对南方和广大农村地区的居民群众来说,集中供热设施还是一种"奢侈品"。空调、电炉、天然气炉以及传统的蜂窝煤等独立供热取暖方式仍十分普遍。在美国、欧洲、日本等发达国家的城市中,集中供热覆盖率这一指标已经超过 80%,其全国平均水平也在 60% 以上。可以预见,随着中央及各级地方政府对生态环境问题的重视,"煤改电""煤改气"是大势所趋。区域小锅炉拆除工作以及老式供热管网建设改造工程将持续推进,这为集中供热市场带来了宝贵的发展机遇。

2016 年,我国热力生产和供应行业销售收入达 1 759.86 亿元,同比增长约 13%。在未来,我国供热行业的需求增速将保持下去。环保、节能、适宜、有利于城市可持续发展的集中供热方式将成为市场主流。供热计量改革步伐不断加快,供热收费区域标准化、精细化和规范化,这也有力地促进了供热行业的销售增长。预计到 2025 年,我国热力生产和供应行业销售收入有望突破 3000 亿元。

BK 清洁热力有限公司(下文简称"BK 热力")成立于 2017 年 7 月,注册资本 3

亿元人民币。公司隶属于 BK 集团，原为 BK 集团旗下战略业务板块之一，是国内较为系统开展区域综合能源业务的优秀服务商。BK 热力的业务范围包括：热力、冷气供应；煤炭供应；电力供应、售电、配电业务；供热服务；热力工程（含设备）投资、能源项目投资、设计、系统安装、调试、运行、维护及检修；新能源及可再生能源的利用开发；城市燃气管网建设、城市燃气输配；能源技术咨询服务；热力专业承包；机电安装工程；合同能源管理；工程项目管理等相关业务。

自成立伊始，BK 热力就非常重视资本运作。经上级领导批准，BK 热力拟与 ZS 银行 TS 分行联手成立城市清洁集中供热产业发展基金，拟用于并购、改造、建设东北、华北、西北等区域的集中供热项目。

（二）基金基本要素

基金类型：有限合伙。

基金规模：30 亿元，首期 15 亿元。

杠杆比例：3∶7。

基金存续期限：5 年（3+2）。

基金投资人：BK 热力、DH 投资、招商银行、其他社会资本。

基金管理人：DH 投资、ZS 资产管理有限公司。

基金预计收益率：6%（暂定）。

基金收益分配方式：由基金按每半年付息，第 4 年起还本（第 4 年归还本金的 50%，第 5 年归还剩余 50%）。

基金退出方式：通过所投项目自身产生的收益或所投项目出售给 BK 热力及其关联企业产生的现金流实现退出。

基金增信措施：由 BK 热力对 TS 银行优先级份额到期进行回购，BK 清洁与优先级签订差额补足协议，约定在基金存续期未能足额分配优先级收益，及退出过程中优先级本金未能全额覆盖的情况下，由 BK 清洁补足相应的本金和收益。

其他费用：托管费用 0.02%/年（暂定）；基金管理费用 1%/年（暂定）；通道费用 0.02%（暂定，一次性收取）。

投资标的：用于并购、改造、建设东北、华北、西北等区域的优质集中供热项目。

（三）基金业务管理方案

BK 清洁热力集中供热基金项目拟采用有限合伙的形式设立，基金总规模不超过 30 亿元（分两期，每期 15 亿元），有限合伙人由优先级出资人、夹层出资人与劣后级出资人组成，参与主体如下：其中招商银行作为优先级按 70% 比例出资 21 亿元，夹层资金（其他社会资本方）10%比例出资3亿元，劣后资金6亿元，劣后方BK热力、DH投资分别按照65%、35%的比例出资。DH（北京）投资基金管理有限公司（以下简称DH投资）、ZS资本管理有限公司（以下简称招银国际）共同作为基金的管理人负责资金募集、投资管理、投后管理及资金退出事宜。

该基金用股权的形式投资到拟并购、改造、建设的集中供热项目公司中，由BK热力与TS银行设立的信托/资管计划签订回购协议，对TS银行持有基金优先级份额进行回购，由BK与TS银行设立的信托/资管计划签订差额补足协议，约定在基金存续期未能足额分配优先级收益，及退出过程中优先级本金未能全额覆盖的情况下，由BK清洁补足相应的本金和收益。项目采用双GP的管理方式，分别为DH投资和ZS资本管理有限公司。

（四）基金管理人及议事规则

基金按照各方共同签订的《产业投资基金（有限合伙）合伙协议》进行经营和管理。其中：

投资委员会是合伙企业投资方面最高层决策机构，定期就投资管理重大问题进行讨论，确定合伙企业投资策略。执行事务合伙人应依据投资决策委员会的相关决策执行合伙企业事务。投资委员会由普通合伙人、优先级、夹层级、劣后级委派人员担任，其中投资决策委员会主任委员由普通合伙人委派的委员担任，负责召集投资决策委员会会议。全体委员出席会议方为有效会议。

除合伙协议另有约定外，投资决策委员会对合伙企业所需要使用资金进行投资的一切事宜、投资决策及其他重大事项进行表决，须经出席会议的全体委员同意方为有效。其中，优先级和劣后级有限合伙人委派的委员对于投资决策委员会所有决议事项拥有一票否决权。

各合伙人一致同意，如果有限合伙人转让其持有的部分或者全部财产份额，其不再享有向投资决策委员会委派委员的权利，其已经委派的委员自其转让部分或全部财产份额之日起即自动退出投资决策委员会。

投资决策委员会委员的任期与合伙企业的存续期一致。

（五）风险分析及防范

BK地热能产业发展基金可能遇到的风险主要包括以下几种类型。①政策及合法合规风险。供热是城市经济发展以及人们生活中必需的基础设施，是保证城市建设的基础保障，所以在供热模式上要不断创新，以适应时代的发展需求。随着节能减排淘汰落后产能政策在全国的推广，近年来各级地方政府加快了拆除高耗能、高污染、低热效率锅炉的步伐，为新一批集中供热项目投资创造了良好的环境，但同时也要关注国家相关政策的变化，尤其是在建项目是否符合国家标准。②流动性风险。BK热力成立时间不长，回购能力有限，因此还要更多依赖集团公司的差额补足能力。③信用风险。BK热力成立时间不长，信用记录相关信息较少，信用风险评测难度较大。但作为BK集团战略转型的重点业务板块，热力供应在集团内的份额占比会不断提高，经营管理水平也将不断改善，信用风险会随之下降。④市场风险。我国集中供热覆盖率仍处于较低水平，行业提升空间很大。但由于环保要求的提高，增加了运营企业的成本，同时天然气等清洁能源的价格仍然处于高位，也将影响供热企业的盈利能力。

在借鉴同行业风险管理策略的基础上，BK地热能产业发展基金主要利用模糊评价法和BP神经网络法来对以上风险进行分析预测。

BK地热能产业风险防范的措施主要包括成立风险管理委员会、细化尽职调查、加强项目执行追踪、落实风险报告制度等。

（六）基金投资价值

BK集团近几年将集中供热产业作为集团战略转型发展的重点板块之一，立足城市集中供热行业窗口期，完善产业布局，积极并购、改造东北、华北及西北等地区优质供热项目，秉承"政府放心、企业盈利、员工受益、伙伴共赢"的经营理念，通过系统成本领先战略，以高标准获取优质资源，统领热力行业专业化发展。后期，集团旗下热力公司将有一定的中长期价值成长空间。

风险缓释措施较强，本项目到期由BK热力到期回购及BK（上市公司）提供差额补足。

拟投资标的明确，基金主要用于并购、改造、建设东北、华北、西北等区域的优质集中供热项目，投资路径明确，项目所属行业处于上升周期，现金流稳定，可以满足基金有限合伙人和普通合伙人的收益要求。

（七）基金效益分析

2018年以来，BK热力公司与兴业租赁、招商租赁、民生租赁、华夏租赁、中信租赁、交行租赁、工银租赁、光大租赁、华能天成租赁、中关村租赁、大唐租赁、百灵租赁、中青旅租赁、中广核租赁等20余家融资租赁公司进行了项目融资对接。以内部收益率价格、放款效率、资金规模等要素为考核依据，最终确定招商租赁、兴业租赁、民生租赁和中信租赁等几家拟合作单位。目前已经落地的项目包括：西安BK项目（融资规模1亿元），陕州BK项目（融资规模5500万元），上海BK项目（融资规模1.5亿元）。后续常熟项目、徐州项目、新疆项目、山东曹县和河北几个项目也在持续跟进中。结合几家项目资金到位情况，内部收益率都控制在了6.5%以内（表8-1）。

表 8-1 BK 项目融资情况统计简表

项目名称	融资主体	类型	投资额	股比	融资金额	期限	综合融资成本
陕州深层地热	WJ新能源供热有限公司	并购	6050万元	70%	5500万元	5年	6.47%
常熟滨江新城	BK成创清洁能源有限公司	并购+扩建	1.1775亿元	51%	4000万元	5年	6.47%
西安热力	BKJS热力有限责任公司	并购	1.15亿元	70%	1亿元	5年	6.35%
上海供热	SHHD能源科技有限公司	并购	9715万元	51%	1亿元	5年	6.35%
郑州地热项目	XCBK清洁能源热力有限公司	新建	2.4783亿元	65%	1亿元	5年	6.35%
太原供热	SXBK清洁热力有限公司	并购	7亿元	60%	3亿元	5年	6.35%

根据内部财务人员的估算，基金参与各主体的盈利情况如下：LP 利息费用 6%；托管费用 0.02%；基金管理费用 1%；通道费用 0.01%。

（八）基金投资及退出流程

基金投资及退出流程主要包括：TS 分行理财资金认购通道管理人设立的专项资管计划；通道管理人代表专项资管计划向 BK 城市清洁集中供热产业基金认缴出资 21 亿元（或 10.5 亿元，分两期）；产品存续期内，基金按每半年付息，第 4 年起还本（第 4 年归还本金的 50%，第 5 年归还剩余 50%）。

二、地热能产业发展基金的案例启示

随着金融体制改革步伐的深入，以产业投资基金为代表的金融产品对各项产业乃至国民经济的发展都将起到越来越重要的作用。通过对 BK 地热能产业发展基金的案例分析，可以给地热能产业发展模式带来诸多启示。

首先，地热能产业发展模式的完善需要准确把握政策机遇。清洁能源行业是国家着力发展的战略新兴产业的一部分，宏观政策及地方政府都在这一领域给予了相当程度的优惠政策支持。在中国特色社会主义市场经济体制的背景下，地热能产业的政策环境、产业配套和区域发展政策都较为有利。在多重利好的窗口期和风口期，地热从业人员应当准确把握时代机遇。对相关的产业政策，要正确理解、吃深吃透，在政策许可的框架下展开高效的资本运作和运营管理，在实现自身规模发展壮大的同时和政府一起共同促进国民经济的增长，创造企业与政府的双赢局面。

其次，地热能产业发展模式的完善需要以资本运作为纽带。传统的产业发展及企业运营都以资源优势发挥、营业收入及利润增长为着眼点。在 21 世纪，资本运作在各项产业的参与程度和渗透程度都将显著增加。在完善地热能产业发展模式的过程中，需要以资本运作为纽带，发挥资本在资源配置中的独特作用，利用资本力量来推动地热企业迅速扩大规模和复制成功经验。

再次，地热能产业发展模式的完善需要发挥融资的规模效应。根据产业经济学的有关理论，产业在空间上的聚集会形成集群效应。由于规模经济的作用，产业集群的系统功能会大于单打独斗状态的企业功能之和。以地热能产业发展基金为平台，可以将相关企业撮合成一个整体。通过融资规模效应的发挥，分散的中小地热企业可以解决资信不足、担保手段单一等融资瓶颈。这有助于进一步降低融资成本和提高融资效率。

最后，地热能产业发展模式的完善需要有效开展产业规制。"政府"和"市场"都有自身的内在缺陷。地热能产业演进过程中，总会出现各种各样的不利因素，这就需要通过政府规制、社会规制和行业自律规制来对之进行限制、约束和规范。在地热能产业发展基金的运行过程中，同样需要进行严格的监督管控。①严格外部监督，整合产业管理及金融监管方面的行政力量，成立产业发展基金管理委员会，对其进行严格的外部监督。②要求产业发展基金加强信息披露，定期出具运营报告，确保地热能产业发展基金的有效性和安全性。

近年来，我国地热能产业发展态势良好，吸引了各种资本的青睐。但是，地热能产业发展模式还不完善，产业规模及结构都需要提升。引入地热能产业发展基金，在微观上可以帮助地热企业快速形成规模优势并提升管理水平，在宏观上则有助于推动地热能产业的系统性发展。

地热能产业基金从设计、募集、投入、激励、风险管控、退出等方面出发探讨了地热能产业发展基金的管理策略。此外，本章节还从背景、基本要素、管理方案、议事规则、风险分析及防范、投资价值、效益、退出流程等角度分析了BK地热能产业发展基金的实战案例。

下篇

地热能产业发展的实例与行业发展愿景

第九章　地热能领域的若干特色模式

党的十九大报告指出，"我国经济已由高速增长阶段转向高质量发展阶段，正处在转变发展方式、优化经济结构、转换增长动力的攻关期，建设现代化经济体系是跨越关口的迫切要求和我国发展的战略目标"。在这一阶段，基于生产要素变革的产业创新与业态创新将更加活跃。由于产业创新与业态创新的推动，产业发展层次将不断提高，产业升级、原创产业培育、经济增长和区域发展将发挥巨大作用并为经济发展提供新动力。

近年来，地热能新能源领域的产业创新与业态创新不断涌现，形成了一批具有地域特色的若干新模式，为地热能产业发展的模式探索提供了丰富的实践经验，引起了研究者的高度重视。

第一节　地热能领域特色模式概述

纵观人类文明的发展史，一条持续跃升的"种植—集市交易—机器大工业生产—物流运输—金融—计算机—互联网"业态进化路线清晰可见。正是这种产业、业态的进化，才形成了错综复杂的现代产业体系。新一轮工业革命带来的技术革命和产业变革，孕育出了大量的新产业、新业态、新模式，为社会经济的发展创造了更多的发展空间和前所未有的历史机遇。

从地缘经济的角度来看，地理位置与产业发展战略规划密切相关。一个国家的地理区位、自然资源会对国家的发展、国家经济行为产生重要影响。英国、美国、日本等国家的产业崛起过程都证明了这一点。地缘经济正是研究如何从地理的角度出发，在国际竞争中保护国家利益。人类在地球上活动受到地理条件的限制。在一个国家经济版图的扩张过程中，往往倾向于首先选择与周边地区合作。地域上的连接产生的经济关系称之为地缘经济关系。这种关系通常表现为或者是联合和合作即经济集团化，或者是对立乃至是遏制、互设壁垒等，前者称之为互补关系，后者称之为竞争关系。

就某一特定的产业而言，这一道理仍然适用。在产业发展模式的形成和演变过程中，往往能够出现一些附着于地缘因素的特色现象，如美国阿巴拉契亚的煤炭工业、韩国浦项南港口的钢铁制造业、日本滨松光电子产业等。因此，在新能源产业发展过程中，结合不同地区禀赋特色进行产业发展模式的开发是十分必要的。

自 20 世纪 70 年代以来，我国在地热应用方面进行了深入的探索，在广东丰顺、广西象州、河北怀来、湖南灰汤、江西温汤、辽宁熊岳、山东招远等地建成地热电站。近年来，在地热供暖方面也取得了一系列突破，形成了一批具有区域特色的个性化模式，如"雄县模式""陕州模式""郓城模式""小营口模式""羊八井模式"等。

以"羊八井模式"为例，这是地热能产业与区域经济发展、乡村振兴战略、精准扶贫政策等有机结合的优秀代表。

羊八井镇地处 304 省道、青藏公路的交通要道，是沟通拉萨、日喀则及那曲的重要交通节点，也是沟通藏南、藏北的交通枢纽区，这里曾是藏北驮盐古道上的重要驿站。1974 年，国家把羊八井地热开发作为重点科技攻关项目。1976 年，我国大陆第一台兆瓦级地热发电机组在这里成功发电。如今，羊八井盆地上一座全新的地热城拔地而起，以新能源电力产业为主的产城一体化发展，与周边地区实现优势互补，打造拉萨市新能源产业基地，以地热发电与地热科技开发推动绿色发展。羊八井镇所辖的 2 个村委会和 1 个居委会根据自身特点，或发展地热和生态旅游业，或发展纯牧业观光，近三年来人均年收入都在 1.5 万元左右。以此为基础，羊八井特色小镇坚持突出区域禀赋特色，以新能源、现代畜牧业、旅游业为主导产业，打造拉萨市新能源产业示范区和全国知名的地热地质生态旅游区及户外天堂，不断培育具有持续竞争力的独特产业，充分发挥出国家各项扶农助农政策、新能源产业发展模式等对新农村建设的引领带动作用。

从道路崎岖的驮盐古道到"羊八井模式"黄金时代的白色雾气再到"雪域高原牧场、现代地热小镇"的全新面貌，羊八井镇逐步完善城镇功能，补齐城镇基础设施、生态环境短板，打造宜居宜业环境，提高群众获得感和幸福感。地热地质生态旅游与冰川雪山风光将在新时代重塑辉煌。可以说，没有地热能产业的深度支持，羊八井镇的扶贫攻坚之路仍然是困难重重。

在地热能领域的若干特色模式的发展中，既有政策的推动也有市场的自我演进，既有资本力量的渗透也有行业模式的创新。由于存在多种驱动因素的共同作用，其动力机制较为复杂，其相关影响因素、结构关系及演进规律也各有特色。因此，很难将之归纳为某种具体的发展模式。对这些模式进行回顾和阐释，可以看到具体国情及政府政策对地热能产业的影响，也可以看到企业、金融机构在地热能产业发展方面的探索，对研究地热能产业发展模式具有十分重要的参考价值。

第二节　雄县模式

河北雄县有"中国温泉之乡"的美誉，也是我国地热资源最为丰富的地区之一。

雄县位于河北省中部，北距首都108km，东距天津100km，西距保定70km，东西长26km，南北宽25.5km，总面积524km²，耕地56万亩，人口33.6万。雄县地热资源丰富，储存热水总量达821.87亿m³，具有储量大、埋藏浅、水温高、水质优等特点。雄县地热分布区属于华北地区地热资源条件最为优越的牛驼镇地热田，范围包括雄县、固安县、永清县和霸州市等，总面积达640km²。雄县地热田在牛驼镇地热田中所占比例达到50%左右。雄县地区第三系（古近系＋新近系）热储和蓟县系雾迷山组热储直接接触，其中第三系热储顶面埋深在450~520m之间，地热水温度在45~58℃，单井出水量在50~80m³/h；雾迷山组热储顶面埋深在最浅不足1000m（浅牛1井，井深534m，井口水温75℃），地热井出水温度66~86℃，单井出水量100m³/h左右。雄县地热水的水质良好，含有偏硅酸、氟等一系列对人体有益的微量化学组分，属于偏硅酸、氟型温泉水。

从1973年开始，雄县就开始进行地热资源的开发利用。1985年雄县还获得过"全国中低温地热综合开发利用示范区"的荣誉称号。但是，在短暂的荣誉之后，雄县的地热开发受到财力、技术、人才等多重因素的制约，地热事业止步不前（表9-1）。

表9-1 雄县地热资源开发利用SWOT分析简表

优势（S）	劣势（W）
境内地热资源储量丰富； 地热供暖的经济性和环保性十分突出； 政府高度支持	技术滞后，地热资源开发水平落后； 管理经验不足； 政策法规在国内缺乏先例； 资金短缺
机会（O）	威胁（T）
国际国内地热市场发展趋势良好； 各级政府的高度重视； 城市知名度不断提高	管理不当可能造成严重的负外部性； 由传统供暖转向地热供暖难度很大； 可能出现类似产品的竞争

从整体上来看，尽管雄县有着丰富的地热资源，但开发利用程度一直不理想。燃煤锅炉的方式由来已久，造成了严重的空气和环境污染。根据有关部门的统计，在使用传统燃煤方式供暖的情况下，雄县每年排放CO_2 16.87万t，SO_2 0.43万t，煤尘1.06万t。虽然也有一些零星的地热供暖，但规划水平差、布井不科学、技术落后等问题的存在造成了地热资源的极大浪费。根据有关地质资源勘探部门发布的数据，2009年7月，雄县地热水位已经下降了近70m。这迫使雄县政府开始深刻认识到问题的严重性。经过县委县政府的一致决议，保护好利用好地热资源成为雄县政府发展地方经济的头等大事。

从发展阶段的角度来看，雄县地热产业主要经历了3个阶段。①筹备期。20世纪

80年代，首次投入地热开发并建成华北平原地热资源开发示范基地。1989年，雄县被国家确定为全国中低温地热资源综合开发利用示范区。②建设应用期。由于雄县政府保护性开发地热资源、打造"无烟城"、为百姓造福的理念与中石化集团新星石油公司（简称"新星公司"）科学开发地热资源、推动节能减排、履行社会责任的发展战略之间具有高度的一致性，双方于2009年8月签订战略合作协议。该协议具有排他性，有效避免其他地区地热市场的无序竞争与地热资源浪费。经过7年的建设运营，雄县基本实现地热集中供热全覆盖，获得了全国首个"无烟城"的美誉。国家能源局、各级政府及社会各界都对地热开发的"雄县"模式表示充分肯定。③新规划期。2015年3月23日，中央财经领导小组第九次会议审议研究了《京津冀协同发展规划纲要》。在京津冀协同发展过程中，雄县政府提出了"率先发力、倾力有为、先行一步"的口号，决心以地热资源的科学利用为核心，实现"绿色低碳、富强文明、和谐平安的美丽雄县"的战略目标，建设好"京津保生态过渡带"和"环白洋淀生态修复区"，打造一条经济发展以低碳产业为主导、城镇建设以能源创新为方向、生产生活以绿色方式为理念，符合雄县发展实际的新型城镇化发展之路。2017年，新星公司宣称，要坚持"智能化、信息化、标准化"的思路，实现"雄县模式"的动态升级和复制推广。

从技术的角度来看，雄县地热开发利用主要采用了以下几项先进技术。①热储评价技术。在精心勘测的前提下，新星公司绘制出高精度的地温梯度图和大地热流分布图，对地热资源的区域开发起到了有效的指导。②地热水交换技术。如前文所述，地热水中含有多种矿物质。世界各地地热利用的经验表明，地热水直接供热往往会造成严重的管网腐蚀。为了解决这一问题，新星公司开发了"地热水换热技术"，其核心在于地热水采灌系统与供暖软化水循环系统的独立运行。"地热水换热技术"不仅解决管网腐蚀这一难题，也在很大程度上促进了地热水的大规模利用。新星公司先后建成滨河新区、山水太阳城、盛唐国际等新建小区集中供热项目。同时，在雄县政府的积极扶持下，新星公司通过整合收购的方式实现了62万m^2的老城区供暖改造升级。由于"直采直排"供暖方式的使用，雄县城区老式供热系统改造率达到了85%以上。③梯级利用技术。传统采暖和新建低辐射采暖系统之间通常会产生兼容困难的现象，这也一直是困扰地热供暖的一项难题。针对这一难题，新星公司开发出了地热能开发的"梯级利用技术"。地热水第一次交换，为传统的采暖系统供热，第二次交换为地辐射采暖系统供热，第二次交换后的地热水再经过热泵进行再一次提热，又可以为地辐射采暖系统供热。通过"分级、分层次"的开发，地热能利用效率提升了30%以上。同时，地热尾水排放温度降低了12℃左右，地热资源利用程度得到了进一步提高。④地热尾水回灌。在雄县的所有新建项目上，新星公司都使用了自己开发的"采灌均衡，间接换热"工艺模式。通过先进热交换技术的运用，换完热的地热尾水进入密闭状态并通过回灌管线注入地下,深度可达 1500m 以上。如此一来,在"取热不取水"的工艺模式下,地热资源实现了全面的可持续利用。目前,新星公司在雄县区域地热开采成井深度控制在 1500~1800m 左右,取水层则严格控制在 1000m 以下。与采水井相比,回灌井在成井工艺、成井深度及井身结构方面高度一致,同层回灌的比例达到 100%。在起步阶段,新星公司只能做到地热井的"一采一灌",目前已经达到"两采一灌",有效提高了地热资源的使用效率。2011—2012 年供暖季,新星公司钻成回灌井 15 口,达到了采灌同步的水平。根据当地环保部门的监测,由于新星公司地热尾水回灌技术的应用,雄县城区范围内地热水水位的下降趋势得到了有效控制。原来雄县地热水水位每年下降 6~7m,目前则在 2~3m 左右。由此可见,新星公司在地热尾水回灌方面取得了十分可观的效果。⑤动态监测技术。通过应用运营实时数据监控、视频监控、移动巡检等信息化手段,实现了地热资源的开发的数据化、标准化和柔性化。

在开发规划方面,雄县政府制定了《地热开发利用专项规划》《地热资源管理办法》等一系列政策,规范和指导有序开发,计划到 2020 年城区集中供热面积超过 400 万 m^2,实现地热供暖全覆盖。在新星公司的协助下,雄县政府编制了《雄县 12.1km^2 地热开发利用专项规划(2010—2020 年)》,作为地热开发的指导性文件由政府纳入城市建设总体规划和经济发展规划中。雄县政府还授予新星公司地热资源开发特许经营权,实现了统一开发和整体开发。在地热利用的具体规则上,雄县政府进行了详细的规定。第一,地热开发利用必须服从雄县发展大局。雄县政府指出,地热资源的开发利用主要发挥其清洁、绿色、可再生的特征,一个重要目的在于推动雄县经济发展大局,形成新的发展路径。第二,地热开发利用必须突出开发与保护共重的方针。地热资源具有不可再生性,但这绝不意味着可以盲目开采。雄县的地热开发利用不仅要注重资源优势的充分发挥,也要坚持开发与保护并重的理念。第三,地热开发利用应当保持一定的梯次性。雄县地热资源的温度分布并不均匀,在开发利用上应当保持一定的体系性。换言之,要为不同温度的地热资源找到合适的开发方法和具体用途。第四,地热开发利用应当突出地方特色。按照因地制宜的原则,雄县政府选择了一条"开发重点项目→带动全县地热资源开发利用→建设无烟城市"的特色路径。

在运行上,雄县政府坚持市场化运行模式,秉承"整体规划、分步实施、综合利用、良性发展"的原则,引入"投资-建设-运营"的模式来保障投资者利益。新星公司坚持科学、合理地开发地热资源,先后投入 4 亿元进行私人开发地热井的收购,进而按照"间接换热,采灌结合"的运行模式来进行技术升级,使原来的"直采直排"掠夺性开发模式得到有效改善。新星公司建立了多井集输、井站联网、采灌结合、综合管理的集中联网式区域供热系统,实现了供暖效果和环境保护的"双赢"。在日常管理上,新星公司心系百姓,为各供暖小区建立了运营服务网点,提供 7×24 模式的维修服务。同时，在城区设立营销大厅，为用户提供优质高效的咨询、入网、缴费、客服等服务。

在融资方面，雄县政府摆脱了单纯依靠财政投入的传统模式，不遗余力地开辟多元化的融资渠道，通过上级政府财政支持、银行贷款、外来企业投资等不同渠道的综合利用，雄县地热资源开发利用的资金有了可靠保障。

在管理方面，雄县政府始终坚持统一管理、统一监管的模式。为了保证雄县境内地热开发项目的顺利运行，雄县政府成立了地热开发领导小组，组长由县长亲自担任。同时，雄县政府有关单位组织成立了地热资源开发管理办公室，统一地热资源管理、服务、协调解决开发中的问题。考虑到地热供暖项目公益性、微利性的特点，雄县政府专门出台了《雄县发展总体规划》《雄县人民政府关于加强地热资源开发利用管理工作的意见》《雄县地热资源管理办法》《雄县地热开发专项规划》等指导文件，管理体制逐步理顺。在征地、市政工程、税收、环保、水电价格等方面，雄县政府都给新星公司提供了一系列的优惠扶持政策，为项目的顺利开展提供了可靠的政策保障。雄县政府还组建了地热管理服务中心，对全县地热资源开发工作进行了集中管理。雄县政府不仅对各项行政审批手续进行严格把控，还出台了"采灌结合、限量开采"的制度。此外，雄县政府组织成立了绿泉地热有限公司，对雄县各个地热井的采水量、地下水水位、水温、用水情况等进行数据化监管。正是依靠这种"统一规划、统一管理"的方式，雄县的地热资源开发走上了一条集约型的发展道路。

"雄县模式"在经济效益和社会效益方面都取得了优异的成绩。从经济效益的角度来看，新星公司及其母公司中石化地热供暖能力达到4000万 m^2，在全国常规地热资源供暖面积中所占比例达到40%以上，成为当之无愧的行业龙头。从社会效益的角度来看，雄县已经基本实现城区100%的地热集中供热覆盖率，供暖面积接近500万 m^2。根据估算，地热供暖可以节省 6 元$/m^2$ 的费用，每年可为当地群众减少2862万元的供暖支出。雄安城区已基本实现 CO_2、SO_2、粉尘"零排放"，成为全国第一个"无烟城"，可替代标煤12万 t/年，减排 CO_2 28万 t/年。

"雄县模式"逐渐引起国家领导人、业内专家及社会各界的重视。"雄县模式"的经验可总结为以下几个方面。①政企携手，创造双赢。在合作方面，雄县政府和新星公司签署了排他性开发的战略合作协议，实现了"整体规划、保护资源、科学开发"的目标。当地政府在政策层面的大力支持与企业技术开发应用得到了有机统一，也反映了可持续发展的理念。②开发绿色地热资源，提升群众生活品质。通过地热资源的高效开发利用，减排节能真正实现"落地"，生态环境得到有效改善，群众的生活品质也得到了充分的提高。③产业良性发展。雄县政府和新星公司均表现出了一种长远的大局观念，敢于在开发地热水供暖这种初始投资大、回报期长、微利性和社会公益性明显的产业上进行深度投入，实现了产业的良性发展。④国家政府引导社会资本高效参与地方产业经济发展。"雄县模式"中，国家行政及资源引导社会资本的特点非常突出。以公共服务和生态投资为切入点，政策引导下的社会资本在地方产业经济上进行精耕细作，避免了民营资本"野蛮生长"的诸多弊端。⑤技术创新。新星公司一直没有停止过在地热领域的技术创新步伐，资源评价、节能集输、地热换热、梯级利用、智能监测、尾水回灌和综合利用等技术的研发利用，是"雄县模式"的一大亮点。⑥充分发扬"大庆精神"和"三光荣"精神，艰苦奋斗，以造福百姓为己任，"受冻我一个，温暖千万家"，在短短三个月内实现当年进驻、当年建成、当年供热的同时，确保了工程质量和供暖质量，得到当地政府和群众的高度赞扬。

"雄县模式"以其独有的优势逐渐显现出一种样板示范作用，增强了各地政府与股东单位的合作信心。不仅受到了国土资源部、河北省发改委等国家部委和各级政府部门的重视和支持，更吸引了一大批政府考察团前来调研学习。2011年10月14日，新星公司与保定市14县区（市）签订地热开发利用战略合作框架协议。进一步彰显了"雄县模式"的引领示范作用。目前，雄县由雄安新区托管。为了实现"打造地热资源利用全球样板"和"建成多要素城市地质调查示范基地"等远景目标，有关方面制订了详细的地质地热勘查规划方案：2017年8—12月，开展容城地热田初步勘查、重点地区工程地质详细勘查；2018—2019年，建立地下水模拟与三维地面沉降模型，为工程规划和有关建设提供准确的基础资料与信息数据。2019—2020年，全面实施地热田整装勘查，系统建立国土资源与地质环境监测预警网络，为全过程地质解决方案提供决策支持。

2017年4月，国务院批准成立雄安新区，规划范围涵盖河北省雄县、容城、安新3个小县及周边部分区域。雄安新区的设立，是京津冀协同发展大背景下的杰作。中央为雄安新区制定了7个方面的重点任务，第一个即是"建设绿色智慧新城，简称国际一流、绿色、现代、智慧城市"。在完成这一任务的过程中，生态环境建设是关键所在。除了得天独厚的地理位置之外，"雄县模式"在清洁能源供暖示范方面也具有显著意义。目前，地热能已经成为雄安新区设立以来首个确认的具体投资领域，地热资源开发利用的"雄县模式"必然会更加完善和高效。

雄安新区建设过程中的"三融"（规划先行融智、改革创新融制、市场运作融资）必然会使"雄县模式"升华为"雄安模式"。这也代表了我国能源转型的发展方向。新能源取代传统能源已经势不可挡，以地热能产业为代表的新型能源产业已经隆重登场。同时，"雄县模式"也揭示：政府在地热项目上仍然要严格履行监管职能，对技术上要求相关企业做好项目前期论证和勘探、设计等工作，因地制宜地选择可靠的技术方案并做好项目建设与运行监管。不仅要考虑效能，也要考虑代价；不仅要考虑经济效益，还要考虑社会效益和生态效益；不仅要考虑眼前利益，更要考虑长远利益。

通过以上分析，可以将"雄县模式"的特点总结为政策驱动和政企合作两个方面。①"雄县模式"之所以能够具有重大的影响力,很大程度上在于当地政府高度重视,在政策资源方面予以大量投入,在配套制度建设方面同样不遗余力。随着雄安新区建设步伐的加快,"雄县模式"的意义将更加突出。②新星公司在开拓市场的同时积极承担企业社会责任,摸索出了一条具有创新性的产业振兴之路,也为国家新能源战略的实施贡献了自己的力量,有力地促进了当地地热能产业的发展。

第三节 陕州模式

河南万江新能源集团(简称"河南万江")始创于2005年,总部位于中原经济腹地。公司致力于清洁能源综合开发利用,专注于以地热能为主的分布式供暖服务。

河南万江起步于河南省三门峡市,由传统的中央空调行业转型过渡到地热供暖行业。三门峡地区地热资源十分丰富,陕州地区尤为突出。陕州区地处秦岭-淮河以北,冬季最低气温-12℃左右,属于国家推荐供热区。但受制于体制、经济发展水平、技术等各方面因素,陕州区居民的冬季供热问题一直没有得到有效解决。

通过地热资源勘查,河南万江发现,陕县地热单井出水量可达 $50m^3/d$ 左右,水温在50~60℃左右。河南万江引入了石油钻井、石油套管、水泥封井方面的先进技术,使单井出水量达到 $200m^3/d$,温度达到70~80℃(图9-1)。

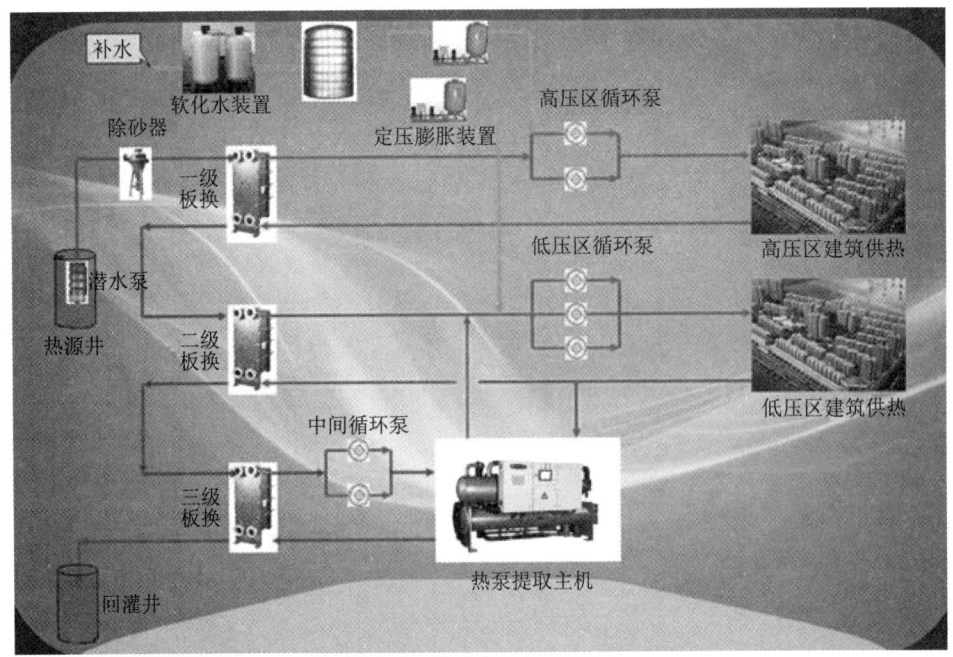

图9-1 河南万江地热供暖站房系统流程图
(图片来源:万江能源研究院,2017)

2015年8月24日，河南万江的陕州地热集中供热站项目破土开工。项目总投资金额达到3.6亿元人民币，规划供热站容量140MV，可实现陕县城区400万m^2的建筑供暖。与传统燃煤锅炉供暖方式相比，陕州地热集中供热站项目每年可以减少69 384t标准煤，减排18 178t CO_2，节约环境治理费250万元左右。

在发展方向"陕州模式"下的地热项目树立了4个层次的目标体系。①解决陕州区冬季供热问题，切实提高城市居民生活的幸福感，创建清洁、幸福、美好的生活环境。②逐步完善城区供热设施基础配套建设，提高城市综合承载能力，积极推动城区经济发展。③确保地热资源得到科学、合理、规范的应用，实现地热能产业的良性发展，优化区域产业经济布局。④实现经济效益、生态效益和社会效益的有机统一，减少雾霾天气和PM2.5的排放，为三门峡市的"蓝天工程"建设做出应有贡献。

在技术方面上，河南万江有独特的追求。目前，河南万江建立拥有自主知识产权的砂岩热储回灌技术体系、地热资源热储平衡规范体系、地热低温供暖技术体系；实现地热集中供暖100项技术专利，实现地热集中供暖行业的一系列突破。通过技术方面的攻关，河南万江实现了地热水的采灌平衡，对地质结构和生态环境的影响降低到了可被接受的程度。河南万江地热梯级利用的方案包括以下内容：首先，高温的地热水通过换热后直接被供至末端；其次，地热水温度降低，通过换热后，作为热泵的低位热源，温度提升后再供至末端。该技术可以使供热站的供热能力提升100%以上，推广利用前景非常广阔。总之，"陕州模式"下的地热供暖系统实现了全封闭运行，全程无污染、零排放，优点非常突出。在降低温室效应、减少雾霾、PM2.5的排放等方面，"陕州模式"也提供了良好的示范效应。

在运作模式上，河南万江不断创造新局面。在陕州政府的支持下，河南万江获得特许经营权。经过住建局、水利局、国土资源局、河南省地理环境调查院、河南省工程水文地质勘察院、天津石油部等有关部门的论证，河南万江携手当地政府建成了PPP地热供暖项目示范区。按照"依灌定采，取热不取水"的原理，依靠独有的电磁防垢系统和梯级利用技术，河南万江实现"采灌平衡"，整个地热供暖系统封闭运行，真正实现了全程"无污染、零排放"。

河南万江地热供暖站房集成了多种设备。①热泵主机。通过热泵主机的再次提取，可将回水温度控制在8℃左右。同时热泵主机根据回水温度自动运行，不仅可以保证供暖效果，还有效提高了资源利用效率。②全自动软水装置。吸附自来水中的钙镁离子，从而使水消除硬度成分得到软水，这就可以有效解决管道结垢的问题。③旋流除砂器。河南万江使用的旋流式除砂器具有占地面积小、除砂率高、排砂简单方便、投资少等优点。④磁化除垢器。在进水口加装磁化除垢器，起到了减少管道及设备结垢、延长设备使用年限的作用。⑤钛板换热器。河南万江供暖站房使用了三组可实现串联和并联的换热器，保障热量充分利用，提高了用户用暖的舒适度。⑥补水系统。当系统压力低于设定值时，补水泵自动启动，保证系统正常运行，同时也能够对漏水问题进行预警。⑦集分水器。通过集分水器的应用，可以保障热量的平均分配，不至于出现大面积停暖情况。

为了优化地热项目节能效果，河南万江采取了一系列措施。①强化地热井泵房及供热站的设备、管道的保温，尽可能减少由于散热所造成的能量损失。②供热站设计采取供热调节措施，最大程度节约地热流体消耗量。③在地热井泵、供热循环泵、补水、生活热水供水泵等设备上引入变频调速泵，实现电力消耗的节约。④通过热泵实现地热流体的梯级利用，有效降低地热尾水回灌温度，实现地热资源的全链条综合利用。

在用户服务上，河南万江始终坚持高标准、严要求的方针。公司服务标准与承诺包括：①设置供热运行管理机构，配备专业的管理人员及维护人员，所有员工必须持证上岗；②定期对运行人员进行安全和服务意识的培训，确保设备安全无故障运行，杜绝重大安全事故和停供事故；③设常年技术维修服务人员，7×24小时值班；④接到业主报修后，30min之内务必到达报修现场，确保故障排查率达到100%；⑤保证设备安全合理运行，按照计划进行维修保养，确保设备完好率达到100%；⑥按照国家有关法律要求承担由于违反操作规程引起的设备和人身事故产生的所有损失；⑦按照政府规定提前或延长供暖；⑧供暖平均温度达到18℃±2℃，个别最远端用户不低于16℃；⑨定期组织入户进行测温，抽测比例不低于用户总数的10%；⑩业主有效投诉率低于5‰；⑪严格执行《客户投诉处理作业规程》，确保业主有效投诉解决率达到100%，业主满意率达到100%。此外，河南万江还制订了严密的供热管理条约和事故处理应急方案。

在融资上，河南万江积极拓宽融资渠道。尤其是在2017年夏季将公司总部迁至省会郑州之后，河南万江的融资之路越走越宽。2017年11月，河南万江北控成功获得5500万元的融资；2017年12月，河南万江集团与豫矿投公司签订战略合作协议，在多个领域进行携手开发。

在发展上，河南万江没有满足于暂时的成绩，极力推动"陕州模式"在河南省及周边省市的推广，形成了一套从项目勘查、规划、设计、施工到投资运营为一体的完整体系。2017年夏季，河南万江克服种种困难，将公司总部从三门峡迁至郑州。通过政府、企业、科研机构等多种资源的整合，河南万江发展出了河南省地热汪集暘院士工作站、新能源研究院、北控万江清洁能源供热有限公司、河南省中能联建地热工程有限公司（EPC公司）。"陕州模式"逐步向鹿邑、西华、沈丘、太康、内黄、尉氏等省内城市复制推广。

通过在地热领域的聚焦发展，河南万江的"陕州模式"逐步辐射推广，取得了良好的经济效益和社会效益，其中以社会效益尤为突出。"陕州模式"完善了城市集中供热配套设施建设,增强了城市综合承载能力,提高了居民的生活品质和幸福指数。地热集中供暖项目不仅解决了冬季供暖问题,同时也将为各地建设绿色、低碳、无烟城市提供强有力支撑。与常规的燃煤锅炉供暖方式相比,"陕州模式"每年可以减少69 384t标准煤,减少燃煤使用费3 469.2万元。同时,减少18 178t CO_2、589.76t SO_2、989.6t氮氧化物、747.3t烟尘排放量,节约247.6万元左右的环境治理费。

与"雄安模式"相比,"陕州模式"更多地体现了民营企业在地热能产业领域的探索。由当地政府提供平台,河南万江利用资金、技术、团队、服务等方面的优势,实现项目规划、设计、投资、建设、运营、管理一体化。政府公共产品和服务供给能力得到提升,企业获得利润和发展机会,群众享受实惠,出现了政、企、民"多方共赢"的局面。在未来,以河南万江为代表的民营企业将是地热能产业格局中一股不容忽视的力量。

通过以上分析,可以将"陕州模式"的特点总结为技术导向、市场攻坚和建投管一体化这3个方面。①从发展伊始,河南万江就高度重视技术因素的价值,在地热供暖方面进行了持续创新,形成了系列化的技术体系,为公司的长期可持续发展奠定了良好的基础。②河南万江集团坚持以地热能产业为主导,致力于开发居民采暖专业运营,有力地保障了"陕州模式"在本地区的快速复制。③在PPP模式的基础上,河南万江做到了建设、投入、管理的一体化,不仅在地热能产业市场上占据了一席之地,也为政府和当地居民创造了可观的综合效益。

第十章　不同主体在地热能产业高质量发展中的作用与对策建议

根据前文分析，政府部门、各类地热能企业、金融机构、高校及科研院所是推动我国地热能产业高质量发展的不同类型主体。在未来的发展过程中，这些不同类型主体的作用能否充分发挥是能否促进我国地热能产业高质量发展的关键。我国地热能产业高质量发展模式关键主体定位简表（表10-1）对这些主体的定位及功能进行了初步划分，后文将进行更深入的探讨。

表 10-1　我国地热能产业高质量发展模式关键主体定位简表

主体		定位
政府部门		政策供给者
地热能企业	国有	价值创造者
	民营	
	外企	
金融机构		资本供给者
高校及科研院所		理论研发主体、人才培养机构

第一节　政府部门的优劣势分析及对策建议

一、地热能产业高质量发展模式构建过程中政府部门的优劣势分析

根据现行公共管理理论，政府在经济社会事务中扮演着公共产品供给者的角色，在产业管理领域也不例外。在这一过程中，对于政府的优劣势应当形成理性的认识，这也是发挥好政府职能的基础。

从优势的一面来看，政府的管理活动具有强制性、普遍性、引领性及协调性等特点。通过公共产品的供给和社会财富的再分配，政府能够实现落实社会发展目标、保障社会秩序、满足公民需要、体现核心价值观等功能。因此，政府在公共产品供给方面具有其他组织和个人无法比拟的职能优势。同时，在现代社会中，政府必然是资源

和信息的汇集中心。在产业管理方面,也只有政府才能站在一定的高度进行战略性布局、前瞻性规划、综合性协调和整体性监督。

从劣势的一面来看,政府是公共产品的重要供给主体,处于绝对的垄断性地位。正是由于竞争机制的缺乏,政府在公共产品的供给上并不总是高质量和高效率的,若政府工作人员不负责任乃至贪污腐败,则更可能在这一点上起到推波助澜的作用。同时,在信息社会中,信息的产生与传播都与传统社会有着明显区别。面对海量、多元化、瞬息万变的产业发展信息,政府在产业管理方面可能存在信息接受滞后、分析角度不准确、决策延误等问题。

二、地热能产业高质量发展模式中政府应当发挥的作用

如前所述,产业政策引领是多数国家地热能产业发展的特色(罗佐县,2017)。对于我国政府来说,更应当发挥体制优势和资源优势,积极实现政府职能从"划桨"向"掌舵"的方向转变,积极推进放管服改革,切实放开市场准入,有效加强市场监管,合理规避市场失灵,为地热能产业相关主体提供优质的公共服务。

政府对地热能产业管理的力量应当重点放在产业链前端,致力于营造公平、积极、开放、透明的市场环境。在地热能高质量发展模式的构建过程中,政府部门应当以行政管理体制改革为契机,充分发挥政府在各方面的优势,通过全方位的政策供给和市场监管提供有力的制度支撑。

(1)加强地热能产业政策扶持。各级政府要综合使用各种政策工具来提供针对性的制度支撑。①出台优惠政策支持地热能产业高质量发展。充分考虑地热能资源开发利用所带来的能源消费成本节约和生态效益改善,以因地制宜为原则,对地热供暖项目提供收费补贴;参照风能、太阳能发电上网电价政策,对地热发电上网电价进行适当补贴;对地热能核心技术研发、地热示范项目建设、地热尾水回灌等进行适度的配套资金投入,推动企业及有关机构进行地热能产业的投资。②试点推广特许经营权。为吸引社会力量、金融资本广泛参与地热能产业,实现规模化的开发和规范发展,可以参照国际经验进行地热能开发特许经营权试点。例如,对于参与基础性地热能勘查并将勘查评价数据纳入国家地热能大数据管理平台的企业及其他类型机构,可以在地热能资源特许经营资格方面予以优先考虑并提供适当的政策倾斜。③将地热能产品/服务纳入推行政府采购体系。目前,政府采购各类面向社会公众的公共产品及大众服务已经成为国际性的潮流。我国政府也可以借力精准扶贫、社会主义新农村建设等政策,将地热能产品/服务纳入政府采购体系,为基层群众提供更多样化、更实惠的取暖及生活热水服务。④加强地热能专项规划。在国土空间规划与开发利用体系中,逐步纳入地热能开发利用的专项规划,实现地热能产业发展与各地基础设施建设发展规

划的有机融合。以此为基础,逐步落实地热能开发利用的总体目标、阶段目标与基本思路,实现科学布局和高质量发展。

(2) 落实地热能产业管理职责。尽快制定与《中华人民共和国可再生能源法》配套的地热能开发利用管理办法,同时以"部门分工明确、责任落实到岗"为原则,厘清不同职能部门在地热能产业发展管理过程中的权责关系。例如,《矿产资源法》第十一条规定"国务院地质矿产主管部门主管全国矿产资源勘查、开采的监督管理工作"。以此法律规定为准绳,确立地质矿产主管部门在地热能开发利用方面的法定管理主体地位,在地热能开发利用上实行统一管理,打造周密的地热规划、勘查、开发、管理体系。再如,在水资源与地热能资源、取水与取热的边界划分上,要在有关专家配合下明确管理标准。同时根据各地区地热资源赋存情况及经济发展特点逐步完善地热能勘探开发市场准入规则、矿业权招拍挂、尾水回灌等制度。此外,对地热资源勘探开采、尾水回灌、二次污染治理等方面要形成监管体系和统计信息报告等相应制度。

(3) 强化地热能产业监督检查。相关地区各级发展改革、国土、环保、住建、水利、能源、节能等相关部门要按照其主要职能参与地热能开发利用方面的公共管理,切实承担起监督监测的责任。具体包括地热资源温度、水位、水质的长期动态监测,对项目的供暖保障、能效、环保、水资源管理保护、回灌等环节进行动态追踪监测。对于在地热能开发利用领域出现违法行为的,要及时上报、尽快处理。例如,对于在地下水水源热泵回灌率方面不达标、盲目回灌引起含水层地下水水质下降、过度开采地下水造成地质与生态环境破坏问题的,由自然资源、生态环境、水利等部门依法追责;对导致水质恶化或诱发严重环境水文地质问题的,要上升至刑事责任的角度来进行查处;对机组及系统热效率不达标、地温连续3年持续单向变化的,不得享受价格、热(冷)费、税收等清洁供暖相关支持政策;对未按批准的取水许可规定条件取水、污染水质、破坏土壤热平衡、产生地质灾害,未能履行供热承诺且整改后仍不能达到相关要求的项目单位,其失信行为纳入全国信用信息共享平台,实施失信联合惩戒。

(4) 建立地热能开发利用考核体系。在具备条件的北方地区和长江经济带能源转型综合应用示范工程(地区)等,将地热能利用列入地区生态文明建设考核指标体系,作为节能减排考核体系的加分项。对于地热资源丰富的地区,还可以考虑将地热能产业发展、产业集聚等方面的成绩与当地政府部门的政绩考核挂钩,激励政府工作人员为地热能产业发展提供更具针对性的、全方位的支持。

(5) 完善信息共享制度。对于地热能产业发展过程中形成的信息资料,可以由政府牵头成立信息平台,加强不同主体之间的信息数据联通,减少由于信息不对称和重复开发所造成的资源浪费与机会错失。通过地热能产业发展信息平台的建设和发展,实现资源勘查、开发利用、国际国内能源市场变动等相关信息的开放共享,对这一领域的信息进行实时搜集、动态分析和高效监测,为地热能产业发展提供动态的、全息性的信息支撑。同时,建立项目信息报告机制。国家发展改革委、住房和城乡建设部、水利部组织建立浅层地热能开发利用项目信息库,由项目单位登记项目信息并定期提交项目运行报告等。以年、半年、季度为单位对项目运行维护情况进行总结汇报,关键的方面包括系统运行效率、供回水温度、地下水回灌率、土壤温度波动、土壤及地下水质量监测情况等。通过评价报告的汇总,可以起到丰富地热能利用项目信息库的作用。

总之,政府要通过深化行政体制改革来调整政府与企业之间、政策与资本之间、政府与社会之间的权利义务关系,通过政府行为的持续优化来实现行政效率的提高,为地热能产业的发展提供"政府主导、市场运作、社会参与、协调发展"的公共产品供给制度。同时,政府要准确进行职能定位,尽可能发挥市场在地热能产业发展过程中的资源配置作用,调动各微观主体的积极性、主动性与创造性,切实提高地热能产业的整体竞争力。

三、地热能产业高质量发展模式构建过程中政府部门的对策建议

在新常态背景下,政府与企业的融合在一定程度上不可避免的。在完善地热产业发展模式的过程中,政府有必要认清自身的角色定位,主动承担制定政策、创造环境、恰当监管等职能,让"以绿色采购和绿色消费为主的绿色供应链环境管理"真正实现"落地"。在完善地热产业融资机制的过程中,政府应当坚持"政府搭台、社会资本唱戏"的原则,深入推行"民办官助"的模式,使企业真正成为融资主体。总之,政府对地热能产业的支持既要适度又要适时,推动地热能产业发展模式逐步完善并具备自身竞争机制。

(一) 积极出台有关优惠政策

与美国、日本、冰岛等地热发达国家相比,我国地热能产业在发展模式上还存在很大的差距。为了弥补这种差距,实现产业赶超,政府应当制定有关优惠政策,推动地热能产业实现跨越式发展。①充分发挥财政科技经费引导作用。针对地热能产业发展现状,制定和出台促进地热能产业发展的优惠政策和措施。积极借鉴国外高度重视研发(Research & Development,简称R&D)投入的经验,以政府财政投入为引导,带动地热企业在技术研发上加大投入,克服地热技术产业发展的制度障碍。同时,引导和激励社会资本投入地热能产业领域,形成政府引导、企业主动、金融机构深度设计、社会资金广泛参与的全社会资本投入体系。例如,拨出专项资金,创新经费管理

办法，通过贷款贴息、产业投资基金等方式，鼓励地方科技部门、高校及科研机构等建立创业投资引导基金，支持地热企业进行技术研发。②加大税收优惠力度。一方面，政府可以从流转税和企业所得税为切入点，加大对地热企业的税收优惠力度；另一方面，政府可以从技术研发、解决方案推广、产品试销等经营环节入手进行税收优惠，引导地热企业在产业运行的高价值环节进行投入。③和金融机构合作搭建专项金融合作平台。政府有关部门要加强与人民银行、商业银行、政策性银行、证监会、银监会、保监会及其他金融机构的协调配合，通过金融资源的优化配置搭建针对地热能产业发展的专项金融合作平台，形成以银行、证券为核心的金融协调合作机制，有力地促进地热能产业融资体系的发展。④推行政府采购。为了帮助地热企业开辟初期市场，政府可以利用政府采购的方式帮助地热企业度过初创期难关。例如，可以和精准扶贫政策挂钩，向地热企业购买地热能取暖服务，然后提供给基层贫困群体。⑤帮助地热企业信用增级。通过借款担保、项目兜底等方式，帮助地热企业进行信用增级。这不仅可以帮助地热企业更容易地从金融机构那里获得发展所需资金，还可以有效降低财政开支。⑥不断完善相关制度设计。例如，针对近年来各地纷纷出现的PPP模式，应当制定和落实地热PPP项目绿色审批通道、财政补贴、金融政策优惠、政府增信等相关政策，为地热能产业的发展提供良好的政策环境。此外，根据《地热能开发利用"十三五"规划》文件精神，各级政府应当从产业链、标准规范、人才培养和服务体系等角度入手建设完善的地热能产业体系，积极推进地热能利用的国际合作。

此外，中央和地方政府要主动引导行业主管部门、地热能企业及社会中介机构共同组织构建体系化、专业化的行业协会，在技术研发、资本运作、市场竞争和发展趋势等方面展开针对性的探讨，同时也形成严密的监管环境。

（二）建立制度保障系统

根据世界各国的产业发展经验，有效的政府规制必不可少。对于地热能产业来说，政府有义务从法律、行政监管等角度入手建立完善的制度保障系统。

针对目前还没有专门地热法规的现状，秉承因地制宜、政府主导与市场需求相结合、循序渐进等原则，出台《地热能法》或《地热资源基本法》等专项方案，对地热资源的性质及地热能产业方面的诸多事项做出原则性推动。针对具体的产业发展、科技研发、行政管理，出台相应的《地热能产业促进法》《地热资源科技促进法》《地热资源行政管理法》等法律文件，构建权责统一且操作性强的地热法律体系。针对地热能产业领域的财政预算、资源勘探、采矿许可证办理、开发利用、资源补偿费征收与管理、生态环境保护措施、价格、奖惩等问题，出台配套的法律规章。对与之相关的组织管理、权利与义务分配、期限、绩效考核等问题，也要进行法律层面的界定并保障落实到位。此外，在地热能产业融资活动的法律法规方面，也要考虑通过《风险投资法》等来保障投资主体的利益。同时，在相关融资活动的法律监管方面，也要进行严格的制度保障。在行业准入制度建设方面，也有必要以法律法规的形式制定严格的标准，避免一些技术不达标的企业在不合适的区域进行盲目开发或者过度开发。

对地热能产业发展基金，政府应当形成立体化的监管体系。第一层次是全国性的、垂直的基金监管机构；第二层次是产业发展基金行业自律组织；第三层次是社会监督机制。

（三）建立产业公共信息服务平台

由国家能源局牵头，组织中国人民银行、国家市场监督管理总局、知识产权局等有关部门共同参与，打造面向地热能产业的公共信息服务平台。该平台以服务地热能产业发展为宗旨，以技术、知识产权、战略咨询、投融资为切入点，以地方平台、技术创新中心、应用推广中心为载体。统筹整合政府、金融机构、高等院校、科研管理部门、企业等方面的力量，建设高效、便捷、畅通的产业信息网络，为相关各方提供准确而及时的产业竞争情报。总之，有必要建立完善的地热能产业公共信息服务平台，发展全国性的地热资源信息数据库和管理系统，为科学规划与指导我国地热资源勘查开发有序发展提供基础资料。

（四）加强人才队伍建设

地热能产业发展模式的完善，归根到底需要由专业人才来落实执行。因此，政府有必要发挥职能优势，创造良好的市场环境，引导学校、科研管理部门、企业及有关方面加强地热人才队伍建设。在"人才队伍建设"方面，要积极发挥在人才培养中的基础作用，突出应用型、创新型和复合型地热人才"引才、留才、用才"措施到位。要引导企业优化经营管理人才选拔任用方式，做到"人岗匹配、人尽其才"。在"用人"上，完善政府调控、市场配置、企业自主、人才资源的管理体制。发挥人力资源和社会保障部门、工商联、企业、社科联、科协及各类行业协会、人才协会等有关单位的优势，营造尊重人才的优良环境，建设科学协调的用人机制，促进地热人才能够在合适的岗位上多做贡献。

总之，在地热能产业发展的政策推动上，中央和地方政府应当齐心合力，实现国家层面"十三五规划"和地方区域产业规划的高效耦合。制定出明确的发展目标和清晰的技术路线，形成国家与地方两级地热能产业发展规划体系。中央政府应当着眼于地热能产业发展的大政方针，且应出台和完善具体的管理标准及技术规范。各级地方政府要积极配合，主动进行管理体制和运行机制的改革创新，加强地热能产业运行监管和法规执行力度，为地热能产业的可持续发展提供完善的政策环境。

第二节 国有地热能企业的优劣势分析及应发挥的作用

我国的经济运行体制具有鲜明的中国特色社会主义特征，国有企业成为产业政策的重要实施主体及作用对象即是这种特征的表现。一方面，国家产业发展战略和规划政策的落实需要以国有企业为"试验田"和"载体"，另一方面，性质特殊而又关系国计民生的国有企业是产业管制政策的主要作用对象。

一、国有地热能企业的优劣势

国有地热能企业的优势主要表现在：①与民营企业及外资企业相比，国有地热能企业与政府之间的关系更为密切，在接受、消化相应政策信息方面具有突出的优势。对地热能运营管理来说，这有利于提前进行空间布局和战略制定。②经过多年的发展积累，国有地热能企业在制度、流程上形成了相对稳定的管理体系，在可持续发展方面具有一定优势。③凭借管理体制方面的优势，国有地热能企业可以从银行等金融机构获得利息成本更低的贷款。同理，在地热类工程建设项目的竞标活动中，国有地热能企业更容易依靠体量、经营范围等方面的优势取得成功。④在国家"市场换技术"赶超型战略实施过程中，国有企业往往是外资的首选合作对象。同时，雄厚的资金实力使得国有企业能够承担巨大研发支出所带来的压力。

国有地热能企业的劣势主要表现在：①与民营企业及外资企业相比，国有地热能企业对市场的敏锐程度可能有所欠缺，在终端市场占领方面存在薄弱环节。②经营方向的转换与管理体制的转型会受到管理体制的制约，容易出现管理僵硬、流程固化、信息沟通效率低等现象。

二、国有地热能企业应发挥的作用

目前，经历了放权让利、制度创新、国资监管与分类改革等不同改革历程的国有企业进入了企业经济管理的"深水区"和"攻坚期"。在新常态背景下，国有地热能企业要抓住时代赋予的机遇，解决产业发展模式还未成型、规模扩张效率低、体制机制不灵活等突出问题，通过体制机制改革、发展方式转型和管理能力升级走上高质量发展的道路。

（1）积极落实国家地热能产业规划。地热能产业的发展离不开国家政策的引导与支持，国家在这方面应当充分发挥与政府关系密切的优势，积极助力国家地热能产业发展战略的"落地"。例如，积极参与地热能开发利用标准化示范项目建设，在这一过程中加强地热能开发利用理念的宣传推广并打造基于项目特点的技术体系。再如，利用地热能开发利用的具体项目总结相关的技术条件、工程施工规范、盈利模式并形成案例报告，进而加强标准化地热能梯级利用体系的推广使用。

（2）在地热能有关基础研究和应用方面起到示范作用。在工业基础研究和应用的不同领域，多数西方发达国家都有着两三百年的积累，我国则属于"后进国家"。要想实现技术赶超，不仅要克服自身技术积累不足的沉重弊端，而且要面对发达国家持续进化的技术体系的严峻挑战。因此，自主创新面临着一定的技术不确定性和市场不确定性。如此一来，私人资本通常无力承担快速实现技术赶超的任务。改革开放以来的产业发展实践也表明，在具有较强公共品供给特征的技术创新领域中，通过国有企业实现创新与技术扩散是一条性质有效的途径。根据对 2011 年至 2019 年间《中国科技统计年鉴》相关数据的整理，国有企业在基础研究和应用研究领域内的研发投入与私营企业、港澳台资企业和外资企业相比要高 4% 左右。对于地热能这一具有明显公共品供给特征的领域来说，国有地热能企业也应当在基础研究和应用方面起到示范作用，充分发挥自身积累的优势，为落实国家地热能产业技术路线规划多做贡献。

（3）引领地热能产业技术发展潮流。党的十九大报告中指出"创新是引领发展的第一动力，是建设现代化经济体系的战略支撑"。对于地热能国有企业来说，通过研发创新来引领产业技术发展潮流也是必须承担的时代重任。值得指出的是，创新并不仅仅意味着细枝末节的优化，更重要的是战略层面、核心方向上的持续突破。国有地热能企业要锐意进取、大胆突破，在地热能勘查及工程项目施工中不断发现新的有价值的研究对象并提出具有重大价值的产业技术研究课题。

（4）积极引进国外先进技术装备。如前所述，国际上地热勘查与开发的经验教训是一笔宝贵的财富，国外的先进技术装备更是助力我国地热能产业发展的有益资源。随着地热能产业高质量发展模式的推进，国有地热能企业有必要利用自身在规模、资本、制度及国际性人才等方面的积累来参与地热发展的国际交流合作，在国外先进技术装备方面更要加快引进的步伐。根据课题研究过程中笔者对地热能产业相关装备发展趋势的了解，具体可以从以下几个方面入手进行全球引进。①勘查实验设备。地热资源的勘查规划离不开对地温分布的模拟和计算。目前，国外的主流做法是利用震波法、电磁法、重力异常法等进行地热资源的综合物探。如果国有地热能企业能够引进这方面的实验设备，必然会提升我国在地热资源勘查方面的科研实力。②钻井设备及相关技术。根据国际经验，裂隙、破碎带等复杂地质构造与高温坚硬岩体是地热工程施工的难点所在。定向钻井设备及高温随钻测试系统的引进将有利于在地热类工程中形成热流体循环通道并提高钻井效率。例如，如果能够从摩丁制造、法国斯伦贝谢公司等行业优秀外企引进可转向容积式马达（Steering Volumetric Motor）、高精度旋转导向系统（High Precision Rotary Steering System）、电磁随钻测井（Electromagnetic

Wave Propagation Resistivity Logging)、随钻成像系统（MWD Imaging System）等设备与技术，我国地热钻井的效率将有所提高，工作流程与环境也必将有所改进。③高温测井与储层管理。干热岩开发工程中，高温测井设备非常关键。由于国外很多地热田均处于较高的地温条件，其高温测井设备及相关技术已经较为成熟。国有地热能企业应当在这方面进行设备和技术的引进，助力深部地热资源的精准勘探和高质量开发。④干热岩储层增产技术。目前，美国、冰岛、日本等已经进入第二代储层增产技术研发阶段，在高温可降解储层封隔材料方面也已经发展出了多项专利。其中，美国Altarock能源公司的TZIM技术已成功实现多储层的激发。国有地热能企业应当发挥自身优势，与之在这些方面开展合作、交流和引进，开发出自己的干热岩储层激发技术，进而实现干热岩储层的勘探和开发突破。

（5）通过资本运营促进地热能产业稳健可持续发展。在条件允许的前提下，国有地热能企业可以通过战略型投资的引入来实现资本化的产业运营。根据国有地热能企业的经营特征，这些战略型投资的主体主要包括以下两类。一类是处于地热能产业链上游或下游的清洁能源企业，它们可以推动国有地热能企业实现产业链条的延伸和经营成本的降低。另一类是与地热能开发利用具有较强相关性的高科技企业，如互联网、人工智能等领域的各类"独角兽"等，它们将进一步强化国有地热能企业的技术优势。

总之，在未来地热能产业高质量发展模式的构建过程中，国有地热能企业应当体现出必要的制度责任与时代担当，积极通过动力转换、战略转型、流程优化、能力重塑、管理创新和形象塑造，不断向国际一流的能源企业迈进。

第三节 民营地热能企业的优劣势分析及应发挥的作用

在地热能产业发展的过程中，民营地热能企业也经历了从小到大、由弱变强的过程，在经济价值创造、促进就业、改善居民生活水平、生态环境保护方面发挥了重要作用。在地热能高质量发展模式的构建过程中，民营地热能企业是一支不容忽视的力量。在2018年11月1日的民营企业座谈会上，习近平总书记将民营企业所面临的境遇总结为"市场的冰山、融资的高山、转型的火山"。面对复杂的竞争局面，民营地热能企业应当以法人治理结构、经营能力、管理水平为依托实现竞争力的持续提升。

一、民营地热能企业的优劣势

民营地热能企业的优势主要表现在：市场意识敏锐，营销策略灵活；经营管理体制富有弹性，可以根据政策及市场变化进行适度的调整；学习成本低，同时由于生存压力大而对新技术有强烈的理解、消化与应用的动机。

民营地热能企业的劣势主要表现在：资本规模小，融资难度大，创新能力弱；由于性质方面的原因，在掌握政策信息、落实国家产业政策方面存在一定程度的滞后性。

二、民营地热能企业应发挥的作用

随着市场经济体制改革步伐的深入，民营地热能企业在产业格局中的地位将越来越重要。要想充分发挥自身的优势和作用，民营企业需要不断拓宽经营视野，在创新能力和核心竞争力的培育上投入更多资源，力争成为具有较强竞争力的市场主体。

（1）积极布局终端市场，提高地热能的社会影响力。在地热能产业高质量发展模式的构建过程中，民营地热能企业首先应该明确自身定位和核心竞争力来源。具体来说，要积极发挥市场反应敏锐、管理流程灵活、转型便捷等优势，深挖客户需求，积极布局终端市场，使地热类产品/服务逐步占领消费者心智，切实提高地热能的社会影响力。

（2）攻关地热能勘探开发利用关键技术。参照国内地热科研机构对地热能勘探开发利用关键方向的认识，民营地热能企业可以从以下几个方面入手进行重点攻关。一是可直接探测地下温度场的地球物理、地球化学综合技术手段，同时借助深度学习等人工智能方法进行地下温度场的三维精细模拟。二是加强高温定向钻井技术和装备研发，突破耐高温低成本钻井关键技术瓶颈，降低核心装备对进口的依赖并不断提升国产化比例。三是开展干热岩型等深部地热能勘查开发技术攻关，突破储层改造和高效换热关键技术。四是针对砂岩热储的经济回灌技术进行重点攻关，通过回灌井成井工艺的优化提升干热岩资源开发利用能力。五是探索梯级综合高效利用技术体系和商业模式，提升地热资源开发利用的应用范围，为工业供热制冷、温室作物培育、水产养殖等提供能源支撑。

（3）加强地热能产业核心竞争力培育。与国有企业相比，民营地热能企业普遍性地存在资本先天不足、技术发展受限等问题，这必然会反映在市场竞争能力上。对于民营地热能企业来说，要想在未来的地热能市场上获得竞争优势并占据一席之地，强化培育核心竞争力是非常关键的。具体来说，知识产权、市场情报网络、精细化流程、销售渠道、品牌、特色生态系统都可以成为民营地热能企业培育核心竞争力的基点。

（4）加强地热能方面人才队伍培养。产业发展模式的构建主体是各类人才，产业经济活动的实施者、参与者同样也是各类人才。对于地热能民营企业而言，由于资本、技术等方面的先天性劣势，更应当注重人才队伍的培养。在经营管理实践中，民营地热能企业有必要坚持"以人为本"的管理战略,通过人力资本的积累实现高质量发展。具体来说,需要从招募、岗位技能培训、考核激励等各个角度入手打造积极性高、执行力强、技术与市场开发能力突出的经营管理团队。

总之,民营地热能企业要顺应市场及产业发展趋势,进行经营资源的聚焦使用和管理架构的适度调整,发挥出自身的独特优势,为中国地热能产业的长期可持续发展注入充分的活力。要利用市场的导向指引,发挥自主判断、自我决策能力,强化市场微观主体地位,通过生产流程的优化实现创新驱动与市场需求的有机结合。进一步地,有实力的地热能企业不能将眼光局限于国内市场,更要在国家政策的指引下主动进军国际市场。

第四节 外资企业的优劣势分析及应发挥的作用

外资企业在中国地热能市场上的运作模式主要有两种。一种是独立进军特定的利基市场,如瑞士乔治费歇尔集团在北京通州设立管路系统工厂,重点生产围绕地热供暖及地暖产品的建筑技术系统等。另一种是与中资企业联手进军地热能市场,如冰岛恩莱克斯公司与中石化集团下属的中地能源公司合作开发咸阳地热资源等。

一、外资企业的优劣势

外资企业的优势主要表现在:资本及技术实力雄厚;品牌效益突出,具有良好的市场影响力;产业链供应链体系稳定,能够提供质量相对稳定的服务;在管理制度方面有一套相对成熟的体系,在运营效率方面具有一定优势。

外资企业的劣势主要表现在:对我国的国情社情缺乏相对深入的了解,在贴近终端市场方面需要付出巨大的资金成本;利润导向的特点较为明显,对长期利益、社会利益的重视程度不够。

二、外资企业应发挥的作用

外资企业是地热能产业中的一支力量,其作用的发挥不以中国政府、地热能企业及相关社会组织等国内机构的意志为转移。但是,可以通过合理引导,充分发挥其潜在价值,具体的管理手段包括技术引进、管理体系借鉴、产业公益项目扶持等。

三、企业层面的对策建议

企业是地热能产业经济活动的主体。地热能产业发展模式的完善,需要政府、金融机构及社会力量的推动。但是，产业效率提高的关键在于企业，技术突破、融资创新、商业模式重塑等也需要通过企业的具体实践来完成。

1. 落实"以人为本"的人才战略

企业是地热能产业重要的活动主体，而人才则是地热能企业生存发展之本。经营规模的扩大，融资渠道及融资方式的拓展创新，管理水平的优化升级，最终都依靠人力资源来实现"落地"。企业不但承担社会责任，还要有家国情怀，同时创新经营无处不在。无论是为了微观层面的企业发展还是宏观层面的产业发展，地热企业都应当坚持"以人为本"的人才战略，不仅要融资更要"融智"，从引进、培养、管理、激励等各个角度入手打造战略规划能力明晰、执行力强悍、技术和市场开放能力强的运营团队。只有形成"选人-用人-留人"的有机系统，实现管理服务的专业化、集成化，提升企业运转效率，降低企业运行成本。才能真正实现产业市场的稳健发展。

2. 加大地热利用技术的开发创新

在新发展阶段，地热企业要想实现可持续发展，就要坚持创新驱动，把技术和管理创新当作生存之基和发展之本。在技术上，要积极追踪国际国内地热技术前沿，整合企业、科研机构和高等院校的力量进行攻关，争取在核心技术上不断突破；在设备方面，要敢于投入、敢于创新，既要坚守品质观念，也要勤俭节约；在工艺流程上，要敢于突破陈旧观念，积极进行重塑和优化。

根据国内学者的研究总结，我国地热能产业领域还有一大批技术瓶颈问题亟待突破，如地热资源特性研究、深部隐伏地热资源勘测技术、孔隙热储层深热换热技术、高温地热钻井及测试技术、干热岩热能开发利用技术、地热田设计开发及运营维护、地源热泵系统集成、供热系统制造、增强性地热系统开发、不同热储层地热回灌技术、热田规模化开发利用与管理、回灌条件下的资源评价等等。在技术研发上，地热企业可以引入动态系统性的项目管理模式，从前期规划、中期实践及后期市场经验等不同环节入手进行操作流程的组织与完善。例如，在地热开发前期，以市场调研为依托引入项目管理的"横道图"概念，通过精心规划完善进度管理。

3. 持续提升管理水平

在《中华人民共和国国民经济和社会发展第十四个五年规划和2035年远景目标纲要》中指出"因地制宜开发利用地热能"。体现出党中央、国务院对发展地热能给予的高度希望与发展地热能产业的决心，未来必然会为壮大地热能产业发展提供更多财政、金融、产业政策等方面的支持。与之相应，政府对地热能产业的监管力度也在不断加大。同时，作为地热产品"上帝"的消费者对地热能产业质量的要求也会不断提高。这就要求地热能企业主动接受政府监管并积极迎合消费者需求，创新管理方法和手段，持续提高管理水平，实现管理效率、效能和效果的不断进步。

第五节 金融机构的优劣势分析及应发挥的作用

金融是现代经济的核心，金融机构是金融体系的支柱。在"互联网＋"的背景下，金融机构的服务范围、服务能力和服务标准都有了质的提高。在地热能产业高质量发展模式的构建过程中，金融机构也应当充分发挥其优势，为之提供有力的支持。

一、金融机构的优劣势

金融机构的优势主要表现在：从数量的角度来看，金融机构拥有及能调动的资本是普通机构难以比拟的；金融机构对产业金融的认识往往更为深刻，这使其在产业发展模式、项目运营等方面具有认知层面的比较优势。

金融机构的劣势主要表现在：对地热能产业的认识主要来自政策文件、行业报告等，容易出现信息不对称。即使对地热项目进行尽职调查，所能获得的信息也会受到一定的限制；金融机构通常以资本利润率和回报周期为考核指标，对地热能产业发展及具体项目运作的信心可能会受到影响，这必然会反映在具体合作过程中对利率的苛刻设计、还款条件的附加性安排、退出机制的自利性设置等方面。

二、金融机构应发挥的作用

在地热能产业高质量发展过程中，金融机构应发挥的作用包括以下几个方面。①加强与地热能企业的业务联系，适当降低信贷门槛，对符合条件的地热能企业提供优惠性的贷款支持。②帮助地热能企业拓宽融资渠道，如项目融资、债务融资、股权融资、融资租赁、资产证券化 ABS 融资、互联网金融融资、产业发展基金融资等。③借助金融机构在大数据、IT 安全技术、市场风险管理等方面的优势，助力地热能企业在区块链模式中进行全方位探索等。④围绕自有资金、政府产业引导基金、新能源产业资本等进行优质资源组合，成立地热能产业发展基金。对经营范围内的优秀地热能企业和优质地热能开发项目，以产业发展基金为平台进行精准投资和定向扶持。

对于金融机构而言，这些作用的发挥离不开经营理念的转变。具体来说，金融机构应当加强对地热类新能源的产业分析，认识到地热能企业尤其是民营地热能企业在资产、现金流等方面的特点，将信贷抵押的重点放在知识产权、技术成果、品牌、商誉等无形资产方面。同时，金融机构应当响应财政部、中国人民银行等业务主管部门关于"绿色金融"的发展思路，为地热类新能源项目提供投融资、项目运营以及风险管理等方面的金融服务。通过与地热能企业的资源对接，金融机构将成为地热能产业高质量发展模式的"催化剂"。

三、金融机构层面的对策建议

在本书所述的地热发展系统驱动模式中，金融机构是重要的有机组成部分，也是为地热能产业发展不可或缺的"助推器"。

1. 创新经营理念

与其他企业相比，地热企业通常缺乏土地、不动产等有形资产，在固定资产投资上往往面临较大的压力。如果金融机构在经营理念上墨守成规，就容易忽视这一领域的投资机会。所以，金融机构应当顺应新时代能源产业发展趋势，积极转变经营理念，将地热企业拥有的知识产权、技术成果、品牌、商誉等无形资产作为担保或抵押品来进行资本投放。对于金融机构自身来说，这意味着业务范围的扩大和经营绩效的提高；对于地热企业来说，这可以有效改善融资约束瓶颈，获得急需的外部资金来源。当然，创新经营理念并不意味着对资产安全性的忽略，金融机构仍然需要对地热企业进行周密的资信水平评估。

2. 发展绿色金融

随着金融体制改革进程的深入，银行等金融机构在国民经济中的功能作用将迎来系统性、结构性的突破。在本书提出的地热能产业发展系统驱动模式中，金融机构的支持也构成了一种不可或缺的动力。考虑到地热企业尤其是民营地热企业的融资困局，金融机构应当有所作为，以绿色金融产品为切入点提供更具针对性、更有效的融资支持。根据2016年8月31日人民银行等七部委发布的《关于构建绿色金融体系的指导意见》指出，绿色金融是"对环保、节能、清洁能源、绿色交通、绿色建筑等领域的项目投融资、项目运营、风险管理等所提供的金融服务"。考虑到环境资源的公共产品属性，金融机构有必要积极响应政府号召，在金融产品和金融服务中引入生态效率的概念。

3. 提供多元化的金融服务

资本是产业发展的重要基础，金融机构则是资本的"卖方"。金融机构应当在政府地热相关产业政策导向支配下提供多元化的金融服务，如信贷资金支持、参股、发行专项基金产品、参与企业供应链金融等。总之，金融机构要积极推动地热能产业的结构升级，充当地热能产业发展的"助推器"。在具体的资金投向对象方面，金融机构要优先选择那些符合产业政策、深挖客户需求、核心团队稳定的优质企业,实现资本的精准供给。

第六节 高校及科研院所的优劣势分析及应发挥的作用

从全球范围来看,高校及科研院所是科技创新的"主力军"。作为技术端的源头,高校及科研院所可以从机制转化、模式转化、制度转化等方面入手,参与我国地热能产业高质量发展模式的体系设计和具体实践(刘乐晨,2018;刘志彪,2019)。

一、高校及科研院所的优劣势

在地热能产业高质量发展过程中,高校及科研院所的优势主要表现在:拥有丰富的智力资源,在学术研究方面能够及时追踪国际前沿科技文献;依托教育政策,有条件建立综合性的产学研合作平台及各类学术共同体;科研院所作为国家战略科技力量的主体,可以承担更多共性基础研究,减少产业发展中的研究重复投资,提升产业发展效率和发展水平;科研院所研究具有较强的公益性质,可以促进科研人员不以市场为导向的进行更多探索性、前瞻性研究,能够为产业向不同方向发展提供相应的基础理论和技术路线。

在地热能产业高质量发展过程中,高校及科研院所的劣势主要表现在:和市场的联系相对较少,产业发展敏感度不足,对产业运作实践的把握有所欠缺;在地热人才培养计划方面受到学生教育管理制度、教育年限、资金、配套师资队伍等因素的制约。同时,高校及科研院所作为国家智库的重要组成部分,力量搭配的布局和体系化程度需要进一步提升。总体来看,科研力量比较分散,各个主体之间的协调性需要加强、融合度需要提升,也存在重复布局、相关基础研究成果向应用的转化渠道不够通畅等问题,这都在一定程度上制约了地热能产业的高质量发展。

二、高校及科研院所应发挥的作用

在地热能产业高质量发展模式的构建过程中,高校及科研院所要充分发挥科技第一生产力、创新重要驱动力、人才核心资源的作用,扎实开展理论研究和成果转化,为地热能产业发展提供有效的智力支持。具体来说,高校及科研院所应发挥的作用主要体现以下3个方面。

(1)加强基础理论建设与知识产权研发。与全球多数国家相比,我国的地质条件有着复杂多变的特点。正因为如此,地热理论研究尤其是地热勘探理论研究面临着埋深大、构造特殊、物性多变、勘探开发技术不强等难点。面对这种局面,高校及科研院所应当主动承担起地热能领域基础理论研究的责任,通过各种资源的整合奠定我国地热能勘探及开发的理论基础。①立足自身优势,推进地热能开发利用整体理论框架系统的建设。以产学研为导向,对标国际一流科研水平,加强地热相关理论的深入研究,为地热能产业发展带来新颖认知和更高效的思维方式。在深部碳酸盐岩热储层强化增产与利用综合评价技术、砂岩热储层采灌增效技术及装备等关键技术方面,有必要集中骨干人才进行专项攻关,争取早出成绩、早投入产业实践。②加强地热理论研究与其他学科的交互渗透。例如,通过地热工程地质虚拟仿真实验平台等地热与计算机专业的交叉研究,为地热能产业可持续开发利用提供优秀的综合性平台。③积极推动科研成果的产业转化。针对地热领域的理论研究文献和科学技术开发成果,强化试验、开发、应用、推广的一体化管理,及时而有效地将之转化为具有实用价值的新产品、新工艺、新材料,助力新产业经营活动的发展。④加强支持产权保护和交易。引导高校就地热能的新研究成果转化为发明专利等成果,开展知识产权保护大讲堂,同时加强知识产权应用和交易。

(2) 加强专业人才队伍培养体系建设。在知识经济时代,地热能产业发展所需要的相关技术的专业性、综合性、交叉性、融合性将不断提高。科研院校应当承担起专业人才队伍及科研梯队建设的重任,为地热能产业高质量发展模式的落地提供人力资本支撑。只有这样,才能形成必要的科技自主创新力与核心竞争力。这也要求政府及教育管理部门在人才培养政策上予以适当倾斜,整合不同科研院校的资源来形成合力,使地热专业人才队伍的培养走上规范化、体系化、平台化的道路。此外,在人才培养的主线和导向上应当明确,不仅要注重综合素质的培养,更要考虑专业靶向性和匹配精准度,鼓励高校与企业建立实训基地,提升学院实操技能,尽可能降低地热类毕业生与用人单位之间的磨合成本。以高等院校和科研院所的优势教育资源为依托,以培养地热能产业方面的复合型人才为目标,打造涵盖专科、本科、硕士、博士不同层次的地热能产业教材,培养一批专业基础知识牢固、市场意识突出、技术创新能力强的复合型地热人才。在此基础上,积极拓展校企联合培养模式。立足地热能产业实践,结合相关理论发展,建立终身学习制度,通过校企联合为地热能专业人才提供多元化的学习及实践机会,持续提升产业技术人员与产业发展趋势需求的适配性。同时,通过科研院校与重点企业的资源整合,加快地热能领域的知识产权转化。在具体的培养手段上,可以采用高校学生到企业顶岗实习、企业经营管理人员到高校及科研院所短期培训进修、专业学位委托培养、联合落实科研项目等方式方法。

(3) 积极引进高端地热能产业人才。围绕地热能产业发展高质量发展的总体目标,突出领军人物作用,借力国家海外高端人才引进计划,从国际范围内招揽地热能产业发展的"带头人"。例如,可以从美国、冰岛、德国、新西兰等国家有计划、有步骤地招募一批地热能领域的战略科学家与关键技术精英，利用他们的智力资源发展国家地热重点创新项目、打造重点学科和建设专业重点实验室。积极借鉴产业联盟建设方面的国际经验，推进和扶持国家、省市、区县不同层次的产业联盟、综合研究中心、技术实验室等，打造具有中国特色的地热人才培养基地，形成"专业人才社会化培养"的和谐氛围。积极参与国际人才培养的国际合作，在"一带一路"扎实推进的背景下，把握科学与技术方面国际交流的历史性机遇，为地热能产业高质量发展模式的构建增添外援支持。如通过建立中外联合的地热培训中心，促进我国人才和技术走向国际，参与更多地热能产业标准的制定修改，成为地热标准输出大国；举办国际地热研讨会，稳步提升我国地热能产业技术服务商、方案提供商的市场影响力；增强人才的交流互通，促进产业高端化发展。

本章分析了我国新时代的产业发展路径的时代变更并提出地热能产业高质量发展模式的理论构想，进而以应然性、实然性和实现性为切入点，构建地热能产业高质量发展模式的基本逻辑框架，然后对构建地热能产业高质量发展模式的关键点进行探讨，最后在分析不同主体优劣势的基础上，结合有关理论研究成果，对有关主体的优劣势和作用发挥进行初步分析。

经过系统理论研究和深入细致调研，在综合以上研究分析的基础上，可以初步把我国地热能产业高质量发展模式定义为：我国经济新常态下地热能产业坚持创新驱动型发展、协调可持续型发展、绿色生态型发展、高效率型发展、有效供给型发展、中高端结构型发展、开放包容型发展、为民共享型发展有机统一，政府部门作为政策供给者、地热能企业作为价值创造者、金融机构作为资本供给者、高校及科研院所作为理论和人才支撑者优势互补的一种科学产业发展模式。

第十一章 地热新能源代表性企业及项目

企业是市场经济的重要微观主体，也是产业发展的重要组成部分。产业的竞争力离不开企业竞争力的支撑。因此，在研究地热能产业发展模式的过程中，对一些具有代表性的企业进行案例研究是十分必要的。本章以国有、民营、混合所有制及外资等管理体制为切入点，选取中石化新星、万江通济、中煤任远进行案例分析。通过对其报告整理并分析了发展历程、发展战略、业务板块及技术特色的分析，对其探索历程及经验教训进行总结归纳，希望帮助更多从业者能够从微观层面更好地理解地热能产业发展的内在规律。

第一节 国有新能源企业：以中石化新星公司为例

一、企业基本情况

中石化绿源地热能开发有限公司成立于2006年河北省雄安新区，是中国石化集团新星石油有限责任公司与冰岛极地绿色能源公司投资组建的以地热资源开发利用为主的中冰合资企业，主要业务为地热能集中供热（制冷）、节能技术服务、余热利用，是目前国内规模最大的地热能开发专业公司之一。

中方股东中国石化集团新星石油有限责任公司是中国石化集团全资子公司，为中国石化以地热开发利用为主的清洁能源专业公司。2012年以来，在国家能源局的支持下，中国石化新星公司先后成立了"国家地热能源开发利用研究及应用技术推广中心""能源行业地热能专业标准化技术委员会"等。冰方股东冰岛极地绿色能源公司是利用地热资源进行发电和区域供暖的地热开发专业公司，在亚洲主要致力于地热资源的开发和运行，在新加坡、中国、菲律宾和冰岛已开展了多项地热相关业务。

二、企业发展优势

（一）合资发展模式出硕果

绿源公司成立十三年来，得到中冰两国领导、国家有关部委、中国石化集团以及地方政府等高度重视。合作双方发挥各自优势，不仅促进了公司的快速发展，打造了中冰合资合作的典范，提升了公司的影响力。2012年4月前总理温家宝，2019年5月北极圈论坛上，新星公司与冰岛国家能源局、极地绿源公司共同签署中冰地热培训学校谅解备忘录，中冰地热大学培训班于2019年11月初在北京成功举办，为推动中国地热产业发展奠定人才基础，为全球地热产业发展贡献力量。

（二）创新资源勘探出成果

绿源公司成立以来，坚持"资源先行"的理念，积极引进地热强国冰岛先进技术，并在其基础上进行自主创新，加强勘探水平，获得了一批重要的勘探成果，取得了牛驼镇地热田（雄县、容城、霸州）、辛集地热田、咸阳地热田、菏泽地热田、故城地热田、宁河地热田、齐河地热田、商河地热田等一批优质资源区和市场，其中霸州、博野、咸阳获得三口温度超100℃、水量超100m^3/h的"双百井"。

（三）规模效益成果突出

绿源公司地热开发区域已遍布京、津、冀、陕、鲁、苏、晋等省（区、市），与国内40余个市（县、区）签订了战略合作协议。截至目前，公司总资产36亿元，投资额达到40余亿元，换热站502座，地热井600余口，建成供暖能力约4500万m^2，年可替代标煤61万t，减排CO_2 163万t，减排SO_2 1.4万t。绿源公司在碳资产开发方面走在行业前列，开创性地开发了全球第一个地热供暖CDM（清洁发展机制）方法学，量化了地热供暖的减排效果，将为我国3060碳排目标做出贡献。

三、企业代表性项目：雄县模式——雄安新区地热供暖示范项目

绿源公司与河北省雄县人民政府携手合作，成功打造了政企合作、市场运作、统一开发、技术先进、环境保护、百姓受益的"雄县模式"。创建了中国第一个"无烟城"，目前雄县地热供暖能力已达近600万m^2，占县城集中供暖的95%以上。"雄县模式"得到国家能源局和业界广泛认同，成为中国地热能产业的发展亮点。

绿源公司在雄安新区已有近十年的成熟的地热开发经验，打造了全球知名的地热开发"雄县模式"。2017年承担了雄县禁煤区地热代煤项目大营镇10个自然村、城区4个城中村地热代煤改造任务。2018年6月，绿源公司成功中标雄安新区雄县禁煤区地热代煤特许经营权项目，特许经营期限为30年，这是绿源公司在雄安新区取得的首个特许经营权。2019年4月1日，绿源公司与雄县教育局签订《雄县第三高级中学供暖协议》，是雄安新区成立后公司在新区内签订的首个城市地热供暖项目，为全面服务雄安新区建设清洁供暖事业奠定了基础。截至2020年6月，公司在雄安新区范围内的雄县和容城累计投资近6亿元，建成供暖能力700余万m^2，基本实现了雄县、

容城城区地热集中供热全覆盖,创建了中国两座城市供热"无烟城"。

"雄县模式"受到国家领导人、业内专家及社会各界的高度重视。"雄县模式"的经验可总结为以下几个方面。

(1) 政企携手,创造双赢。在合作方面,雄县政府和新星公司签署了排他性开发的战略合作协议,实现了"整体规划、保护资源、科学开发"的目标。当地政府在政策层面的大力支持与企业技术开发应用得到了有机统一,也反映了可持续发展的理念。

(2) 开发绿色地热资源,提升群众生活品质。通过地热资源的高效开发利用,减排节能真正实现"落地",生态环境得到有效改善,群众的生活品质也得到了充分的提高。

(3) 产业良性发展。雄县政府和新星公司均表现出了一种长远的大局观念,敢于在开发地热水供暖这种初始投资大、回报期长、微利性和社会公益性明显的产业上进行深度投入,实现了产业的良性发展。

(4) 政府引导社会资本高效参与地方新能源产业经济发展。在"雄县模式"中,政策及资源引导社会资本投入新能源领域的特点就非常突出。

(5) 技术创新。新星公司一直没有停止过在地热领域的技术创新步伐,资源评价、节能集输、地热换热、梯级利用、智能监测、尾水回灌和综合利用等技术的研发利用,是"雄县模式"的一大亮点。

(6) 充分发扬"大庆精神"和"三光荣"精神,艰苦奋斗,以造福百姓为己任,"受冻我一个,温暖千万家",在短短 3 个月内实现当年进驻、当年建成、当年供热的同时,确保了工程质量和供暖质量,得到当地政府和群众的高度赞扬。

第二节 民营新能源企业:以万江新能源公司为例

一、企业基本情况

河南万江新能源集团有限公司成立于 2008 年河南省郑州市,企业致力于新能源综合开发利用,专注于城市清洁能源地热能综合利用投资、建设、运营,潜心于清洁能源供热技术的研发,是中原地区最具核心竞争力的科技型清洁能源供热民营企业之一。

二、企业发展优势

（一）公司技术优势明显

万江集团与中国科学院汪集暘院士团队合作，成立河南省唯一地热研究院士工作站。2018年，汪集暘院士及万江技术团队被郑州市人民政府评为"顶尖人才"和"顶尖人才团队"，为万江集团持续的技术提升和技术领先提供了坚实的保障。万江集团在全国首创"依灌定采，一采两灌"的砂岩地热开发模式，项目100%同层回灌，取热不取水，实现了地热集中供暖行业革命性的突破。创新应用"地热＋"模式为城市提供清洁热源，获得包括"双模云控技术"在内的专利技术123项，2017年被认定为国家高新技术企业。2021年4月21日在万江集团的积极推动下，国家地热中心河南分中心和河南省清洁能源供热协会成立，对该企业提供了重要技术保障。

（二）社会效益突出

万江中深层地热供暖项目采用的技术主要包括地热资源勘探，热源井钻井，系统防腐防垢、梯级利用、低温供热、同层回灌、地热资源动态监测、供热站房远程自动监控、智能变频、回灌精密过滤、回灌加压、楼宇终端智能负荷、智能控制、智能网络用能收费系统等。据测算，采用地热能为城区居民供暖，每1万 m^2，每年可节约164.5t标准煤，减少 CO_2 排放431t，减少氮氧化物排放1.22t，减少 SO_2 排放1.4t，减少烟尘等固体颗粒物排放1.15t。

三、企业代表性项目

（一）中原地区首个地热集中供暖项目示范区——陕州模式

三门峡地区地热资源丰富，万江集团充分利用浅层地热能资源进行供暖项目运营，在三门峡陕州区运营多年来，实现地热能供暖面积230万 m^2，用户室内采暖温度普遍在22℃以上，被行业专家称之为利用地热资源解决城市供暖的"陕州模式"，也是河南省首个地热集中供暖项目示范区。

"陕州模式"完善了城市集中供热配套设施建设，增强了城市综合承载能力，提高了居民的生活品质和幸福指数。地热集中供暖项目不仅解决了冬季供暖问题，同时也将为各地建设绿色、低碳、无烟城市提供强有力支撑。与常规的燃煤锅炉供暖方式相比，"陕州模式"每年可以减少69 384t标准煤，减少燃煤使用费3 469.2万元。同时，减少18 178t CO_2、589.76t SO_2、989.6t氮氧化物、747.3t烟尘排放量，节约

247.6万元左右的环境治理费。

通过以上分析,可以将"陕州模式"的特点总结为技术导向、市场攻坚和建投管一体化这3个方面。①从发展伊始,河南万江就高度重视技术因素的价值,在地热供暖方面进行了持续创新,形成了系列化的技术体系,为公司的长期可持续发展奠定了良好的基础。②万江集团坚持以地热能产业为主导,致力于开发居民采暖专业运营,有力地保障了陕州模式在本地区的快速复制。③在PPP模式的基础上,河南万江做到了建设、投入、管理的一体化,不仅在地热能产业市场上占据了一席之地,也为政府和当地居民创造了可观的综合效益。

(二) 水热型地热供暖项目连片开发示范区——开封模式

开封市尉氏集中供热项目是万江新能源与通济能源通过股权合作的中深层地热集中供暖项目。项目通过地热集中供暖规划和砂岩储层回灌技术,实现"100%同层回灌"和"取热不取水",回灌水质符合技术规范。区域规划供暖面积200万m^2,采用分布式中深层地热井+水源热泵供热站房形式供热,使用地热梯级利用技术,每个热站可供20万m^2建筑。

项目遵循国家政策,通过政府授权企业投资建设运营,采用使用者付费模式。项目设备主要包括以下几个方面。①集中供热热源:地热勘探、热源井、回灌井、一级管网、供热站房设备。一级管网是指热源井到供热站房以及供热站房到回灌井之间的管网。河南通济实业有限公司负责集中供热热源的维护,自主承担维护费用。②二级管网:二级管网是指以出供热站房法兰为界,向热用户输送和分配供热介质的管线系统,包含室外管网、楼内立管;用户自用管道热力设施有自楼内立管引入到热用户室内的入户阀门、过滤器、计量表、水平管道以及热用户户内用热设施等。二级管网建设单位负责质保2个采暖季。在此之后,热用户可委托供热企业或小区物业代为管理,由热用户分摊二级管网维护费用。

在该项目中,政府的权力主要包括特许经营权控制、项目运行监督权等,其义务则主要包括为项目运行提供信息支持和政策扶持等。河南万江的权利主要体现在以节能效益的80%为标准进行合同款项的回收、高效的政策支持等。其义务主要涉及工程建设与咨询、供热产品生产与运营、及时而全面的信息报告、敏捷的客户响应等。通过这些义务的履行,项目公司能够利用自身产品的优势打造先进的能源管理合同网络。通过一次或多次通信,网络可以远程进行供暖产品数量与质量的控制并自动显示所有的参数。这不仅有利于降低居民的取暖费,还将大大提高相关各方的能源管理效率。此外,由于采用了高科技的通信协议,整个系统可以方便地进行能源数字信息的共享。

该项目采取了EMC合同能源管理模式,客户不需要承担能源优化的设备投资与技术研发，甚至不需要承担相关的风险。同时，客户能够以更有效率的方式实现能源使用成本的节约并获得由此带来的收益。因此，这是一种较为理想的地热能开发利用方式。

第三节 混合所有制新能源企业：以中煤任远新能源公司为例

一、公司简介

中煤任远（陕西）新能源科技有限公司是中国煤炭地质总局控股的三级子公司，是中国煤炭地质总局中煤矿业集团有限公司新能源板块的核心企业。公司新能源地热能方面拥有全国领先的中深层地热水采灌技术、中深层地热井下换热技术、浅层地温能利用技术、高效冷凝锅炉技术，在浅层地温能及中深层地热资源的开发利用、物探、咨询、投资、建设、运营管理等方面具有较大优势，在综合能源站施工、水井钻探、勘察、地热井施工、地埋管施工、热物性测试、室内末端安装等领域具有丰富的项目经验，业务范围覆盖地热资源勘查、地热资源评价、中深层地热钻井、地热及浅层地温能供暖/制冷、能源站的设计施工和运营、地热开发利用技术研发、合同能源管理、制冷设备的销售及安装等多个方面。

二、企业发展优势

（一）地热资源勘查与评价技术能力强

公司以地热开发项目区为评价对象，开展必要的区域地热地质调查、地热地球化学调查、地热地球物理勘查等技术手段，结合地热项目的探采结合井、热储工程、动态监测与评价等工作，建立热储模型，研究分析地热资源可开发利用的地区及合理的开发利用深度，开展热储参数评价研究工作。这方面的优势主要体现在：①为地热开发利用方案调整和提高地热项目的管理水平提供依据；②减少地热开发风险，取得地热资源开发利用最大的社会经济效益和环境效益；③最大限度地保持地热资源的可持续利用。

（二）安装设计能力强

利用高效的热交换系统，提取矿井的涌水、乏风等余热，利用热泵机组，为矿山企业提供冬季供暖、井口保温、全年洗浴热水、工服烘干及夏季制冷的热源与冷源，彻底取代矿山企业现有的燃煤、电力或燃气锅炉及传统空调，比传统燃煤锅炉与空调节能50%以上，节能减排，利国利民。这方面的优势主要体现在：①热效率高冷热输送热容大、换热强度高、冷热损失小，换热系统效率高。②系统节能、环保。系统COP高，无CO_2排放，具有节能、环保的效果。③热源稳定。矿井生产过程中，矿井水温和回风温度受地热作用，温度越来越高，且一年四季保持恒定。④系统简洁，技术成熟，可靠性高。热泵机组较为成熟，自动控制系统较完善，机组整体性好，系统简洁，系统设计安装好后安全可靠。

（三）高效冷凝锅炉应用水平高

冷凝锅炉就是利用高效的冷凝余热回收装置来吸收锅炉排出的高温烟气中的显热和水蒸气凝结所释放的潜热，以达到提高锅炉热效率的目的。冷凝锅炉能够回收烟气中水蒸气潜热的多少与锅炉所使用的燃料种类和锅炉的出水温度有关。当无冷凝回收装置的普通锅炉燃烧天然气时，如果锅炉的热效率按燃料低位发热量计算为90%时，采用冷凝式余热回收装置后，排烟温度降到30～50℃，其热效率则会提高到107%左右。在燃料耗量不变的情况下，供热系统的回水越低，冷凝式余热回收装置回收的热量就越多，锅炉的热效率就越高。这方面的优势主要体现在：①安全又可靠，天然气和空气耦合在一起，有空气也有天然气，模块化设计，互为备用，无需备用容量；②环保超低排放氮氧化物排放低于$25mg/m^3$，CO_2减排30%，超低噪声，可与锅炉为邻，仍能安然入睡；③高效节能百万热效率高达107%，可单独使用，也可作为备用热源；④便捷易于安装。只要人能进去的地方，锅炉都可以进去，可整机出货或者组件出货，现场安装。

三、代表性项目：咸阳模式——关中地区"地热＋"中深层地埋管供热项目

咸阳文彩舫项目位于陕西省咸阳市，是由中煤任远（陕西）新能源科技有限公司实施运营。该项目已获得"陕西省工业节能环保专项资金奖励"，被评为"陕西省发改委清洁能源示范项目"。项目采用中深层地埋管换热系统＋热力尾水二次利用系统供暖。在2020年对该项目进行了无人值守、智慧运行升级改造，改造后，运行成本降低超过30%，节能效果显著。是陕西省清洁能源利用的又一典型项目。

咸阳文彩舫地热供暖项目技术特色如下：①耦合市政尾水，减少市政供热煤炭消耗量；②采用机组大温差技术，解决热力尾水供水温度不稳定，温度波动过大及中深层地埋管换热井初期供水温度过高，调试难度大提高系统能效，确保系统运行稳定；③采用自主研发的专用中心管，提高单井的换热量；④对项目系统流程专业自控设计，对系统关键点位进行控制及数据采集，让系统"苏醒"，使数据"说话"，实现精

确调度，按需供能，实现无人值守级自动控制。支持远程多用户访问，访问设备可以是智能手机、PAD终端、手提电脑和固定台式计算机，实现系统的远程"监"和"控"。

咸阳文彩舫项目的成功实施得益于以下几个方面：①央企和国有企业合作，充分利用央企和地方国有企业的优势进行项目合作；②专业技术团队对项目从立项阶段开始对项目进行全程服务，确保项目高效稳定运行。

第四节 其他地热能上市企业

截至2020年12月底，A股、B股地热能概念股共有16只。从所在地区的角度来看，这些公司主要分布在东部沿海地区。可以推测，未来将有更多的内地地热能企业成功踏上公开上市之旅（表11-1）。

表11-1 公开上市地热能企业名录

类型	股票代码	股票简称	公司名称	所在地区
主板	SH600336	澳柯玛	澳柯玛股份有限公司	山东
	SZ000404	长虹华意	长虹华意压缩机股份有限公司	江西
	SH600202	哈空调	哈尔滨空调股份有限公司	黑龙江
	SH600619	海立股份	上海海立（集团）股份有限公司	上海
	SZ000530	冰山冷热	大连冷冻机股份有限公司	辽宁
	SZ000811	冰轮环境	冰轮环境技术股份有限公司	山东
	SH600481	双良节能	双良节能系统股份有限公司	江苏
	SH601608	中信重工	中信重工机械股份有限公司	河南
中小板	SZ002413	雷科防务	江苏雷科防务科技股份有限公司	江苏
	SZ002158	汉钟精机	上海汉钟精机股份有限公司	上海
	SZ002011	盾安环境	浙江盾安人工环境股份有限公司	浙江
创业板	SZ300157	恒泰艾普	恒泰艾普集团股份有限公司	北京
	SZ300217	东方电热	镇江东方电热科技股份有限公司	江苏
	SZ300263	隆华科技	隆华科技集团（洛阳）股份有限公司	河南
	SZ300249	依米康	依米康科技集团股份有限公司	四川
	SZ300257	开山股份	浙江开山压缩机股份有限公司	浙江

第十二章 地热能发展的愿景

美国是当今世界当之无愧的超级大国,在政治、经济、军事、文化等领域都有着巨大的竞争优势。与其他国家相比,美国仅仅用了200年左右的时间就确立了超级大国的地位。19世纪初以来,美国开始转化经济模式,创造新的经济领域,走具有自身特色的富国强国路线。可以说,除了地缘安全环境、自然资源禀赋、时代机遇等因素外,美国在产业发展方面的战略性规划也是形成这种地位的重要成功诱因。纵观美国的发展史,从铁路、钢铁制造、电子计算机、互联网、能源等战略产业的长远规划形成了一条清晰的脉络。

美国不仅太阳能、风能地理资源丰富,同时也蕴藏大量地热资源,但是到目前为止,美国太阳能、风能已经蓬勃发展,地热发展的潜力却并未充分释放。近年来,页岩气与页岩油的大爆发,让地热所需的探勘与钻探技术领域都有突破性进展。根据美国能源部的研究,地热能产业将迎来爆发性的发展。

就我国地热能产业的未来发展而言,美国的启示在于:对于战略新兴产业,必须要有前瞻性的思路和国际性的视野。因此,在地热能行业发展趋势的基础上制定清晰的愿景规划和技术路线是十分必要的。

当今世界,能源供需多极化格局越来越清晰,能源结构低碳化趋势越来越明显。地热能作为一种绿色低碳、可循环利用的可再生能源,具有储量大、分布广、清洁环保、稳定可靠的特点,不受季节、气候、昼夜变化等外界因素干扰,且能源利用系数高,无论是地热发电还是地热直接利用,世界各国都已开始重视并加快对地热能的运用。地热能在能源结构调整、应对气候变化、大气污染治理中将发挥更加积极的作用,成为颇具竞争力的新能源。

未来,我国地热能产业发展将呈现以下趋势:①地热能在新能源利用中比重大大提升。随着我国将绿色发展提升到前所未有的高度,地热利用已经迎来春天,地热能将在替代化石能源方面起到重要作用,在利用形式上也会更加多样,在保障能源安全、优化能源结构,提高能源效率,促进能源高质量发展、减少污染、降低碳排放等方面起到重要作用。在地热资源直接利用方面,地热能供暖技术越来越成熟,未来在国家相关政策的支持和引导下,地热供暖面积将大幅度提升,地热能在新能源利用中比重也将大大提升。②地热能产业创新活力增强。地热能作为一种新兴产业,具有较大的市场前景,需要在国家战略力量的支持基础上,企业进行更多技术、运营模式、服务方式的创新,为产业发展提供多个发展动力。③融合发展趋势明显。地热能与发电、制冷、制热、农林牧渔业、食品加工等工业融合发展，进而与康养、休闲旅游等深度融合，为产业发展创造更多空间。④地热开发利用技术进一步提升并向高端化、智能化、绿色化发展。地热资源开发利用技术是一门多学科的综合技术，涉及资源的勘查与评价，钻井成井工艺、尾水回灌、梯级利用、保温与换热、防腐防垢等，技术难度较大。尽管在过去几年的快速发展进程中，国内地热界在地热开发利用技术方面取得了一定程度的进展，但依然有不少技术难题需要攻克。未来，地热资源开发将在增采增产、动态评价研究、梯级利用、尾水回灌等方面有更大的突破，技术也将更加成熟。并且，地热开发利用技术将与5G信息技术结合，依托互联网实现地热开发利用各环节信息共享，实现地热开发利用全面透彻的信息化管理，地热开发利用技术向智慧化、智能化发展。⑤地热领域科技人才团队更加健全。人才队伍的形成是地热发展的决定性因素。目前参与地热能产业的各类经济主体中，除相关管理机构外，相关行业协会和科研机构也逐渐加入，部分高校还计划开设地热专业研究生教育等。借助科研院所、行业联盟、学科教育等机构的力量，建立科学有效的地热专业人才形成机制，将使地热领域人才队伍更加健全。⑥形成地热能利用产业链。一方面对高温、中温、低温地热资源进行科学的梯级利用，形成一个完整梯级利用产业链，大幅度提高地热能利用的转换效率。另一方面以地热能品牌化建设为导向，将通过市场化方式对地热能开发利用产业主体进行整合，发挥上中下游优势，打造地热和新能源集成应用产业链。⑦加快地热供热发展的保障措施。一是理顺能源管理机制，做好地热规划开发，明晰地热的能源属性，消除多头管理现象。二是在科研机构和行业协会的共同努力下，地热行业发展各项标准将会更加健全，将以行业标准规范行业进入门槛，使地热资源开发利用更加科学合理。⑧国际合作加强。随着我国新发展格局加速构建，"一带一路"建设的深入推进，地热能产业国际合作将进一步加强。芬兰、冰岛等国家在地热能利用方面技术领先。未来，在地热能领域，我国将在地热资源开发利用技术、先进设备以及管理经验方面进一步展开国际合作，推动"一带一路"沿线地热能产业布局，实现地热能产业"引进来"和"走出去"的目标。

主要参考文献

艾维.大地"暖流"处处在——国际视野下的地热资源开发利用[J].资源导刊,2013(12):42-43.
曹颖,2005.区域产业布局优化及理论依据分析[J].地理与地理信息科学,21(5):72-74.
陈从磊,徐孝轩,2013.国外能源公司地热能利用现状以及对中国石化的启示[J].中外能源,18(11):21-25.
茶洪旺,和云,2019.中国产业政策的反思与转型取向[J].甘肃社会科学(6):130-135.
陈昌兵,2018.新时代我国经济高质量发展动力转换研究[J].上海经济研究(5):16-24.
陈诗一,陈登科,2018.雾霾污染、政府治理与经济高质量发展[J].经济研究,53(2):22-36.
陈锡稳,2020.我国制造业质量变革战略研究[J].宏观质量研究,8(1):5.
陈峥嵘,2005.发展我国产业投资基金的原则和策略[J].高科技与产业化(1):45-48.
陈志楣,杨德勇,2007.产业结构与财政金融协调发展战略研究[M].北京:中国经济出版社.
程博,2016.城市热网驱动型土壤源吸收式热泵模拟与实验研究[D].北京:北京建筑大学.
崔彬,等,2013.资源产业经济学[M].北京:中国人民大学出版社.
崔民选,2010.中国能源发展报告(2010)[M].北京:社会科学文献出版社.
戴宝华,罗佐县,宫昊,2018."气荒"背景下北方地热供暖产业发展战略思考[J].当代石油石化,26(5):1-7.
戴淑庚,2005.高科技产业融资:理论·模式·创新[M].北京:中国发展出版社.
丁海华,2007.辽河油田地热资源经济评价[D].北京:中国地质大学.
丁永昌,2016.中深层地热能梯级利用系统优化研究[D].济南:山东建筑大学.
董慧芹,冯世钧,史新辉,等,2013.河北省地热能产业快速可持续发展的思考[J].中国科技成果(11):13-14.
窦尔翔,2006.中国产业投资基金发展的路径选择[J].中国人民大学学报,20(5):8-15.
杜立新,2014.河北昌黎县沿海地区地热资源评价和开发利用研究[D].北京:中国地质大学(北京).
段瑞君,2011.优势资源的产业化演进与地热资源的综合利用-以北京南宫村特色经济为例[J].市场周刊:理论研究(10):41-42.
樊茗明,2011.战略性新兴产业发展评价研究[J].科技进步与对策,28(21):121-123.
樊毅,张瑾,2017.发达国家再生资源产业发展模式与环境治理经验及启示[J].商业经济研究(13):151-152.
冯·贝塔朗菲,1987.一般系统论[M].北京:社会科学文献出版社.
冯胥,2011.产业集群视角下鄂尔多斯盆地煤炭产业发展模式研究[D].太原:太原理工大学.

冯瑶,2008.供应链金融:实现多方共赢的金融创新服务[J].新金融(2):60-63.

高凤栋,展民晓,2013.对天津市地热资源科学开发利用的思考[J].中国国土资源经济,26(12):30-32.

高红艳,白洁,2019.基于SWOT分析法的汤岗子地热水保护区地热产业发展战略探讨[J].地下水,41(3):3.

高红艳,白洁,2019.基于SWOT分析法的汤岗子地热水保护区地热产业发展战略探讨[J].地下水,41(3):30-32.

宫昊,罗佐县,何铮,等,2017.美国地热集中供暖发展阻碍因素分析及对我国地热产业的启示[J].中外能源(5):14-19.

龚强,张一林,林毅夫,2014.产业结构、风险特性与最优金融结构[J].经济研究(4):4-16.

顾辰晴,2014.主要发达国家新能源发展中的税收激励措施与补贴制度研究[D].长春:吉林大学.

关锌,2014.地热资源经济评价方法与应用研究[D].武汉:中国地质大学(武汉).

关锌,2011.借鉴国外经验,促进我国地热产业政策发展[J].水文地质工程地质,38(2):139-139.

郭丽华,2009.地热资源开发产业投资基金研究[D].长春:吉林大学.

国家计委、科技部、中国科学院"赴美创业投资基金考察团,1999.美国创业投资基金产业的发展及其借鉴意义[J].证券市场导报(6):17-26.

国家统计局,2015.煤炭/电力工业统计年鉴(2015)[M].北京:中国统计出版社.

过广华,2018.我国地热产业整体评价与发展模式探析[D].北京:中国地质大学(北京).

韩君,2014.生态环境质量约束条件下能源资源性产品定价机制研究[D].兰州:兰州大学.

韩慎朝,2018.基于复合型新能源的微网系统分析与设计[D].天津:天津大学.

韩世君,2006.发展产业投资基金问题初探[J].财贸经济(4):70-72.

航旺,2012.2012年美国地热能发展趋势[J].地热能,(5):26.

郝新东,2013.中美能源消费结构问题研究[D].武汉:武汉大学.

何小锋,窦尔翔,贾小卫,2007.中国产业投资基金发展研究-功效、壮大和风险防范[J].长白学刊(2):96-102.

和军,2008.自然垄断产业规制改革理论研究[M].北京:经济科学出版社.

贺华,2014.对地方产业发展基金地位及运用的认识与思考[J].中外企业家(6):31-35.

贺晓宇,沈坤荣,2018.现代化经济体系、全要素生产率与高质量发展[J].上海经济研究(6):25-34.

侯志茹,2010.东北地区产业集群发展动力机制研究[M].北京:新华出版社.

胡求光,2014.宁波海洋战略性新兴产业的发展路径及培育模式研究[M].北京:经济科学出版社.

黄贺林,王孟欣,席增雷,等,2010.发展地热产业推动节能减排模式研究-基于河北"双三十"县市节能减排实证分析[J].中国经贸导刊(20):77.

黄慧华,2015.台湾自行车产业发展模式-自行车产业发展[J].Journal of Low Carbon Economy(3):9-15.

黄顺平,2018.地热能开采过程多场耦合数值模拟与分析[D].北京:北京交通大学.

黄雪飞,2019.基于生态系统的工业设计产业竞争力模型研究[J].包装工程(16):194-200.

惠宁,刘鑫鑫,2019.新中国70年产业结构演进、政策调整及其经验启示[J].西北大学学报(哲学社会科学版),49(6):5-20.

季敏波,徐莉芳,2000.中国产业投资基金的发展战略与模式选择[J].财经研究(5):37-42.

贾雁杰,2015.辽宁省地热资源成因类型及评价[D].阜新:辽宁工程技术大学.

江振华,王聪,2008.私募股权基金对我国产业发展的促进效应[J].中国金融(8):33-34.

姜智超,2015.黑龙江省绥化市地热田地热资源评价及合理开发利用[D].长春:吉林大学.

姜子昂,肖学兰,王黎明,2012.天然气产业低碳发展模式研究[M].北京:科学出版社.

金碚,2018.关于"高质量发展"的经济学研究[J].中国工业经济,361(4):12-25.

俊德(JunaidAlvi),2018.太阳能和地热能联合驱动的有机朗肯循环热力学分析及循环结构对比[D].天津:天津大学.

孔维臻,余瑞祥,陈宁,2012.基于净现值法的地热供暖项目投资分析[J].中国矿业,21(9):8-11.

孔维臻,2013.地热资源开发利用经济评价研究[D].武汉:中国地质大学(武汉).

孔祥军,孙振添,袁利娟,等,2014.中国地热产业发展现状及诉求分析[J].城市地质(S1):14-16.

孔祥军,孙振添,袁利娟,等,2014.中国地热产业发展现状及诉求分析[J].城市地质,9(A01):4.

黎伟,2013.基于U型桩埋管地热能技术在道路融雪中的应用研究[D].重庆:重庆交通大学.

黎永亮,2006.基于可持续发展理论的能源资源价值研究[D].哈尔滨:哈尔滨工业大学.

李成标,2015.湖北省页岩气产业发展模式及政策创新研究[M].北京:经济科学出版社.

李春华,2005.创建可再生、可循环、可持续的地热新能源开发利用模式[C]//全国地热产业可持续发展学术研讨会.

李攻科,2014.河北汤泉地热田成因与资源潜力评价[D].北京:中国地质大学(北京).

李晖,2012.浅、薄含水层中地热能开发利用方法研究[D].合肥:合肥工业大学.

李君,2016.太阳能与地热能耦合发电系统能源匹配与优化分析[D].天津:天津大学.

李俊华,2015.新常态下我国产业发展模式的转换路径与优化方向[J].现代经济探讨(2):10-15.

李魁山,张旭,高军,等,2007.桩基式土壤源热泵换热器换热性能及土壤温升研究[C].中国制冷学会2007年学术年会.

李录娟,2011.亚洲地热图编制及地热潜力评估[D].长春:吉林大学.

李萌,2013.我国各省高技术产业发展评价-基于主成分分析法[J].财经界:学术版(20):103-104.

李娜,隋静,2019.产业政策、资本市场与实体经济转型[J].会计之友(22):70-75.

李珊,2014.我国节能环保产业发展评价研究[D].济南:山东财经大学.

李同彪,2015.地热资源评估方法综述[J].能源与环境(5):91-92.

李学良,2001.高技术产业发展评价指标体系研究[D].沈阳:沈阳药科大学.

李杨,赵婉雨,2019.地热能领域产业技术分析报告[J].高科技与产业化(9):44-51.

李叶飞,2013.战略新兴产业发展模式、选择标准和战略研究[M].北京:中国经济出版社.

李宜程,刁乃仁,2015.深层地热能梯级利用供暖方法[J].节能,34(7):3.

李一鸣,刘军,2006.产业发展中相关理论与实践问题研究[M].成都:西南财经大学出版社.

廖月芝,龚宇烈,刘国钦,2011.广东省丰顺县地热资源利用现状及开发模式探讨[C]//2011中国可持续发展论坛.

林珏,2020.美国制造业"重振"战略实施效果考察:成效与难点[J].重庆工商大学学报(社会科学版),37(1):12-23.

林美孜,2020.整合作用于企业管理中的战略市场管理思维[J].中国战略新兴产业(2):254.

刘冰,2010.煤电纵向交易关系决定因素与选择逻辑[J].中国工业经济(4):58-68.

刘冰,2010.中国煤电产业纵向关系:决定因素与模式选择[M].北京:经济管理出版社.

刘朝马,刘冬梅,2001.矿产资源的可持续利用问题研究[J];数量经济技术经济研究(1):39-41.

刘凤良,郭杰,2002.资源可耗竭、知识积累与内生经济增长[J].中央财经大学学报(11):4.

刘洪恩.能源概论[M].化学工业出版社,2013:1-100.

刘剑,2014.政府推动清洁能源产业发展研究[D].济南:山东师范大学.

刘骏昊,2018.制度环境视角下政治关联对企业绩效的影响——以创业板上市企业为例[D].济南:山东大学.

刘明磊,张志华,2014.我国可再生能源行业发展跻身国际领先水平[J].科技促进发展,(2):56-62.

刘乐晨,2018.工程教育专业认证背景下工程人才核心能力研究[D].哈尔滨:哈尔滨理工大学.

刘时彬,2005.地热资源及其开发利用和保护[M].北京:化学工业出版社.

刘思凡,2018.湖北省互联网金融产业发展模式研究[D].长春:长春理工大学.

刘同良,2012.中国可再生能源产业区域布局战略研究[D].武汉:武汉大学.

刘易斯·卡布罗,2002.产业组织导论[M].胡汉辉、赵震翔,译.北京:人民邮电出版社.

刘友金,周健,2018."换道超车":新时代经济高质量发展路径创新[J].湖南科技大学学报:社会科学版,21(1):49-57.

刘志彪,2019.产业基础高级化:动态比较优势运用与产业政策[J].江海学刊(6):25-32.

刘中云,2018.关于中国石化地热产业发展的思考[J].当代石油石化,26(11):1-10.

娄勤俭,2003.中国电子信息产业发展模式研究[M].北京:中国经济出版社.

陆凤莲,殷红,2007.产业投资基金发展分析[J].中国统计(8):46-47.

吕东亮,2009.天津市雾迷山组地热能可持续开发潜力的模糊综合评价[D].焦作:河南理工大学.

吕静韦,李睿,申巳暄,2014.战略性新兴产业发展评价体系研究[J].价值工程(31):11-12.

吕玉广,2008.资源产业制度变迁与经济可持续发展[M].北京:地质出版社.

罗伯特·皮托夫斯基,林平,2013.超越芝加哥学派[J].产业经济评论:山东大学(2):148.

罗佐县,梁海军,何铮,等,2017.地热在北方清洁取暖中的角色定位[J].中国能源(4):36-39.

罗佐县,2017.我国地热产业政策优化改革思考[J].当代石油石化,25(6):6-12.

马春野,2011.基于协同动力机制理论的中国旅游产业发展模式研究[D].哈尔滨:哈尔滨工业大学.

马丁,2003.高级产业经济学[M].上海:上海财经大学出版社.

马立新,田舍,2006.我国地热能开发利用现状与发展[J].中国国土资源经济,19(9):3.

马克思,恩格斯,1958.马克思恩格斯全集(第四卷)[M].北京:人民出版社.

马伟,2014.基于系统论的中国房地产业健康发展研究[D].北京:北京交通大学.

梅婷婷,2018.我国地热产业发展机遇、挑战及对策分析[J].建筑工程技术与设计(27):3104.

苗杉,2016.我国地热供暖促进政策研究[D].北京:华北电力大学(北京).

牛晓帆,王少枋,朱睿倩,2012.现代产业发展模式[M].北京:人民出版社.

牛晓帆,2012.西部地区特色优势产业自主创新模式研究[M].昆明:云南大学出版社.

欧求丙,2011.我国政府在地热产业发展中的职能研究[D].武汉:中国地质大学(武汉).

欧阳秋珍,张敏,2020.中国产业转移的空间特征、制约因素与大国区间雁阵模式构架[J].现代商贸工业,41(5):7-8.

彭熠,陈清,徐国锋,2015.债务融资水平、期限结构与公司绩效[J].工业技术经济,34(2):3-14.

齐建国,赵京兴,1988.产业发展模式的选择[J].数量经济技术经济研究(10):10-13.

任保平,2018.新时代高质量发展的政治经济学理论逻辑及其现实性[J].人文杂志,262(2):31-39.

任保平,刘鸣杰,2018.我国高质量发展中有效供给形成的战略选择与实现路径[J].学术界,239(4):52-65.

任佳,2007.印度工业化进程中产业结构的演变:印度发展模式初探[M].北京:商务印书馆.

荣蓉,白琳,2019.金融科技赋能供应链金融[J].中国外汇(12):45-47.

尚杰,王世民,2007.环境产业发展模式研究:以黑龙江省为例[M].北京:中国农业出版社.

邵兰,2018.关于大庆市地热能开发利用的思考[J].科学与财富(24):181.

申瑞鹏,2013.中日新能源产业发展模式比较研究[D].上海:上海师范大学.

石定寰,1989.加强国际合作,努力推动新能源产业的发展[J].能源工程(3):18-20.

石舒娅,2010.基于系统动力学的电动汽车产业发展模式研究[D].武汉:武汉理工大学.

苏东水,2005.产业经济学.第2版[M].北京:高等教育出版社.

孙静娟,戴忻,2007.对中国高技术产业发展评价分析[J].特区经济(12):32-34.

覃成林,潘丹丹,2020.粤港澳大湾区产业结构升级及经济绩效分析[J].经济与管理评论,36(1):137-147.

谭璐,2019.产业"对外转移"的四个苗头性问题及政策建议[J].中国经贸导刊(32):4-5.

檀之舟,朱林,2018.我国开发利用地热资源的几点思考[J].中国国土资源经济,31(11):5.

唐志华,2011.湖南省浅层地热能建筑应用及地源热泵模糊综合评判研究[D].长沙:湖南大学.

唐志伟,郑鹏,张宏宇,等,2007.桩埋管热泵地下换热器工艺研究[J].建设科技(22):24-25.

田莉,2010.借鉴美国风险投资基金经验建立我国新能源产业发展基金[D].石家庄:河北师范大学.

田信民,2015.天津市地热资源潜力评价[D].北京:中国地质大学(北京).

王阿娜,2012.产业发展模式研究:以民用飞机产业为例[M].北京:中国社会科学出版社.

王阿娜,2012.产业发展模式研究[M].北京:中国社会科学出版社.

王博雅,2019.知识产权密集型产业国际竞争力问题研究及政策建议[J].知识产权(11):8.

王博雅,2019.知识产权密集型产业国际竞争力问题研究及政策建议[J].知识产权(11):79-86.

王成福,2020.我国地热能产业高质量发展模式研究[D].北京:中国地质大学(北京).

王甫,2017.太阳能中低温集热耦合二氧化碳捕集的理论与实验研究[D].天津:天津大学.

王冠珠,李浩川,孟祥辉,2017.探讨地理信息产业发展模式及其实现路径[J].中国战略新兴产业(20):57.

王华军,魏晋,张文秀,等,2006.一种基于塔式结构的地源热泵系统设计方法[J].暖通空调,36(11):70-73.

王会拴,2019.西藏地区太阳能地热能联合供能系统研究[D].北京:华北电力大学.

王静,成喜雨,2014.北京市浅层地热能产业发展现状及对策研究[J].中国国土资源经济(4):31-33.

王俊鑫,2014.忻州市奇村地热资源评价[D].北京:中国地质大学(北京).

王珺,2013.珠三角产业集群发展模式与转型升级[M].北京:社会科学文献出版社.

王利民,2019.金融科技赋能"一带一路"经贸发展[J].天津大学学报(社会科学版),21(6):503-507.

王利政,2011.我国战略性新兴产业发展模式分析[J].中国科技论坛(1):12-15+24.

王三银,2009.南京文化创意产业发展模式研究[D].南京:南京航空航天大学.

王述英,1999.现代产业经济理论与政策[M].太原:山西经济出版社.

王帅杰,2012.新乡市地热资源综合利用的研究[D].南京:南京理工大学.

王涛,2011.宁夏沿黄河经济带重点城市浅层地热能利用适宜性评价研究[D].西安:长安大学.

王秀芹,张平平,杨亚宾,2015.山东半岛蓝色经济区地热资源与开发利用区划[J].山东国土资源(7):40-44.

王雅静,2018.风险投资、政治关联对企业价值的影响研究[D].北京:对外经济贸易大学.

王亚洲,李雯,王振福,2017.蓝田县白鹿原印象民俗文化村地热水井可行性论证分析[J].陕西地质(6):102-105.

王艳艳,洪梅,付博,等,2016.基于模糊综合权重法的地热水资源梯级利用模式评价[J].水电能源科学(5):30-33.

王永真,2014.中低温地热能梯级综合利用系统的评价与优化[D].广州:广东工业大学.

王玉霞,2000.产业投资基金:基金业向前发展的选择[J].财经问题研究(2):57-60.

王玉霞,2000.现阶段中国发展产业投资基金问题研究[J].投资研究(1):20-23.

王作成,2007.政府竞争力理论与实证研究[M].北京:中国标准出版社.

王卓卓,郭帅,2019."一带一路"沿线国家地热发电开发前景分析[J].城市地质,14(1):5.

温茜茜,2013.中国产业发展模式研究[D].上海:复旦大学.

温茜茜,2015.中国产业发展模式研究[M].杭州:浙江大学出版社.

吴波,贾生华,2008.区域产业集群演进中集群企业网络化成长机制与模式研究[M].杭州:浙江大学出版社.

吴洪发,2018.浙江经济发展与生态环境质量协调关系分析——基于高质量发展的视角[D].杭州:浙江工商大学.

伍小雄,2011.辽河盆地地热资源定量评价[D].大庆:东北石油大学.

夏卫红,刘嗣明,2008.转型时期中国旅游业的发展模式选择[J].旅游论坛,19(2):164-168.

夏云龙,2011.我国战略性新兴产业发展模式研究[D].上海:上海交通大学.

相养谋,李乃华,1986.现代产业系统论[J].山西大学学报(哲学社会科学版)(1):1-8.

肖贵玉,肖林,刘家平,2011.中国战略性新兴产业的示范引领:上海临港模式与发展战略研究[M].上海:上海人民出版社.

谢季坚,刘承平,2000.模糊数学方法及其应用[M].武汉:华中理工大学出版社.

邢辉,2018.倪家台地热水产业综合评价及发展趋势探析[J].地下水,40(5):34-36.

邢倩,2013.我国地热产业可持续发展之路探析[J].化工管理(14):13+15.

邢万里,2015.2030年我国新能源发展优先序列研究[D].北京:中国地质大学(北京).

徐波,2010.中国环境产业发展模式研究[M].北京:科学出版社.

徐东,王东旭,王素霞,等,2017.地热投资项目经济评价方法探析[J].国际石油经济,25(12):90-94.

徐军祥,康凤新,2014.山东省地热资源[M].北京:地质出版社.

徐贻赣,2013.鄱阳湖生态经济区矿业经济发展战略研究[D].北京:中国地质大学(北京).

徐玉良,2018.齐河地区地下水源热泵抽灌井布置及地热开采效应研究[D].济南:山东大学.

许辉,2002.发展中国产业投资基金的现实思考[J].湖北社会科学(8):67-68.

许天福,张延军,曾昭发,等,2012.增强型地热系统(干热岩)开发技术进展[J].科技导报,30(32):42-45.

许晓冬,2020.人才供给侧改革视阈下产教融合促进创新创业能力提升的路径研究[J].晋中学院学报,37(1):69-71.

闫俊宏,许祥秦,2007.基于供应链金融的中小企业融资模式分析[J].上海金融(2):14-16.

严良,武剑,邹泉华,2016.我国新型地勘产业发展模式构建研究[M].武汉:人民出版社.

杨航征,韩晓旭,2013.国外地热产业政策对发展关中盆地地热产业的启示[J].西安建筑科技大学学报(社会科学版),32(2):30-34.

杨亚东,琚敬,2010.环境税立法促进绿色产业发展的法律思考[J].法制与社会(29):102-103.

杨治,1985.产业经济学导论[M].北京:中国人民大学出版社.

叶筱琴,丁锋,刘声政,2017.林业低碳经济发展模式探析[J].中国林业经济(5):33-34+36.

于立宏,2012.资源与环境约束强化条件下重化工产业发展模式研究:资源替代的视角[M].上海:华东理工大学出版社.

尤芳,刘志杰,2011.基于系统论的产业技术创新研究[J].学习月刊(12):2.

余力,2010.中国可再生能源消费与经济增长关系的实证研究[D].上海:复旦大学.

郁义鸿,管锡展,2006.产业纵向控制与经济规则[M].上海:复旦大学出版社.

詹麒,崔宇,2010.我国地热资源开发利用现状与前景分析[J].理论月刊(8):170-172.

张炳申,2003.产业组织、企业制度与支持系统[M].北京:经济科学出版社.

张博雅,2019.长江经济带高质量发展评价指标体系研究[D].合肥:安徽大学.

张朝锋,郭文,王晓鹏,2018.中国地热资源类型和特征探讨[J].地下水,40(4):1-5.

张东生,刘健钧,2000.发展产业投资基金的几个问题[J].宏观经济管理(3):25-28.

张海云,2017.主体功能区建设背景下青藏社会旅游文化产业发展调查研究——以贵德温泉地热资源开发利用为视点[J].贵州民族研究(5):46-49.

张立群,2018.地热能企业加速发展的财务实现路径[J].财会学习(6):53-54.

张密,2015.地热能有机朗肯循环发电系统运行参数的分析及仿真[D].天津:天津商业大学.

张韦,2015.低碳经济背景下我国新能源汽车产业发展模式及政策研究[D].武汉:武汉纺织大学.

张伟伟,高锦杰,2016.基于因子分析的吉林省林业产业发展评价研究[J].长春金融高等专科学校学报(4):79-86.

张晓烽,2018.生物质与太阳能、地热能耦合建筑CCHP系统集成研究[D].长沙:湖南大学.

张正,2015.基于FLUENT的干热岩热交换方式比较分析[D].沈阳:沈阳建筑大学.

章长松,2009.上海浅层地热能分布规律及开发应用研究[D].天津:天津大学.

赵博,2019.席卷行业的科技赋能产业革命[J].中国船检(8):74-77.

赵丰年,刘金侠,马春红,等,2015.地热能源开发技术标准体系研究进展及展望[J].石油工业技术监督,31(7):18-22.

赵丰年,刘金侠,马春红,等,2015.地热能源开发技术标准体系研究进展及展望[J].中国标准化,31(7):3.

赵贵宝,1985.调整农村产业结构的系统性原则[J].理论学刊(11):35-37.

赵宏,戴定,2017.世界地热发电产业概览[J].中国核工业(12):51-52.

赵立新,2016.黑龙江省兰西县地热资源可行性研究[D].长春:吉林大学.

赵鹏大,田时中,2012.我国资源产业经济学评析——基于CNKI资源产业经济博士论文的综合评价[J].中国国土资源经济,25(11):4-10.

赵鹏大,2003.资源产业经济若干问题[R].北京:中国地质大学(北京).

赵阳,2019.中深层地热取热系统及传热模型研究[D].邯郸:河北工程大学.

郑克棪,张振国,朱化周,等,2005.中国地热产业化开发的进程与展望(2000—2004国家报告)[J].地热能(3):3-7.

郑新,孙雨潇,张迪,等,2020.潮汐式地热能储能供热调峰系统效益分析[J].储能科学与技术,9(3):720-724.

钟顺红,2012.基于产业发展基金的EPC项目融资模式[J].合作经济与科技(21):62-64.

周国华,黄蓉,谢盼盼,2013.地热产业构成分析[J].国土资源科技管理,30(4):47-53.

周娉,2012.中国煤层气产业发展评价及途径研究[D].北京:中国地质大学(北京).

周总瑛,刘世良,刘金侠,2015.中国地热资源特点与发展对策[J].自然资源学报(7):1210-1221.

朱红丽,刘小满,杨芳,等,2011.开封市深层地热水回灌试验分析与研究[J].河南理工大学学报:自然科学版,30(2):5.

朱家玲,2006.地热能开发与应用技术[M].北京:化学工业出版社.

朱纹汶,2017.可再生能源——地热能的应用探讨[J].中氮肥(4):78-80.

朱相宇,彭培慧,2019.产业政策对科技服务业全要素生产率的影响[J].华东经济管理,33(10):66-73.

邹登亮,2014.地热能产业化开发PPP模式探讨[J].城市地质(2):26-29.

乐欢,2014.美国能源政策研究[D].武汉:武汉大学.

ABRELL J,RAUSCH S,2016. Cross-country electricity trade, renewable energy and European transmission infrastructure policy[J]. Journal of Environmental Economics & Management,79:87-113.

ALMEIDA H,CAMPELLO M,2007. Financial constraints, asset tangibility, and corporate investment[J]. Review of Financial Studies,20(5):1429-1460.

AXELSSON G,FLOVENZ O G,HAUKSDOTTIR S,et al.,2001. Analysis of tracer test data, and injection-induced cooling, in the Laugaland geothermal field, N-Iceland[J]. Geothermics,30(6):697-725.

BARBIER E,2002. Geothermal energy technology and current status: an overview[J]. Renewable & Sustainable Energy Reviews,6(1-2):3-65.

BERTANI R,2005. World geothermal power generation in the period 2001—2005[J]. Geothermics,34(6):651-690.

BHATTACHARYA M,PARAMATI S R,OZTURK I,et al.,2016. The effect of renewable energy consumption on economic growth: Evidence from top 38 countries[J]. Applied Energy,162:733-741.

BOGDANOV D,BREYER C,2016. North-East Asian Super Grid for 100% renewable energy supply: Optimal mix of energy technologies for electricity, gas and heat supply options[J]. Energy Conversion & Management,112:176-190.

BRUNNSCHWEILER C N,2017. Finance for renewable energy: an empirical analysis of developing and transition economies[J]. Environment & Development Economics,15(3):241-274.

COOLBAUGH M,2008. The important role of grass-roots exploration in expanding the use of geothermal energy in the Great Basin, USA[J]. Transactions Geothermal Resources Council, 32:118-119.

CROWELL A M, GOSNOLD W D, 2013. GIS - Based Geothermal Resource Assessment of the Denver Basin:Colorado and Nebraska[J]. Geothermal Resource Council Transactions,37:941-944.

DAVID D, 2006. Blackwell, Petru T. Negraru, Maria C. Richards. Assessment of the Enhanced Geothermal System Resource Base of the United States[J]. Natural Resources Research, 15(4):283-308.

DENISON E F, 1990. Estimates of productivity change by industry: an evaluation and an alternative[J]. Long Range Planning, 23:161.

DONALD S, 2011. Alternative energy: sources and systems (go green with renewable energy resources)[M]. Stamford:Cengage Learning Press.

EGILL J, GUENI A, 2018. Stock models for geothermal resources[J]. Geothermics, 72:249-257.

FERNANDES R, PATEL N, KOTHARI D C, et al., 2017. Harvesting clean energy through h2 production using cobalt - boride - based nanocatalyst[M]//Chattopadhyay J, Scivastava R. Advanced Nanomaterials in Biomedical, Sensor and Energy Applications, Belin:Springer:35-36.

FENG Y, CHEN X, XU X F, et al., 2014. Current status and potentials of enhanced geothermal system in China:A review[J]. Renewable & sustainable energy reviews,33:214-223.

FRIDLEIFSSON I B, 2003. Status of geothermal energy amongst the world's energy sources[J]. Geothermics, 32(4-6):379-388.

GHOSH A, 2016. Clean energy trade conflicts: the political economy of a future energy system [M]//GRAAF T, SOVACOOL B K, GHOSH A, et al. The Palgrave Handbook of the International Political Economy of Energy. Basingstroke:Palgrave Macmillan UK:175-204.

GORSCHEK T, GARRE P, LARSSON S B M, et al., 2007. Industry evaluation of the Requirements Abstraction Model[J]. Requirements Engineering,12(3):163-190.

GRANDELL L, LEHTILÄ A, KIVINEN M, et al., 2016. Role of critical metals in the future markets of clean energy technologies[J]. Renewable Energy,95:53-62.

GRANQVIST H, GROVER D, 2016. Distributive fairness in paying for clean energy infrastructure[J]. Ecological Economics,126:87-97.

HAEHNLEIN S, BAYER P, BLUM P, 2010. International legal status of the use of shallow geothermal energy[J]. Renewable & Sustainable Energy Reviews,14(9):2611-2625.

HAN D, LIANG X, JIN M, et al., 2010. Evaluation of groundwater hydrochemical characteristics and mixing behavior in the Daying and Qicun geothermal systems, Xinzhou Basin[J]. Journal of Volcanology and Geothermal Research,189(1):92-104.

HC. Pfohl, M. Gomm, 2009. Supply chain finance: optimizing financial flows in supply chains[J]. Logistics Research,1(3):149-161.

HEPBASLI A,2008. A key review on exergetic analysis and assessment of renewable energy resources for a sustainable future[J]. Renewable & Sustainable Energy Reviews,12(3):593-661.

HERMANTO A,2018. Modeling of geothermal energy policy and its implications on geothermal energy outcomes in Indonesia[J]. International Journal of Energy Sector Management,12(3):449-467.

INGLESI-LOTZ R,2016. The impact of renewable energy consumption to economic growth:A panel data application[J]. Energy Economics,53:58-63.

ISOAHO K,GORITZ A,SCHULZ N,et al.,2016. Governing clean energy transitions in China and India[R]. Working Paper.

JOCHEN B,GUANGNAN C,CHANDRASEKHARAM D,et al.,2017. Geothermal,Wind and solar energy applications in agriculture and aquaculture[M]. Los Angeles:CRC Press.

KARL O,2007. Geothermal Heat Pumps:A guide for planning and installing[M]. New York:Routledge Press.

KATHLEEN A,2017. Low carbon energy transitions:turning points in national policy and innovation[M]. Oxford:Oxford University Press.

KHAN M R,DAUGHERTY K E,2017. Clean energy from waste[M]. Belin:Springer International Publishing.

LAMBRAKIS N,KALLERGIS G,2005. Contribution to the study of Greek thermal springs:hydrogeological and hydrochemical characteristics and origin of thermal waters[J]. Hydrogeology Journal,13(3):506-521.

LU S M,2017. A global review of enhanced geothermal system (EGS)[J]. Renewable & Sustainable Energy Reviews,81:2902-2921.

LUND J W,FREESTON D H,2001. World-wide direct uses of geothermal energy[J]. Geothermics,30(1):29-68.

LUND J W,2011. Direct utilization of geothermal energy[J]. Geothermics,40(3):159-180.

MELLER C,BREMER J,ANKIT K,et al.,2017. Integrated research as key to the development of a sustainable geothermal energy technology[J]. Energy Technology,5(7):965-1006.

MIGENDT M,2017. Public policy influence on renewable energy investments-a panel data study across OECD countries[M]//Migendt M. Accelerating Green Innovation. Belin:Springer Fachmedien Wiesbaden:59-82.

MINISSALE A,DUCHI V,KOLIOS N,et al.,1989. Geochemical characteristics of Greek thermal springs[J]. Journal of Volcanology & Geothermal Research,39(1):1-16.

MOSLENER U,MCCRONE A,FRANCOISE D'ESTAIS,et al.,2017. Global trends in renewable energy investment 2017[EB/OL]. [2017-11-28]. https://apo.org.au/sites/default/files/resource-files//apo-nid75207.pdf.

NOGARA J,ZARROUK S J,2017. Corrosion in geothermal environment:Part 1:Fluids and their impact[J]. Renewable & Sustainable Energy Reviews,82:1333-1346.

PARAMATI S R,APERGIS N,UMMALLA M,2016. Financing clean energy projects through domestic and foreign capital:The role of political cooperation among the EU,the G20 and OECD countries[J]. Energy Economics,61:62-71.

PARAMATI S R,UMMALLA M,APERGIS N,2016. The effect of foreign direct investment and stock market growth on clean energy use across a panel of emerging market economies[J]. Energy Economics,56:29-41.

PAULILLO A,STRIOLO A,LETTIERI P,2019. The environmental impacts and the carbon intensity of geothermal energy:a case study on the Hellisheiei plant[J]. Enviroment International,133:1-9.

PROSKUROWSKI G,LILLEY M D,KELLEY D S,et al.,2006. Low temperature volatile production at the Lost City Hydrothermal Field,evidence from a hydrogen stable isotope geothermometer[J]. Chemical Geology,229(4):331-343.

RAHIM S,JAVAID N,AHMAD A,et al.,2016. Exploiting heuristic algorithms to efficiently utilize energy management controllers with renewable energy sources[J]. Energy & Buildings,129:452-470.

REED M J,1982. Assessment of low-temperature geothermal resources of the United States-1982[J]. Nursing Mirror,145(24):10-10.

RENNER J L,2007. The future of geothermal energy[EB/OL]. (2007-03-01)[2021-04-18]. https://www.eesi.org/files/JW_Tester.pdf

RICHARD P,2015. Walker,Andrew Swift. Wind energy essentials:societal,economic,and environmental impacts[M]. Wiley Press.

RON D,2016. Geothermal power generation:developments and innovation[M]. England:Woodhead Publishing.

ROY L,2016. Nersesian. Energy economics:markets,history and policy[M]. New York:Routledge Press.

SEIFERT R W,SEIFERT D,2011. Financing the chain[J]. International Commerce Review,10(1):12-14.

SALEHIN S,EHSAN M M,FAYSAL S R,et al.,2018. Utilization of nanofluid in various clean energy and energy efficiency applications[M]//KHAN M M K,CHOWDLARY A,HASSAN N M S. Application of Thermo-fluid Processes in Energy Systems. Belin:Springer:3-33.

SANLIYUKSEL D,BABA A,2011. Hydrogeochemical and isotopic composition of a low-temperature geothermal source in northwest Turkey:case study of Kirkgecit geothermal area[J]. Environmental Earth Sciences,62(3):529-540.

SANYAL S K,2017. Sustainability and renewability of geothermal power capacity[J]. Renewable

Energy Systems,28:4221-4234.

SHARMA R K,MARICHI R B,SAHU V,et al.,2017. Efficient,sustainable and clean energy storage in supercapacitors using biomass-derived carbon materials[M]//Handbook of Ecomaterials. Belin:Springer.

SIVARAM V,NORRIS T,2016. The clean energy revolution:Fighting climate change with innovation[J]. Foreign Affairs,95(3):147-156.

SIVARAM V,SAHA S,2018. The geopolitical implications of a clean energy future from the perspective of the United States[M]. The Geopolitics of Renewables.

SLIMANE R B,2018. R&D for clean energy production through responsible utilization of various feedstocks including coal,biomass,and hydrocarbons[M]. Recent Advances in Environmental Science from the Euro-Mediterranean and Surrounding Regions.

SORENSEN B,2004. Renewable energy:physics, engineering, environmental impacts, economics and planning[M]. Pittsburgh:Academic Press.

SPEIGHT J,2015. Geothermal energy:renewable energy and the environment[J]. EnergySources,37(18):2039.

SWINK D G, SCHULTZ R J,1976. Conceptual study for total utilization of an intermediate temperature geothermal resource[J]. Geothermal Energy(5):172-179.

TOSHIKO T,STEPHEN A M,NICHOLAS D,2012. High fluid pressure and triggered earthquakes in the enhanced geothermal system in Basel,Switzerland[J]. Journal of Geophysical Research Atmospheres,117(B7):2201-2207.

WASEEM S,RATLAMWALA T A,SALMAN Y,et al.,2019. Geothermal and solar based mutligenerational system:A comparative analysis[J]. International Journal of Hydrogen Energy(6):5636-5652.

WHITE D E,1968. Environments of generation of some base-metal ore deposits[J]. Economic Geology,63(4):301-335.

YARI M,2010. Exergetic analysis of various types of geothermal power plants[J]. Renewable Energy,35(1):112-121.

ZARROUK S J,MOON H,2014. Efficiency of geothermal power plants:A worldwide review[J]. Geothermics,51:142-153.

附 录

一、地热能产业最新政策汇编

发文时间	发文单位	文件制度	文号
2016年2月2日	国务院	国务院关于深入推进新型城镇化建设的若干意见	国发〔2016〕8号
2016年5月9日	国家税务总局	关于印发《水资源税改革试点暂行办法》的通知	财税〔2016〕55号
2016年9月23日	河北省人民政府	关于加快实施保定廊坊禁煤区电代煤和气代煤的指导意见	冀政字〔2016〕58号
2016年12月10日	国家发改委	可再生能源发展"十三五"规划	发改能源〔2016〕2619号
2017年1月1日	国家发改委	地热能开发利用"十三五"规划	发改能源〔2017〕158号
2017年1月16日	泰州市政府	泰州市地热资源和浅层地热能管理办法	政府令〔2016〕2号
2017年3月15日	上海市人民政府	上海市能源发展"十三五"规划	沪府发〔2017〕14号
2017年4月7日	上海市浦东新区人民政府	浦东新区节能低碳专项资金管理办法	浦府〔2017〕61号
2017年4月14日	湖北省发改委	关于印发湖北省可再生能源发展"十三五"规划的通知	鄂发改能源〔2017〕194号
2017年5月16日	财政部	关于开展中央财政支持北方地区冬季清洁取暖试点工作的通知	财建〔2017〕238号
2017年5月17日	住房和城乡建设部	全国城市市政基础设施建设"十三五"规划	建城〔2017〕116号
2017年6月19日	国家税务总局	关于实施高新技术企业所得税优惠政策有关问题的公告	国家税务总局公告2017年第24号
2017年9月6日	住建部	关于推进北方采暖地区城镇清洁供暖的指导意见	城建〔2017〕196号
2017年9月19日	国家发改委	关于北方地区清洁供暖价格政策的意见	发改委价格〔2017〕1684号
2017年11月21日	天津市人民政府	关于印发天津市居民冬季清洁取暖工作方案的通知	津政发〔2017〕38号

续表

发文时间	发文单位	文件制度	文号
2017年12月20日	国家发改委	北方地区冬季清洁取暖规划2017-2021年	发改能源〔2017〕2100号
2017年12月29日	国家发改委	关于加快浅层地热能开发利用 促进北方取暖地去燃煤减量替代的通知	发改环资〔2017〕2278号
2018年1月8日	陕西省住房和城乡建设厅	关于印发《关于发展地热能供热的实施意见》的通知	陕建发〔2018〕2号
2018年2月9日	山东省国土资源局	关于切实加强地热资源保护和开发利用管理的通知	鲁国土资规〔2018〕2号
2018年3月14日	青海省住房和城乡建设厅等	关于推进冬季城镇清洁供暖的实施意见	青建燃〔2018〕5号
2018年6月13日	濮阳市人民政府办公室	关于加强地热资源管理支持地热供热工作的通知	濮政办〔2018〕30号
2018年6月28日	河北省住房和城乡建设厅等	关于印发河北省农村地区地热取暖试点方案的通知	冀建村〔2018〕29号
2018年8月29日	山东省人民政府	关于印发山东省冬季清洁取暖规划(2018-2022年)的通知	鲁政字〔2018〕178号
2018年12月20日	青岛市人民政府办公厅	关于印发青岛市推进农村清洁取暖实施方案的通知	青政办字〔2018〕134号
2019年1月21日	北京发展和改革委员会	关于印发进一步加快热泵系统应用 推动清洁供暖实施意见的通知	京发改规〔2019〕1号
2019年4月3日	财政部、税务总局	关于延续供热企业增值税房产税 城镇土地使用税优惠政策的通知	财税〔2019〕38号
2019年6月12日	科学技术部	关于国家重点研发计划"可再生能源与氢能技术"等重点专项申报指南的通知	国科发资〔2019〕203号
2019年6月12日	崂山区政府办公室	关于印发青岛市崂山区农村清洁取暖实施方案的通知	—
2019年7月18日	河南省发改委	关于印发河南省促进地热能供暖的指导意见的通知	豫发改能源〔2019〕451号
2019年12月6日	国家发改委	关于促进生物天然气产业化发展的指导意见	发改能源规〔2019〕1895号
2020年3月16日	陕西省住房和城乡建设局	关于规范和加强地热能建筑供热系统建设管理工作的通知	陕建发〔2020〕59号

续表

发文时间	发文单位	文件制度	文号
2020年3月26日	临沂市自然资源和规划局	临沂市中心城区浅层地温能开发利用规划（2019—2025）	—
2020年6月24日	山西省住建厅、发改委、财政厅、能源局	关于进一步推进地热能供热技术应用的通知	晋建科字〔2020〕97号
2021年1月27日	国家能源局	国家能源局关于因地制宜做好可再生能源供暖工作的通知	国能发新能〔2021〕3号
2021年6月20日	国家能源局	国家能源局关于2020年度全国可再生能源电力发展监测评价结果的通报	国能发新能〔2021〕31号

二、地热能产业大事记(2017年1月至2021年6月)

2017年1月3日	住建部建设环境工程技术中心在石家庄河北会堂举办2017年中国地热产业与地源热泵技术交流大会
2017年1月9日	全国首个采油污水余热大规模应用供暖项目在胜利油田垦东联合站顺利投产，可替代天然气$653×10^4 m^3$、节约标煤6970t、减排二氧化碳13 938t
2017年1月13日	国家能源局印发《能源技术创新"十三五"规划》，提出掌握干热岩开发关键技术，简称100KW级干热岩发电示范
2017年1月20日	中国地质调查局"海洋六号"船，采用我国自主研发的地热流探针开展了我国在南极的首次地热探测，并成功采获一批高质量地热数据
2017年1月23日	我国首份地热能五年规划发布，国家发改委、国家能源局和国土资源部共同印发了《地热能开发利用"十三五"规划》
2017年2月9日	国家发改委副主任、国家能源局局长努尔·白克力一行到雄县调研清洁能源和地热资源开发利用工作
2017年2月14日	能源行业地热能专业标准化技术委员会启动大会暨一届一次会议在北京召开
2017年3月14日	海南地区地热资源勘查开发利用座谈会召开；上海市人民政府印发《上海市能源发展"十三五"规划》
2017年3月27日	第六届中深层地热资源高新开发与利用国家会议在北京市地大国际会议中心召开
2017年4月6日	中国石化新星公司在河北雄县召开现场会，研究部署打造雄县模式升级版，为雄安新区提供地热+多种清洁能源的具体措施
2017年4月10日	山东省首个砂岩热储地热回灌示范工程圆满成功
2017年4月13日	天津市国土资源和房屋管理局组织专家对中深层地热井内换热供热技术召开专家论证会

续表

2017年5月2日	贵州省温泉工作会议提出将全力打造贵州为中国温泉省
2017年5月2日	江苏省住房和城乡建设厅印发《2017年江苏省绿色建筑暨建筑节能工作任务分解方案》
2017年5月2日	湖北省发展和改革委员会印发《湖北省可再生能源发展"十三五"规划》
2017年5月12日	雄安新区设立后第一口地热井在大营镇
2017年5月14日	科技部印发《"十三五"先进制造技术领域科技创新专项计划》
2017年5月17日	中国科学院"地热+"多能互补座谈会在中国科学院地质与地球物理研究所召开
2017年5月17日	住房和城乡建设部、国家和发展改革委员会印发《全国城市市政基础设施建设"十三五"规划》
2017年5月19日	国家重点研发"地热能井钻完井关键技术与优化设计平台"暨高等学校学科创新引智计划"深部地热资源开发基础研究"启动和实施方案研讨会在中国石油大学召开
2017年5月23日	中国石化集团公司雄安新区地热资源评价会议在新星公司召开
2017年5月24日	胜利油田石油工程公司签订土耳其地热发电项目生产井/回灌井钻探工程合同
2017年6月1日	"地热与冰岛的能源革命"沙龙在清华大学举行
2017年6月7日	第八届清洁能源部长会议和第二届创新使命部长级会议在北京开幕
2017年6月13日	中国石化集团与西藏自治区签订《"十三五"时期央企助力富民兴藏项目战略合作协议》
2017年6月14日	中核集团和西藏自治区在拉萨举行"在藏产业发展座谈会暨合作协议签约仪式"
2017年6月17日	2017年第四届中国国际温泉产业高峰论坛在太白山举办
2017年6月17日	地热能开发研讨会暨新型电传动地热水井装备发布会在张家口举行
2017年6月22日	"热泵供暖技术应用于发展高峰论坛暨2017年全国热泵学术年会"在北京召开
2017年7月27日	陕西省住房和城乡建设厅在西安主办"陕西省地热能采暖交流观摩会"
2017年7月31日	江汉油田矿区共冷暖乐园改造项目一期首口地热井完井
2017年8月30日	在青海共和盆地已钻获高温优质干热岩体
2017年9月8日	河岸万江集团地热研究院士工作站启动仪式在郑州举行
2017年10月1日	我国地热专家代表团赴美国犹他州盐湖城参加了"美国地热资源委员会第41届年会"
2017年10月29日	"中国地质学会地热专业委员会2017年年会暨雄安新区地热勘查开发学术研讨会"在雄安新区举行
2017年11月2日	中国4家地热专业委员会在成都联合召开"2017年中国西部地热资源开发利用学术研讨会"
2017年11月21日	中国地调局全国地热资源调查评价研讨会于在天津市召开
2017年12月1日	雄安新区首批3个3500m深度地热勘探钻孔顺利开钻
2017年12月8日	中核集团地热产业联盟在京成立,标志着中核集团地热产业发展拉开序幕

续表

2018年1月23日	"全国地质调查工作会"在北京召开,重点工作内容传递出加快雄安新区等重点地区地热资源调查的信号
2018年1月26日	《中国的北极政策》的发表,标志着中国的地热能利用技术或将走向北极
2018年2月27日	"中国核电地热开发专项工作组员工大会暨中核坤华能源发展有限公司成立大会"在京召开
2018年3月12日	中国地调局水环所牵头的《我国地热资源开发利用战略研究》日前荣获国家能源局能源软科学研究优秀成果二等奖
2018年3月14日	在青海设立干热岩研究基地,加快推进干热岩资源勘查开发
2018年3月14日	怀仁镇打造特色能源小镇
2018年3月14日	中国核电整合优势资源,落实集团公司在藏地热项目拓展
2018年3月16日	国家发改委、财政部下达我国利用世界银行和亚洲开发银行贷款2018-2020年备选项目规划。山东大气污染防治项目获得亚洲开发银行贷款5亿美元
2018年3月19日	全国人大代表宋殿宇建言加快地热能资源开发利用
2018年3月21日	发改委:2021年北方地区清洁取暖率达70%
2018年4月6日	正安县打出贵州省最大"自流地热井"
2018年4月18日	海南将示范建设绿色低碳海岛独立能源系统
2018年4月19日	湖南娄底首次发现极具开发价值地下热水
2018年4月19日	新疆塔什库尔干县发现全国第二大地热田。其中,曲曼地热田的地热资源范围、热储存条件仅次于羊八井,居全国第二
2018年4月24日	天津市从"独眼井"到"对儿井",地热集约利用开先河
2018年4月25日	北京通州地热勘查支撑"近零碳排放区"建设
2018年4月26日	北京将建建筑规模世界第一交通枢纽,优先采用地热能等新能源
2018年4月26日	济南深层地热能相当于19亿吨煤,地热区打造"温泉之都"
2018年4月26日	首期"李四光地质科普讲坛"聚焦地热资源开发利用
2018年5月7日	中国地热专家云集海口,聚焦干热岩"中国海南第一井"新成果
2018年5月9日	国资委主任肖亚庆到雄安新区调研地热开发利用
2018年5月26日	勘探技术所雄安地热井工程设计顺利通过审查
2018年5月30日	地热中心成功签约武汉恒大温泉打井项目
2018年6月9日	陕西干热岩供热科普落地沣西新城,西安家庭探秘海绵城市
2018年6月20日	华北油田编制地热开发规划方案服务雄安新区
2018年6月22日	物勘院瑞安湖岭陶溪地热资源勘查项目达到"AAAAA"级标准温泉

续表

日期	事件
2018年7月2日	加拿大工程院院士来水环中心开展学术交流
2018年7月10日	北京试点山区村庄清洁取暖
2018年7月12日	"全国地热钻探技术及钻探施工现场管理研讨会"召开
2018年7月23日	北京市地质工程勘察院中标项目工作内容涉及北京市地热资源的资源量调查、储量评价、动态数据监测及可持续利用研究等方面,中标项目数量、经费总额再创北京地热研究类项目新高
2018年7月24日	曹耀峰谈中国地热产业规划和布局战略研究成果
2018年7月24日	江苏省地热能源学会牵头编制《江苏省地热能源资料汇编》
2018年7月24日	内蒙古自流量最大地热井终孔
2018年8月26日	"四季春·第十届中国国际地源热泵高层论坛"在南京圆满召开
2018年9月3日	我国首次发布地热能发展报告《中国地热能发展报告》
2018年9月10日	中国核电首个地热发电项目在西藏成功开钻
2018年9月12日	寒区地温(热)能开发利用科技论坛在东北石油大学开幕,国内地热领域专家云集大庆市,就寒区地温(热)能开发利用技术进行研讨
2018年9月20日	地热国际研讨会在津门胜利召开。会议围绕地热发展的现状与未来主题,系统总结了国内外地热资源调查评价成果
2018年9月29日	由中国地质学会主办,自然资源部中国地质调查局、中国地质科学院水文地质环境地质研究所、中国地质学会地热专业委员会、自然资源部中国地质调查局地热资源调查研究中心、四川省地质工程勘察院、河北省地质学会承办的"中国地质学会地热专业委员会2018年年会"在成都召开
2018年10月5日	自然资源部中国地质调查局、国家能源局新能源和可再生能源司等部门近日联合发布的报告称,我国地热能勘探技术不断成熟
2018年10月10日	西藏羊易地热电站16兆瓦奥玛特ORC双工质机组工程正式并网发电
2018年10月22日	国家能源局支持建设广州开发区新能源综合利用示范区:推动地热等技术
2018年12月21日	西南石油大学地热能研究中心揭牌
2019年1月14日	"中华人民共和国能源行业标准《地热回灌技术要求》发布会暨回灌技术交流会"在北京召开
2019年3月11日	2019年全国两会老杨会客厅夜话"打赢蓝天保卫战"沙龙在人民日报社新媒体大厦举办
2019年4月17日	中办、国办发文:理顺取水权与地热矿泉采矿权的关系
2019年4月26日	国家能源局专家调研组到山东省调研地热能开发利用情况
2019年11月21日	中国地质调查局领导带队来广安考察 地热试验井勘探成果正式移交广安市
2019年11月22日	《可再生能源发展"十四五"规划研究(地热部分)》启动会在北京召开,会议梳理了"十三五"地热能发展取得的成绩,分析了行业发展存在的问题,商讨了"十四五"地热能高质量发展思路和目标
2019年11月22日	我国中深层地热"取热不取水"技术取得重大突破

续表

2019 年 11 月 26 日	中煤科工集团西安研究院高新院区地热 DZ01 井二开固井水泥浆上返地面,标志着我国中深层地热能单井换热式开采第一井顺利完井,绿色开发利用地热能技术实现新突破
2019 年 11 月 28 日	在新西兰奥克兰大学举行的申办 2023 年世界地热大会竞选结果揭晓:中国赢得了 2023 年世界地热大会的承办权。中国将谱写地热能行业发展史上最壮丽的篇章
2019 年 12 月 2 日	我国首次在广安地区获得地热水资源勘探突破,钻获四川省出水量最大的自流地热井——这一喜讯刊登在近日的《地质调查专报》上。该成果将助推广安高质量转型发展
2019 年 12 月 3 日	中国和冰岛地热培训项目揭牌仪式在京举行。该培训项目是中冰地热技术研发合作中心取得的重要成果之一,为中冰双方探索培养地热领域专业人才、深化交流合作奠定坚实基础。冰岛前总统格林姆松和中国石化副总经理喻宝才共同为中冰地热培训项目揭牌
2019 年 12 月 9 日	国家发展改革委:多措并举有序推进清洁取暖 确保今冬温暖过冬
2019 年 12 月 10 日	国家能源局批准了《水电工程电法勘探技术规程》等 384 项能源行业标准。此次批准的地热能领域标准涉及浅层地热开发监测、地热勘探、热储评价、地热钻井、录井、测井、地热发电地热供热、余热利用、换热等方面,有 16 项标准
2019 年 12 月 17 日	公示:地热资源勘查项目成果入选 2020 年度国家科学技术进步奖
2019 年 12 月 23 日	"羊八井地热发电试验设施"被认定为国家工业遗产,这也是西藏自治区首个国家工业遗产
2019 年 12 月 24 日	十三届全国人大常委会第十五次会议上,全国人大常委会副委员长丁仲礼代表全国人大常委会执法检查组,做可再生能源法实施情况的报告。报告显示,可再生能源法颁布实施后,我国可再生能源开发利用规模显著扩大。科技部在国家科技计划中优先部署可再生能源技术研发,截至"十二五"末期投入中央财政经费逾 23 亿元。"十三五"期间投入中央财政资金 7 亿元,实施"可再生能源与氢能技术""智能电网技术与装备"两个重点研发专项
2019 年 12 月 26 日	中国能建天津电力工程自主创新产业园供热(冷)能源站顺利通过 72 小时联合试运行,正式投入运营。京津冀地区最大"中深层地岩换热"分布式能源站投运
2020 年 3 月 16 日	在各地政府投资清单项目中不乏有地热人的身影,受疫情影响,中国煤炭地质总局水文地质局日前通过"云签约"的形式承揽了河北宁晋地热资源勘查项目
2020 年 3 月 18 日	南京大学地球科学与工程学院李晓昭教授牵头项目"浅层地热能高效可持续开发关键技术及应用"获得 2019 年度江苏省科学技术奖一等奖
2020 年 3 月 25 日	全国政协委员会副主任姜大明到草滩中深层项目调研地热能供热技术
2020 年 5 月 08 日	中深层地热资源"无泵式"开采获突破
2020 年 5 月 13 日	"地下超级锅炉"可发电供暖
2020 年 7 月 10 日	章建华:为决战决胜脱贫攻坚注入强劲动能。积极支持开展风电、光伏、沼气、地热、生物质能等可再生能源开发利用,带动当地相关产业协同发展,助力贫困地区增加收入、扩大就业
2020 年 10 月 19 日	国新办举行能源行业决战决胜脱贫攻坚有关情况发布会
2020 年 11 月 30 日	适度支持可再生能源发电项目

续表

2020年12月28日	章建华在《宏观经济管理》"全面建成小康社会"专栏发表署名文章
2021年2月8日	《国家能源局关于因地制宜做好可再生能源供暖相关工作的通知》政策解读
2021年4月14日	国家能源局综合司关于公开征求《关于促进地热能开发利用的若干意见(征求意见稿)》意见的公告
2021年4月22日	国家能源局关于印发《2021年能源工作指导意见》的通知
2021年4月28日	关于地热资源利用问题
2021年6月25日	国家能源局关于组织开展"十四五"第一批国家能源研发创新平台认定工作的通知

后　记

2021年是中国共产党建党100周年，也是"十四五"规划开局之年。在全面建设社会主义现代化国家新征程上，"二氧化碳排放力争于2030年前达到峰值，努力争取2060年前实现碳中和"的奋斗目标，为地热能事业发展带来全新的挑战与机遇。在当前形势下，加快地热能产业结构优化、推进地热能利用效率提升，以及实现地热能产业高质量发展，是我们面临的一项紧迫任务。

本书的出版受到2020—2021年度中国煤炭地质总局"地热能产业高质量发展研究"课题项目资助。全书分为上、中、下三篇，共有十二个章节，内容也是对地热能产业高质量发展研究的归纳总结，旨在为新能源建设和如期实现"碳达峰""碳中和"目标贡献智慧和力量。本书是在中国煤炭地质总局、中能化信息与发展战略研究中心、中煤矿业集团有限公司和中化地质矿山总局地质研究院的支持下，由编委会全体人员共同努力编写而成。

感谢中国科学院院士赵鹏大教授及原国土资源部党组成员、副部长汪民同志为本书编写提供宏观方向指引，并不辞辛劳拨冗作序。

本书的完成离不开众多良师益友的鼓励与帮助，在此特别要感谢关凤峻、王成福、陈正、郭天义、谭振、刘军省等良师益友的大力支持，感谢成都理工大学地热研究中心左银辉教授团队提供相关资料与数据，感谢中国地质大学出版社张瑞生社长在本书出版过程中付出的辛勤劳动。同时，还要感谢张小群、李红岩、侯涛、岳岁等同志在材料搜集方面所做的诸多工作。

在写作过程中，本书参考运用了部分专家学者的已有著作、论文、研究成果和数据资料，这给了我们很多启示和帮助，在此未能一一列举，谨向他们表示衷心感谢。

著　者

2021年11月